bête et méchant

cavanna

bête
et
méchant

PIERRE BELFOND
3 *bis*, passage de la Petite-Boucherie
75006 Paris

Si vous souhaitez recevoir notre catalogue
et être tenu au courant de nos publications,
envoyez vos nom et adresse en citant ce livre.
Éditions Pierre Belfond
3 bis, passage de la Petite-Boucherie
75006 Paris

ISBN 2-7144-1387-0

Toute ressemblance entre des noms cités dans ce livre et des imbéciles vivants serait purement fortuite. J'ai en effet pris grand soin de changer les noms des imbéciles, car les imbéciles sont méchants, et moi je suis lâche.

Toute ressemblance entre des noms cités dans ce livre et des noms de personnes vivantes est donc un hommage rendu à la non-imbécillité desdites personnes. A moins, bien sûr, qu'elles ne s'empressent de donner la preuve, en me cherchant des histoires, que j'ai eu tort de leur faire confiance sur ce point.

C.

1945
Liliane

*

Je l'avais rencontrée à la Maison du Déporté, un machin démesuré qu'ils avaient bricolé dans les locaux d'un grand magasin bien dédoré, au confluent de la rue de Rivoli, du boulevard Sébastopol et de la rue Saint-Denis, juste en face de la tour Saint-Jacques, peut-être bien un antre de kollabos infects dépossédés au lendemain de la retraite allemande, peut-être bien aussi, antérieurement, un repaire de Juifs suceurs de sang français expropriés par Pétain et ses bérets basques, va savoir. La guerre, ça va ça vient. C'était donc pour le moment un local réquisitionné comme il y en avait tant dans Paris, voués à ces œuvres charitables et rassurantes qui fleurissent sur les décombres après les guerres.

Ça s'était appelé, au temps de sa splendeur lointaine, « A Pygmalion », le nom se lisait encore, pâli écaillé, sur la façade Sébastopol. C'était vaste, vide, sonore, poussiéreux, plutôt lugubre. Des petits bureaux précaires avaient été alignés autour du grand hall central où tombait, d'une verrière sale, la lumière grise d'un perpétuel novembre. Le rescapé des camps retrouvait là un reflet de la lumière grise des horizons pâles étirés sous les mornes ciels de l'Est. La transition lui en était moins brutale. Il y retrouvait aussi l'odeur de chien mouillé et les queues devant des guichets taillés dans un bois pauvre teinté au jus de réglisse. Queues pour des tickets de lait, pour du chocolat, pour des lainages kaki, pour des friperies collectées aux États-Unis, pour le médecin, pour le conseiller juridique, pour des colonies de vacances, pour une place en maison de repos, pour faire réquisitionner un logement vide, pour avoir des nouvelles,

9

pour en donner, et surtout pour remplir des paperasses, des montagnes de paperasses. Tu as été déporté, bon. Encore faut-il le prouver.

Aux murs étaient punaisés à foison de petits écriteaux multicolores se bousculant comme les tuiles d'un toit après la tornade : « Qui peut me donner des nouvelles de Taubenfeld Moïse, tel âge, telle taille ? (Photo collée dans le coin.) Il a été vu pour la dernière fois à Treblinka, block numéro tant, en octobre 44. » « Jean, donne de tes nouvelles. Le petit et moi sommes vivants. Nous t'attendons. Adeline. » Les cartons jaunissaient, les photomatons pâlissaient. Il semblait qu'une fois accroché là un écriteau ne s'en allait plus jamais. Mais peut-être que les gens, s'étant retrouvés, oubliaient simplement d'ôter l'écriteau.

Se côtoyaient en ces lieux, entre autres, l'Association des déportés du travail et le COSOR (Comité des œuvres sociales des organisations de résistance, si je me souviens bien). J'avais affaire à la première, elle au second.

✳

Été 1945. J'étais rentré en assez mauvais état[*]. J'avais perdu Maria, j'avais tout perdu. Je m'étais accordé quinze jours de vacances. Je les avais consacrés à la quête de Maria. J'avais couru les comités, les croix-rouges et les ambassades, essayant d'attraper le bout de la queue de l'infime indice qui m'eût lancé sur l'ombre d'une piste, cherchant la fissure qui m'eût permis de replonger là-bas pour la ramener ou pour y rester avec elle, faisant passer des messages par tous les messagers que je parvenais à coincer, jusqu'au planton du consulat de l'URSS, jusqu'à un officier soviétique croisé sur les Champs-Elysées...

Cafardeux, malade, le cœur en berne et la tripe sanguinolente, je me sentais terriblement incongru dans cette France frivole qui, me semblait-il, n'avait rien vu, rien compris,

---

[*] Voir *Les Russkoffs,* Belfond 1979.

rien appris, n'avait rien à oublier, rien à se rappeler. Leur guerre n'avait pas été la mienne, leur victoire ne l'était pas non plus. Aucune guerre, aucune victoire ne pourraient jamais être « les miennes ». Leurs bals, leurs fanfares, leurs rodomontades, leurs commémorations et leurs épurations m'indifféraient ou attisaient mon cafard, mon dégoût. La guerre m'avait volé mes seize ans mais ne m'avait pas, en échange, donné la maturité. Je n'étais plus un enfant, pour autant que je l'eusse jamais été. Je n'étais pas devenu un adulte, je ne le deviendrais jamais. A perpète entre deux eaux. Tant pis. Ou tant mieux ?

La rue Sainte-Anne n'avait pas changé. Les gosses ritals — d'autres gosses ritals — grouillaient dans les caniveaux entre les murs noirs. Pourtant ce n'était plus elle, ce n'était plus ma rue Sainte-Anne. La mienne était déjà bouclée dans la malle aux nostalgies, ça s'était fait, j'avais rien vu. Rien n'avait plus le même goût.

Les téhessefs braillaient à pleines fenêtres, ce n'était plus Tino Rossi et ses « Marinella » mais Yves Montand et son « Chant des Partisans » : « Ami, entends-tu le vol lourd des corbeaux sur la plaine ? » que les mômes interprétaient, hilares : « Ami, entends-tu le bruit sourd de mon cul, quand il pète ? »

Je soignais mes tripes, à la diable. Les distingués entérologues de l'Hôtel-Dieu essayaient un régime après l'autre pour juguler cette chiasse sanglante qui me tordait le ventre et me fauchait les jambes. Apparemment pas d'amibes, pas plus de microbes qu'il n'est décent... Ça leur posait problème, ils me regardaient de travers, mais nous étions beaucoup à présenter des symptômes déroutants. On me classa « psychosomatique », on me conseilla de ne pas manger n'importe quoi, de bien mâcher surtout, on me donna des constipants et des fortifiants et on me laissa entendre que j'avais bien de la chance à côté de certains. Ce qui était tout à fait vrai[*].

---

[*] Pour le cas où ma santé vous intéresserait, sachez que je n'ai jamais su, ni personne, ce qui en était au juste. Ça m'a empoisonné la vie pendant des années. Mais maintenant ça va mieux, merci pour les fleurs, vous avez fait des folies, vraiment fallait pas.

Et puis j'avais repris le boulot, je n'avais plus la Gross Deutschland pour me nourrir. Mes rutabagas, il me fallait les gagner.

J'avais retrouvé ma place de maçon au service entretien des établissements Orviétan*, près de la Marne, en face des établissements Ça-Va-Seul qui fabriquaient du cirage. Orviétan, eux, c'était des médicaments**. Des médicaments grand public destinés à court-circuiter les médecins. Les médicaments Orviétan ne figuraient jamais sur les ordonnances. Par contre, leurs placards publicitaires ensemençaient les cervelles campagnardes, bien trop futées pour aller bêtement donner leurs sous au médecin mais croyant dur comme fer à tout ce qui est écrit dans le journal. Tu craches le sang, gars ? Prends du Bronchosérum de monsieur Orviétan, qu'il y a pas plus souverain !

Mais voilà que, s'étant avisés que leur usine à pilules n'avait pas absolument besoin d'entretenir des maçons en permanence, ils m'avaient balancé à la caisserie, et je m'étais retrouvé travaillant aux pièces devant une grosse andouille de machine toute noire, assez semblable à la presse à bakélite de Baumschulenweg, sauf qu'au lieu de cracher des fusées d'obus celle-ci clouait des caisses en bois. Sauf aussi qu'il n'y avait pas Anna et Maria à mes côtés. Sauf enfin que pas question de tirer au cul...

Et pas d'espoir de la fin de la guerre pour se tenir chaud à l'âme. Cette guerre-là ne finirait jamais. Toute la journée le même geste con, toute la journée, toute la semaine, toute la vie, et crève. L'Allemagne, la France, la guerre, la paix, quelle différence ? Pour le prolo, tout est l'ennemi.

*

---

* Vous pensez bien que ce n'est pas le vrai nom ! Mon éditeur m'a dit que, s'il avait un procès, il le prendrait sur mes droits d'auteur, alors, hein...
** L'usine Orviétan de Nogent-sur-Marne, aujourd'hui disparue, je crois, appartenait à la fameuse pharmacie Orviétan, une espèce de grand magasin de la poire à lavement situé près d'une grande gare, à Paris.

Chez Orviétan, on faisait la semaine anglaise. C'est-à-dire que, le samedi, on arrêtait à midi. Je fonçais aux douches municipales, je me décrassais bien bien, je rentrais déjeuner sur le pouce, j'enfilais le pantalon repassé, la chemise blanche, la cravate, j'embrassais m'man qui, son cabas au bras, ses sabots dépassant, hissait le grand foc vers quelque lessive lointaine, je dégringolais l'escalier qui puait la vieille pisse comme aux plus beaux jours, je poussais un sprint jusqu'à l'autobus, tagada métro Château-de-Vincennes, changer Nation, descendre Vavin, tagada le Montparnasse jusqu'au Val-de-Grâce, rue Fustel-de-Coulanges, numéro six, c'est là.

Maria Nikolaïevna Naguel.

Soixante ans ? Soixante-dix ? Très jolie. Grande, droite, toute frisée auréole blanche. Bonne à te faire croire en la bonté. Naïve comme un myosotis. Pénétrante à te mettre l'âme à nu. Et russe comme une jeune mariée de Tchekhov.

Je l'avais connue par les « Sociétés savantes ». Je cherchais des cours de russe qui me fussent accessibles pendant mes heures de liberté. Il y avait bien les cours du soir que dispensaient les « universités populaires » dans certaines communes de la banlieue rouge, mais les essais que j'avais pu faire, à Montreuil, à Champigny, m'avaient bien déçu. Certes, les gars y accouraient, le russe était à la mode, porté en triomphe par l'Armée Rouge alors au plus haut de son prestige. Seulement, la bonne volonté ne suffit pas, le désir d'apprendre résiste mal à huit heures d'usine plus deux de métro. Et puis, ils n'avaient pas les mêmes puissantes motivations que moi... On pataugeait interminablement dans les rudiments, les profs bénévoles se lassaient, venaient ou ne venaient pas, tout ça tourna très vite en eau de boudin. J'étais déjà pas mal avancé, j'aurais voulu des leçons d'un niveau correspondant.

Et voilà : j'avais lu une affichette, il y était question d'une « Association pour la Propagation des Langues étrangères en France » dont les cours se donnaient rue Serpente, « immeuble des Sociétés savantes ». J'avais osé y aller, cœur battant, fondu de timidité, moi prolo, moi calleux, parmi tous ces jeunes si à l'aise, nés entre Sorbonne et Luxembourg et n'en étant jamais sortis, c'est comme ça que je les voyais. Ça se trouvait à Saint-Michel, au coin de la rue Danton et de la rue Serpente, une austère façade haussmannienne, très Jules Verne mais c'est peut-être le « Sociétés savantes » qui m'influençait, noire de patine, ronde de la proue comme une grosse quille, surmontée, tout là-haut, d'une coupole en cuivre verdi avec la fente pour le télescope. Des étudiants en foule entraient et sortaient, mâles et femelles, lunettes miroitantes, queues de cheval au vent, bras croisés sur les livres, la mode était de serrer ses livres sur son cœur.

On y donnait effectivement des cours de russe, et même d'excellent niveau, mais... Mais à des heures impossibles pour moi. Ma déception incita l'aimable dame du bureau d'accueil à me conseiller d'aller trouver chez elle, de sa part, une des dames professeurs, certainement elle étudierait mon cas et trouverait un arrangement. J'y allai. C'est ainsi que je sonnai chez Mademoiselle Naguel, Maria Nikolaïevna.

Maria Nikolaïevna trouva l'arrangement. Elle trouvait toujours. Elle me sacrifierait une heure de son samedi après-midi, voilà tout. Pour un prix tellement modique que, je le vois bien aujourd'hui, c'était un cadeau déguisé. Avais-je donc l'air d'un pauvre ?

Elle me fit passer un petit examen probatoire, et mes premiers vrais cours de russe commencèrent. Par la suite, j'y entraînai Paulot Picamilh, que j'avais retrouvé et que le virus slave avait mordu lui aussi, en même temps que la nostalgie des années de Baumschulenweg, des babas et de la petite Choura*... On n'a pas impunément une fois vingt ans.

Maria Nikolaïevna détestait Staline, qui avait trahi la Révolution à laquelle elle avait donné sa jeunesse et qui assassinait le peuple russe. Elle adorait les oiseaux et recueillait les chats perdus, ce qui posait des problèmes de cohabitation, problèmes d'autant plus cruciaux qu'elle ne pouvait souffrir les oiseaux en cage, un oiseau ça a des ailes,

---

* Voir *Les Russkoffs*. Je ne vous le répéterai plus. Lisez-le donc une bonne fois ou vous allez tout le temps vous sentir intrus.

ça doit voler, c'est crriminel enferrmer dans cage, c'est comme prrison... Les indignations de Maria Nikolaïevna chantaient et roucoulaient gorge-lèvres, plus russes que toutes les Russies.

Elle avait trouvé : elle avait abandonné sa salle de bains aux oiseaux. C'était une grande salle de bains. Les chats pouvaient aller partout, sauf là. La fenêtre, toujours grande ouverte tant qu'il ne gelait pas, était barrée d'un fin grillage, les oiseaux volaient en tout sens, pépiaient, crottaient, chantaient à pleine gorge, construisaient leurs nids, élevaient leurs petits. Tout était miraculeusement propre, je ne sais pas comment elle s'y prenait. La leçon finie, elle nous offrait le thé. Nous barbotions, petit doigt en l'air, dans une conversation russe laborieuse et charmante. Elle ne nous passait aucune faute. J'étais intimidé, au début : on ne m'avait jamais encore offert le thé. Je me sentais gros paysan chez la châtelaine.

Et puis « Dosvidania », et je descendais le boulevard Saint-Michel vers le Châtelet, voir les gars des « Déportés du Travail », au coin de Rivoli et du Sébasto, comme je vous ai dit.

*

Qu'allais-je faire là, moi si peu porté à l'association ? Eh bien, ils éditaient un petit journal, *Le Déporté du Travail*, tout simplement, et l'envie m'était venue de leur faire une bande dessinée. Elle avait plu à Laigneau, le responsable, et bon, j'avais continué, on était devenus copains, je passais leur dire bonjour et cueillir le numéro frais imprimé avec dedans mon dessin tout neuf.

Se voir imprimé, ça fait quelque chose, la première fois. Je dessinais à la plume sergent-major trempée dans l'encre de Chine après avoir beaucoup peiné au crayon, je gommais le crayon, l'encre restait, je signais, j'étais très fier. Je l'avais fait pour m'amuser, sur une impulsion. J'avais toujours aimé dessiner « des guignols », comme disait papa.

Et puis, c'est là que je pouvais me raccrocher à la réalité de l'existence, quelque part, de Maria. Là s'étiraient en effilochures les vagues mourantes du grand chambard. Là traînait une indélébile ambiance de baraque, là flottaillaient, comme des bribes de chou sur l'eau de la soupe, des visages sans contours, des regards sans horizon, là se mêlaient en une grisaille sans tristesse et sans joie des lambeaux de kaki, de feldgrau et de gris vineux, là se fondaient et se confondaient des mots allemands, russes, polonais, yiddisch, les mots pauvres des vocabulaires de stricte survie... Là venaient des gens qui là seulement se sentaient chez eux, parce que là seulement on « en » venait aussi, là seulement on comprenait, là seulement on n'avait pas besoin d'« en » parler pour s' «y » retrouver.

Là seulement je sentais que je n'avais pas rêvé tout ça. Les décombres et les immensités, la mort partout, et la vie, les peuples aux pommettes hautes...

Les gars de l'Association m'avaient aidé autant qu'ils l'avaient pu. Ils avaient même failli réussir à m'envoyer, officiellement mandaté, arpenter l'Europe avec les membres d'une mission chargée de veiller au rapatriement des derniers S.T.O. retenus derrière ce qu'on appelait désormais le « rideau de fer », pour la plupart des malades ou des blessés graves. Et puis ça ne s'était pas fait.

✱

Joues creuses, trop pâles, yeux clairs trop brillants, cernés de fatigue, peut-être de fièvre. L'air d'une gosse mal nourrie. D'une gosse battue. Un petit manteau cintré à martingale quadrillé de mauve et de noir, des socquettes blanches rabattues sur la cheville. Elle cherchait un emplacement pour épingler au mur un rectangle de carton. Je venais moi-même d'y fixer, remis à neuf, mon inlassable appel : « Qui peut me donner des nouvelles de Maria Iossifovna Tatartchenko, de Kharkov, vue pour la dernière fois à...etc. » Elle avait posé sa petite main maigre sur mon bras.

— Vous n'auriez pas une punaise ?

Je n'en avais pas, mais je savais où en trouver. Je lui avais planté ses punaises, et j'avais lu son message.

« Je recherche qui pourra me donner des nouvelles de mon père, Jean Soja, de ma mère, Agnès Soja, née Stelmach, et de mon frère, Pierre Soja, arrêtés par les Allemands le 19 mai 1940 à Alincourt (Ardennes) et aussitôt déportés. Aucune nouvelle d'eux depuis cette date. S'adresser à Liliane Soja, 99 rue de Réaumur, Paris. »

Je l'avais regardée.

— Liliane Soja, c'est vous ?

Elle avait souri, les yeux pâles avaient souri aussi.

— Eh oui. C'est bien moi !

— On dirait du japonais.

— C'est du polonais.

— Allons donc !

— Enfin, un peu ukrainien - un peu russe sur les bords, si vous voulez tout savoir. En tout cas, de là-bas.

— Ça se prononce « Sogea », à la russe, ou « Zoya », à l'allemande ?

— « Sogea », à la polonaise.

Elle en était toute fiérotte. Elle avait de jolies manières. Quand elle souriait, deux fossettes riaient sous ses pommettes. Elle souriait beaucoup. C'est le sourire qui lui était naturel, pas cet air traqué. Son texte m'intriguait.

— Ils déportaient déjà, en mai 40 ? Ils n'étaient même pas encore à Paris !

— Peut-être, mais chez nous, dans les Ardennes, ils y étaient bien ! Ça, je peux vous l'assurer !

— Juifs ?

— Même pas. Nous avions une ferme. Quand les Allemands ont eu percé, à Sedan, ils sont arrivés de tous les côtés à la fois avec leurs tanks, les soldats français se sauvaient comme des fous, ils venaient à la ferme et demandaient des vêtements civils. Maman leur a donné tout ce qu'elle avait, des habits à papa, à grand-père, des bleus de travail, tout ce qu'elle pouvait trouver, et voilà, tout à coup les Allemands sont arrivés, ils ont vu tous ces uniformes jetés partout, et aussi des armes, les gars n'avaient pas pris la peine de les cacher. Les Allemands voulaient fusiller tout le monde sur place, mais un officier a dit qu'il n'avait pas d'ordres pour ça, alors ils nous ont enfermés dans la cave, et deux jours après on nous a transportés en Allemagne. D'abord j'étais avec maman et mon petit frère, et puis très vite on nous a séparés et envoyés dans des camps différents. J'ai été libérée en mai 1945 par les Américains. J'étais très malade, on m'a envoyée à l'hôpital, puis en sana. Je suis retournée à Alincourt, mais personne ne pouvait me donner de nouvelles. Les gens de là-bas étaient stupéfaits de me revoir, et pas trop contents. Je leur faisais peur, comme un fantôme. Et puis il y avait la ferme, les biens... S'ils savaient ce que je m'en fiche !

Elle avait eu un geste, tenté un sourire. Mais cette fois l'air traqué avait pris le dessus.

— Mais, bon sang, vous aviez quel âge, donc ?

— Quinze ans.

— Quinze ans ? Si bien que ça vous fait...

— Vingt ans tout ronds ! La belle âge !

Je lui en aurais donné douze.

On était allés boire un chocolat, il était encore rationné mais les cafés en servaient, du moins un truc qui en avait vaguement la couleur et pas du tout le goût, enfin, bon, c'était chaud. J'avais appris qu'elle était polonaise par son père, russe par sa mère, quelque peu allemande par une fissure latérale, et au bout de tout ça française, bien sûr, pur produit du terroir ardennais comme j'étais moi-même un pur produit des mâchefers de la banlieue est. Son accent un peu bourru n'avait rien d'exotique : c'était celui des croquants des confins de la Champagne et de l'Ardenne.

*

Je l'avais revue. Elle avait des choses à régler avec le COSOR, des prises en charge, je ne sais, et bon, voilà, j'avais revu le petit zombie au sourire prompt. Par bribes, elle m'avait raconté son histoire. Une histoire abominable, même pour cette époque abominable.

Trimbalée de camp en camp pendant cinq ans, évadée

trois fois, reprise deux fois. La troisième fois, dérision, elle tombe sur les Américains à trois kilomètres des barbelés. La fois d'avant, elle avait traversé l'Allemagne d'est en ouest et s'était fait reprendre en Alsace. Dès qu'ils la retrouvaient, bien entendu, c'était la schlague et le cachot. Et pour finir, la vivisection. Elle avait servi de matériel d'expériences pour des recherches visant à mettre au point une méthode de stérilisation féminine pratique, efficace et pas spécialement douillette puisque destinée à des femelles appartenant à des races dont la prolifération n'était pas jugée souhaitable par les demi-dieux blonds. Elle avait, paraît-il, juste le bon âge. On lui avait enfoncé dans le ventre des tampons imprégnés de liquides corrosifs divers, on notait la progression de la chose, on notait les réactions de ses organes, on notait ses cris et ses pleurs, tout avait son importance. Elle avait passé la guerre écartelée sur une table gynécologique. D'autres filles avec elle, surtout des Russes, des Polonaises... J'étais révulsé d'horreur, fou enragé. Je voyais ses organes brûlés, une bouillie de chairs rongées et de caillots, et ces types, tranquillement, qui enfonçaient leurs petits tampons... Je regardais son sourire d'enfant, et je ne pouvais pas ne pas voir l'intérieur de son ventre... Elle modérait mon indignation « Vous savez, les hommes sont partout les mêmes. Vous leur en donnez l'ordre, ou simplement le droit... » Elle disait :

— Des tas de gens, tous les jours, en font autant à des chats, à des chiens, à des singes. Des gens très instruits, très gentils. Vous ne savez donc rien ?

Elle parlait de ses bourreaux :

— Je crois qu'au fond ils m'aimaient bien. J'étais un peu leur petite fille. Ils me donnaient des bonbons.

Elle revenait de cet enfer aimant l'Allemagne et les Allemands ! Aimant les Russes, les Polonais, aimant tous ceux qu'elle avait connus. Oh, comme je la comprenais ! Autre chose encore nous rapprochait. Elle parlait et écrivait fort convenablement le russe et l'allemand, en plus du polonais que sa mère lui parlait au berceau.

Et cet amour de la vie ! Elle avait une tête à avoir les joues rondes. De bonnes grosses joues de bonne santé autour de ses yeux de matin de Noël, de son sourire toujours prêt à jaillir. Je lui avais raconté Maria, et que je l'avais perdue comme un con, comme on perd son mouchoir. Elle m'affirmait que nous nous retrouverions, c'était forcé, nous le voulions si fort tous les deux.

Mais elle avait des passages terribles. Une stupeur soudain la figeait, ses joues se creusaient encore, ses yeux s'enfonçaient dans les orbites plus sombres, elle faisait peur. Elle disait : « Je suis malade. » Elle me fuyait. Je m'imposais. « Il faut vous soigner. Tout se soigne. Vous souffrez ? Votre ventre ? » « Je suis malade. Il faut me laisser. Il faut me laisser ! » Elle s'en allait, à grands pas définitifs. Je restais sur mon trottoir, bras ballants.

Une bénévole qui faisait du social pour le COSOR, une toute brune mademoiselle Chevassu, si je me rappelle bien, m'avait entrepris :

— Mignonne, votre conquête ! Un peu morbide, non ? Je ne sais pas si c'est très indiqué pour vous. Vous n'êtes pas tellement solide, hm ?

J'avais rougi. Je suis le genre de type qui rougit.

— C'est pas ma conquête ! On a des sujets d'intérêt communs, on cause... Elle est très attachante, vous savez ? Elle en a vu de dures. On voudrait l'aider.

— Je ne crois pas que ce soit vous qui puissiez l'aider. Ni moi. Vous risquez bien plutôt de plonger avec elle.

Ouh là là... Elle en faisait un vrai vampire de cinéma ! J'avais protesté :

— Elle n'est pas folle, quand même ? Juste sonnée par tout ça. On le serait à moins. Ça va se tasser. Il faut qu'on la soigne, qu'on prenne soin d'elle.

— Pas si simple. Elle a un sacré caractère. Elle envoie tout promener, ne vient pas aux rendez-vous... Elle s'est sauvée du sanatorium, on l'a mise en maison de repos du côté de Vichy, elle s'est encore sauvée. Parfois on la trouve, en pleine nuit, au terminus d'une ligne de métro, toute seule dans une rame vide, les yeux hagards, incapable de dire qui elle est, ce qu'elle fait là... La police la ramène chez elle. Jusqu'ici, elle n'a pas perdu ses papiers, heureusement.

« Chez elle », c'était dans un couvent, rue Réaumur, en

face de l'immeuble de *France-Soir*. Les religieuses tenaient un « foyer de la jeune fille » où l'on pouvait dormir en chambrée comme dans un pensionnat chic, pour un loyer très modeste. Elle m'avait dit avoir quelque famille à Paris, entre autres son parrain, mais elle était farouchement décidée à ne jamais faire appel à aucun de ses parents, je ne sais pour quelle obscure raison. Elle étudiait la mécanographie chez Pigier, elle voulait très vite gagner sa vie, être indépendante. Pour l'instant, elle vivait de son pécule de rapatriée.

J'avais demandé :

— C'est quoi, mécanographe ?

J'imaginais un métier de pointe, prestigieux, terriblement technique. Elle me dit :

— Ça consiste à faire des factures. Sur une sorte de machine à écrire, mais spéciale.

— Des factures ? Mais c'est emmerdant à crever ! Vous pouvez faire mieux que ça ! Vous apprenez les langues en vous jouant, vous êtes intelligente, vive, pleine de décision...

Elle s'était renfrognée.

— Je sais ce qu'il me faut. Je connais mes limites. Si j'arrive à passer l'examen de mécanographe-facturière, je serai très contente.

*

Le plaisir que j'avais eu à inventer et à dessiner mes petites histoires pour *Le Déporté du Travail* m'avait ouvert des horizons. Et aussi la facilité avec laquelle on les avait publiées. Bien sûr, je faisais la part de la camaraderie, mais je ne pouvais m'empêcher de rêver. Etre imprimé, comme ça, du premier coup, ça vous donne la grosse tête.

Je traversais une sale période. Mon espoir de retrouver Maria connaissait de mornes plongées aux abîmes alternant avec des bouffées d'optimisme et des regains d'activité... Je ne pouvais m'y consacrer qu'en dehors de mes heures de travail, c'est-à-dire quand toutes les portes m'étaient fermées. Pas facile de jouer les détectives quand on est attaché par la patte à une pendule pointeuse !

C'est alors que l'idée de vivre du dessin m'était venue. Oh, je me doutais bien que ce ne serait pas des roses, que j'avais même toutes les chances de me ramasser, mais, après tout, qu'avais-je à perdre ?

D'ailleurs, glacé de trouille. Pas la trouille d'échouer, plutôt celle d'avoir l'air d'un con. Combien sont davantage paralysés par la peur du ridicule que par le risque de leur vie ? Moi, en tout cas. Ce n'était pas tellement l'appréhension que mes dessins soient mauvais, mais bien de m'y prendre comme un niguedouille dans mes démarches. Un enfant de bourgeois, ou de professeur, ou d'artiste bohème, même pauvre à crever, ça ne lui pose pas problème. Un enfant de prolos, tout lui est terre inconnue, occasion de bévue, salon de la châtelaine, piège à plouc... A vingt-deux ans, je ne savais même pas me servir d'un téléphone, je n'avais jamais encore téléphoné, c'est juste un exemple pour faire toucher du doigt. Dessiner pour les journaux, bon. Mais comment ça se passe ? Qui doit-on voir ? Faut-il téléphoner avant ? Ou plutôt écrire ? Et à qui ? Est-ce qu'on vous fournit les blagues à illustrer ou faut-il les inventer soi-même ? Dans le premier cas, faut-il présenter un échantillon de ses dessins au type qui invente les blagues ? Les dessins eux-mêmes, je croyais qu'ils étaient dessinés à la grandeur exacte à laquelle on les voyait dans le journal, c'est-à-dire tout petits... J'étais vraiment bien niais, mais qui aurait pu me renseigner ?

Je m'étais donc mis à dessiner tant que je pouvais, le soir, le dimanche. Mais le soir, j'étais bien fatigué. Toute la journée, au boulot, il me venait des idées, je courais aux chiottes les prendre en note, j'étais tout joyeux tout trépignant, vivement ce soir à la maison, ça va péter le feu, tiens ! Oui. Et le soir, après la soupe, une grande torpeur me prenait, je m'installais sur le coin de la table, mon crayon, mon porte-plume, mon encre de Chine, ma gomme, mon cahier à dessin avec ce coq sur la couverture, je me disais ça y est, t'y voilà, c'est l'instant tant désiré, vas-y, mon gars. Je m'y mettais. Je m'appliquais. Mais je ne sentais pas cette fièvre joyeuse que j'aurais dû. Ce que je faisais ne me plaisait pas, je n'aurais pas su dire pourquoi, mais je savais bien que si ça avait été au point j'aurais senti un gros choc de bonheur, je n'aurais pas hésité.

Je me cherchais un style. Je dessinais trop chargé, et puis ça manquait de coup de patte, d'aisance du poignet. J'aurais voulu savoir d'avance ce que serait mon « style » en sa maturité pour le copier. Je me battais, sans flamme, contre le papier blanc et je finissais par renoncer, la rage au ventre. Je ne tombais pas de sommeil, mais je n'avais plus assez de bouillonnement de vie pour crever le plafond. Or, c'est bien de cela qu'il s'agissait : crever le plafond. S'imposer. On ne m'avait pas attendu. Si je voulais qu'on me donne ma chance, il fallait que j'apporte du neuf. Que j'étonne. Ça, au moins, je l'avais compris.

Papa hochait la tête, plein de respect pour mes « guignols ». Maman ronchonnait : je perdais ma jeunesse à des bêtises. De temps en temps, je renversais l'encre de Chine sur la table, la belle table de salle à manger qu'une patronne lui avait donnée... Pas question de confier mes ambitions.

✳

Paulot Picamilh avait une sœur. Cette sœur, mère de famille, avait conservé au Quartier Latin une chambre de bonne qu'elle n'occupait pas. Paulot s'était entremis, m'avait obtenu la jouissance de la chambre pour quinze jours. Je m'étais fait porter malade, je partais de la maison chaque matin comme pour aller au boulot, je sautais dans le bus, le métro, je grimpais quatre à quatre dans mon grenier, le bonheur. Ce n'était pas meublé, plein de gravats, par le vasistas on voyait à droite Notre-Dame, en face la Sainte-Chapelle, l'immeuble faisait l'angle de la rue Séguier et du quai. Je dessinais sur une caisse, assis sur un cageot retourné. Aussitôt entré, je dessinais, et tout le jour, à la lumière du ciel, en plein sous le vasistas. J'arrêtais à la nuit tombante, l'électricité était coupée. Et puis, il fallait bien, pour papa-maman, que j'aie l'air de revenir de l'usine.

Ça marchait bien, je le sentais dans mes doigts, cette fois j'y étais. Je chantais en dessinant. Je riais tout seul. Une fois, j'ai rencontré dans l'escalier Pierre Brasseur, l'acteur, il venait voir sa sœur, je crois, qui habitait l'immeuble. Soûl comme une vache. Il avait trébuché, s'était cramponné à moi en jurant les couilles de Dieu. Pierre Brasseur, parfaitement. Dès qu'on sort de son trou, on voit du monde.

*

Dessiner, c'est bien, mais arrive le moment où il faut aller affronter le tigre glacé. Allez, mon gars, prends tes dessins sous ton bras (Je m'étais acheté un carton à dessins, pour faire professionnel, un tout petit, pour faire discret. Mes dessins étaient petits puisque je travaillais au format définitif) et vas-y, commence la tournée !

J'avais relevé des adresses sur les journaux. « Rédaction-administration », ça doit être ça. J'avais commencé par du rassurant. *Marius, Le Hérisson, La Presse,* des journaux bon enfant, remplis de dessins tellement mauvais qu'ils verraient débarquer mon jeune génie avec des cris de joie. Et puis, ils étaient logés à la même adresse : 149 rue Montmartre, c'était bien commode. J'étais tombé sur un planton mutilé de guerre, de l'autre, celle à moustaches. Qui m'avait dit non, le rédacteur en chef ne reçoit pas, ah, c'est pour des dessins ? Les dessins, vous me les laissez, à moi, pas besoin de déranger la rédaction pour ça, et vous revenez les chercher lundi, vous verrez bien s'il y en a de pris, écrivez votre nom, votre pseudonyme, votre adresse sur la chemise.

La chemise ? Ah, le carton à dessins, il voulait dire ! La chemise... Terme de métier, ne pas oublier.

Là j'avais laissé la moitié de mes dessins. Le reste, je l'avais coupé en deux, j'en avais porté un paquet à *Ici-Paris,* l'autre à *France-Dimanche.* Où l'on m'avait signifié qu'il y avait un jour pour les dessins, et que justement ce n'était pas le jour. On me les avait pris quand même, j'avais l'air tellement godiche, mais tenez-vous-le pour dit.

24

Ouf. Je m'étais payé une gaufre, j'étais allé au cinoche.

Ils n'en ont pris aucun. Même pas au *Hérisson* où les dessins sont répugnants de bêtise. J'ai remporté mes dessins et mes « chemises ». Je suis passé par *Pygmalion*, histoire de les montrer à quelqu'un, guetter s'il se marrera. Je suis tombé sur Laigneau. Il s'est marré. Il y avait un type avec lui, un petit monsieur strict en pardessus et chapeau bord roulé. Qui s'est marré aussi. Qui m'a dit : « Les journaux d'enfants, ça vous intéresse ? » Je l'ai regardé, comme un con.

— Etudiez-moi une histoire, une page par semaine, en quadrichromie, un personnage sympathique. Voici l'adresse. Je m'appelle monsieur Pillet.

Je n'ai pas eu le temps de comprendre ce qu'il avait dit que Laigneau, de l'autre côté :

— Ça te dirait de travailler pour nous ? A plein temps, je veux dire. Tu nous ferais des maquettes, des trucs pour des expositions, tu vois, et tu pourrais dessiner tranquillement pour l'extérieur, comme chez toi. En même temps, tu ferais un peu le planton, tu répondrais au téléphone. D'accord ?

Tu parles ! J'ai dit « D'accord » sans même penser à demander combien il payait. J'avais hâte d'aller me cacher dans les gogues pour jubiler tout mon soûl. Qu'est-ce que ça veut dire, « quadrichromie » ?

Me voilà donc « permanent » boulevard Sébastopol. Le service n'était pas harassant, nous étions deux plantons, je pouvais dessiner à tour de bras. En fait, je fus bientôt accablé de commandes. Pour des dépliants explicatifs, pour des brochures, pour des expositions. Oui, des expositions ! La première fois, ça m'affola. Il s'agissait d'une exposition vouée à l'amitié franco-polonaise, ils voulaient des fresques, des personnages grandeur nature, des paysages, tout ça en couleurs, cela va de soi.

Je n'avais jamais dessiné de bonshommes de plus de huit centimètres de haut, encore étaient-ce des « guignols » pour faire rire. Là, il fallait du sérieux, de la dignité, de la proportion, du modelé, du drapé. Comment fait-on ressortir les muscles, comment creuse-t-on l'ombre sous les joues, comment rend-on l'infinie variété des plis d'un vêtement ? Et la couleur ? Avec quoi ça s'étale ? Des gros pinceaux ? Des petits ? Ronds ? Carrés ? Pointus ? Plats ?

J'avais commencé par dire non, de toutes mes forces. Ils avaient insisté, croyant à de la modestie. Les artistes professionnels étaient donc si rares ? Ou si chers ? Enfin, bon, j'avais cédé, j'avais acheté de la gouache en pots, il paraît que c'était ça qu'il fallait, j'avais acheté des rouleaux de papier de deux mètres de haut — je ne me sentais pas le culot de peindre directement sur les murs — et je m'étais installé au milieu du hall, dans cette lumière triste de novembre poméranien qui tombait de la verrière.

On m'avait donné de la documentation : cartes postales, journaux, bouquins, dépliants... Je travaillais à quatre pattes, mon papier posé à plat sur le sol. Je déroulais à un bout, j'enroulais de l'autre, à mesure que se remplissaient les six mètres carrés étalés devant moi. J'avais demandé quels délais on me donnait. On m'avait répondu « Huit jours », l'air plutôt gêné. C'était donc ça ! Encore ne me rendais-je pas exactement compte de la quantité de travail que ça représentait, sinon je me serais sauvé en courant. Je voyais bien quand même que c'était beaucoup, une espèce de pari d'ivrogne. Il y avait en tout quatre-vingts mètres de murs à couvrir, avec des textes surabondants à calligraphier en lettres de dix centimètres de haut et à faufiler harmonieusement parmi les personnages, un véritable travail de mise en page, mais je ne savais pas que ça s'appelait comme ça.

Je m'y étais donc mis, sans savoir dans quelle galère je m'embarquais. Les rapatriés qui faisaient la queue aux différents guichets, tout autour, commentaient le boulot, se marraient quand je blasphémais fou furibard parce que j'avais renversé le pot de jaune d'or sur le dessin, me donnaient des conseils précieux — c'était plein de Polonais, là-dedans —, me filaient à boire des coups de vodka « Wyborowa » qu'ils tiraient des poches sans fond de leurs manteaux noirs.

Pendant cinq jours, j'ai travaillé dix-huit heures sur vingt-quatre. Les trois derniers jours, vingt-quatre heures sur vingt-quatre. Et je l'ai fini. J'ai fait ça, moi. J'inventais le métier au fur et à mesure. Pinocheur comme je suis, pas question de bâcler. Je marchais au nescafé, merveilleuse invention venue d'Amérique juste à point, je n'avais qu'à piocher dans les montagnes de rations réglementaires du fantassin U.S. en campagne qui emplissaient les caves et que nous distribuions aux « displaced persons » qui étaient de notre ressort. Je dévorais sans m'arrêter des poignées de raisins secs et du biscuit de munition, je chantais à tue-tête des chansons russes qui me remettaient Maria en tête et me faisaient pleurer comme un veau sur la gouache fraîche... Perdu dans la nuit, au centre du rond de lumière de la lampe de bureau qui me servait de projecteur, autour de moi cette cathédrale de vide, je voyais mon ombre dégingandée s'agiter sur les murs, très loin, j'étais ahuri de fatigue, halluciné par le manque de sommeil, le cerveau tout excité, c'était formidable.

J'en ai bavé. Je ne voulais pas que ça fasse amateur, surtout pas. Je me suis donné un mal de chien, à coups de pied à coups de poing, quand le gars est venu chercher la marchandise j'étais tellement crevé que j'en ai oublié d'avoir la trouille. Il a regardé, il n'a rien dit, je me disais si ce con-là me dit il faut changer ça et ça, retoucher ça, s'il me dit ça je l'envoie se faire foutre. J'aimerais mieux qu'il éclate de rire et qu'il se paie ma gueule, carrément. De toute façon, je m'en fous, j'y touche plus, marre de la gouache, marre de la Pologne, marre de tout, marre, marre... Dormir !

Et voilà : il m'a ouvert les bras, il m'a pleuré dessus, de contentement, de soulagement. Il n'y avait pas cru, je le voyais bien maintenant. Il n'en revenait pas. Moi non plus, je ne me serais pas cru capable.

Il m'a demandé combien il me devait. Tiens, c'est vrai ! Je n'y avais pas pensé. J'étais payé par l'association, je pensais que c'était compris... J'ai dit « Ce que vous voulez ». Il m'a donné cinq mille francs. Ça représentait quinze jours de paye ! J'étais sidéré. Gonflé jusqu'au ciel. Je me prenais pas pour de la crotte, tiens !

✳

Les dernières épaves de la guerre venaient échouer là, au coin du Sébasto, l'une après l'autre, poussées par les courants paresseux. Des laissés-pour-compte de la débâcle allemande qui avaient essayé en vain de se refaire une identité finissaient par tenter le coup aux « Déportés du Travail », pensant que ce secteur laissait davantage de champ au flou, à l'improuvable. Tout ce qui arrivait de « là-bas », qu'il fût prisonnier de guerre, déporté, travailleur S.T.O., avait reçu à la frontière une carte de rapatrié qui lui tenait provisoirement lieu de laissez-passer et de papiers d'identité, à charge pour lui de régulariser sa situation le plus vite possible. Les contrôles militaires aux frontières fonctionnaient à grand débit, sous la formidable pression des hordes de déracinés se bousculant pour rentrer au bercail. Le tri avait beau être sévère, il ne pouvait pas être parfait.

C'est ainsi que des jeunes femmes russes, polonaises ou allemandes, ramenées par des rapatriés, avaient pu se faufiler à travers les mailles. Mais leur sexe même les vouait à l'infamie : une femme qui « en » revenait était forcément une déportée politique, une juive ou une volontaire. N'ayant ni tatouage d'immatriculation à exhiber, ni témoignage de codétenues à produire, elles ne pouvaient que tenter de se faire passer pour des travailleuses françaises, c'est-à-dire des volontaires pour l'industrie de guerre du Reich, et auraient donc dû, de ce fait, être arrêtées et emprisonnées. D'ailleurs, ne connaissant du français que quelques mots écorchés ou rien du tout, elles auraient été aussitôt démasquées comme étrangères indésirables et refoulées. Il fallait les aider à se planquer en attendant que les choses se tassent, qu'une mesure générale soit prise à leur sujet et que leurs heureux compagnons puissent régulariser... Ce qui n'était pas toujours facile, avec ces cartes de rationnement qui compliquaient tout.

Parmi ce fretin cherchaient à se faufiler des poissons d'une tout autre envergure. Il ne se passait pas de jour qu'on ne détectât un milicien de Darnand, un Waffen-SS français ou belge, un haut fonctionnaire attaché au cabinet d'un ministre de Pétain, un journaliste frénétiquement pro-nazi, un antisémite militant, un pilleur de biens juifs avec la bénédiction des autorités, un membre de la Gestapo de la rue Lauriston ou quelque pauvre fille ayant suivi dans la retraite son bel officier blond. Quelquefois même des déserteurs allemands essayant de se faire passer pour alsaciens, vêtus de l'uniforme feldgrau qui authentifiait leur incorporation prétendument forcée dans la Wehrmacht.

Le cœur me manquait devant ces détresses. Il faut être drôlement dur pour pouvoir se venger ou punir. Mais ce n'était pas mon rayon. Quand les gars démasquaient un rascal vraisemblablement chargé de crimes, ils le maîtrisaient et le livraient aux flics. J'aimais pas. Quand j'étais à mon poste de planton, je constituais le premier barrage. Si je reniflais du malodorant dans l'histoire d'un cornichon, je lui soufflais discrètement de se barrer de là.

Je passais, bien sûr, pour un bon jobard, pour une nouille. « T'en ont pas fait assez baver ? » Les autres débusquaient le kollabo avec l'ardeur de chiens de chasse, flairant la piste et remuant la queue, un vrai sport. Je vis un matin se présenter un grand type entortillé d'un énorme cache-nez. On ne lui voyait le visage qu'au-dessus du nez. Il ne parlait pas, écrivait ce qu'il avait à dire sur un calepin. Son cas était bizarrement embrouillé, ça sentait le fumigène, l'entourloupe à dessein. Je n'étais pas seul au comptoir. Je lui faisais signe, des yeux, de gagner la porte, et vite. Mais ce con-là s'acharnait, étalait ses papiers archi-bidon, s'enfonçait. Jusqu'au trop classique moment fatal où il se vit encadré par deux costauds résolus et où lui fut ordonné :

— Fais voir ton tatouage !

Dans son cas, il ne pouvait bien sûr pas s'agir du tatouage d'écrou dans un camp, numéro gravé sur l'avant-bras et précédé d'un triangle, mais bien du tatouage d'incorporation des SS, sous l'aisselle, avec les deux « runes » en éclairs stylisés et l'indication du groupe sanguin.

Il avait commencé par ôter son cache-nez. Lentement. Et alors, on avait vu. Un trou. Le visage s'arrêtait à la base du nez. Il n'y avait pas de mâchoire inférieure, pas de menton, pas de langue. Les joues étaient coupées net, horizontalement, ras des oreilles, comme au sabre. Les tuyauteries béaient, blancheurs de cartilages dans cette boucherie écarlate.

Mon sang reflua, courut se cacher au fond de mes ventricules. Les autres n'étaient pas beaux non plus. Il y en eut quand même un pour faire déshabiller le bonhomme. Le tatouage y était bien, sous l'aisselle droite. A partir de là, ça regardait la police. Ils allaient le fusiller, pas un pli, et auparavant lui en faire baver bien bien. Je ne voyais pas l'urgence. J'ai dit « Vous croyez pas que ça va comme ça ? Il est pas assez puni, vous trouvez ? » Il y a eu du tirage, et puis on l'a laissé filer. C'est peut-être une connerie ? Peut-être que d'être dans cet état l'aura rendu fou enragé de méchanceté sadique ? Oui, bon, j'aurais voulu vous y voir...

Et ce chafouin à l'odyssée zigzagante qui, tandis qu'il s'expliquait, fut reconnu par un « politique » qui faisait la queue au COSOR et dénoncé à véhémentes clameurs comme ancien « kapo » de block à Buchenwald... Celui-là, ils l'ont embarqué juste à temps, tous les ex-déportés de la queue voulaient en emporter un bout.

Et ces femmes enceintes jusqu'aux yeux, et celles qui traînaient une marmaille blondasse ramassée dans quels élans, ou dans quels lupanars de l'armée verte ? Punir ? Oh, comme tout est simple pour les âmes sans plis !

✳

Quand le plus gros eut été déblayé, quand aussi fut retombé l'attendrissement général pour ceux qui « en » revenaient, on nous délogea de l'immense « Pygmalion » et l'on nous refoula vers les périphéries, dans les locaux d'un magasin de tapis de la place Clichy, lui aussi momentanément exproprié pour cause de pro-nazisme commercial, probablement. Le déménagement se fit dans des camions de l'armée et sur les épaules de prisonniers de guerre allemands que les militaires nous avaient prêtés. Comme je parlais approximativement l'allemand, on me les avait confiés. On m'avait collé en poigne un gros revolver, lourd comme le diable, on m'avait dit :

— Tu es responsable. S'il y en a un qui tente le coup, tu cries « Halte ! », tu tires une fois en l'air, s'il n'a pas compris tu lui tires dans les pattes.

J'étais bien emmerdé de ce truc. Je l'avais caché sous ma chemise. Je m'échinais avec eux, plus qu'eux parce qu'eux n'avaient qu'une idée : tirer au cul. C'étaient de grands gosses boutonneux, bornés, sournois, insolents, épais, l'éternel bidasse. Ils m'avaient catalogué bon con, du genre intello à conscience, se foutaient ouvertement de ma gueule, m'envoyaient leur acheter des capotes anglaises. Pour quelles amours ?... Quelques mois plus tôt, c'était mon tour. Tout ce qu'ils pouvaient ressentir, je le ressentais aussi. Ça aide à comprendre. Je leur filais de la bière, des rations. Ils les prenaient, avec quelque condescendance, pour ne pas me contrarier. Ils m'expliquèrent qu'avec le chocolat et les cigarettes des rations américaines ils appâtaient les petites Françaises. Voyez-vous ça !

J'étais content que ça se termine, non que mes gars cherchassent à s'évader, mais à cause des anciens combattants et des mères-et-veuves qui voulaient leur crever les yeux. J'ai même dû me colleter avec un grand con à l'accent ch'timi qui hurlait chialait qu'il allait s'en farcir un, il le fallait absolument, ils lui en avaient trop fait, il se l'était juré, « là-bas », pour lui et pour son frangin qui y avait laissé la peau... La foule de six heures du soir, place Clichy, était entièrement d'accord avec le grand con, prête à lui donner le coup de main. Je me voyais mal parti. Les prisonniers chleuhs rigolaient, tout contents de me voir obligé de me battre pour leurs beaux yeux. J'ai vu le moment où mon pétard, c'est pour tirer sur des Français que j'allais être contraint de le sortir. Et puis les responsables sont arrivés, les flics ont fait circuler, je m'en suis tiré avec une engueulade, paraît que mes zèbres avaient l'air trop goguenard, j'aurais dû y veiller, les Français ne tolèrent pas, ils ne sont pas assez vainqueurs pour avoir les idées larges.

✳

La migration du Sébasto vers la place Clichy ne constituait pas seulement un déplacement dans l'espace, mais aussi, mais surtout, un amoindrissement de la surface occupée. On nous faisait la portion congrue. On nous poussait tout doucement vers le placard aux balais. La sollicitude avait tourné peu à peu à l'indifférence, puis à la satiété. Peut-être s'étaient-ils attendus à ce qu'on casse tout, à ce qu'on exige des comptes, par exemple la mise en jugement immédiate des flics qui nous avaient ramassés, c'est-à-dire de tous les flics en place sous Pétain. Ça avait dû trembler dans des culottes. Et puis, rien. Les deux millions de bons cons étaient rentrés à la niche, bien sages. Même les « politiques », même les raciaux réchappés d'Auschwitz pour venir crever chez eux n'avaient pas moufté. Un grand « Ouf ! » soufflait sur la France.

La culpabilité post-vichyssoise (« C'est nous qui les avons livrés ») avait très vite fait place à la bonne conscience résistantielle (« C'est grâce à nous qu'ils sont revenus »). Nous voyant si bien élevés si dociles, on prenait moins de gants avec nous. On avait mis, à la tête du ministère des Anciens Combattants et Victimes de Guerre, un communiste, Laurent Casanova, ça nous suffisait. La liquidation pouvait commencer. Compression des locaux, compression des crédits, d'où : compression de personnel. Nous y voilà.

Lallemand, le directeur, m'annonce un jour, gêné tortillant, que si ce n'avait été que de lui, bien sûr, oh là là, sans problème, vous pensez bien, mais voilà, ça se décidait au-dessus de lui, le ministère fermait sa bourse, et alors, lui, Lallemand, se voyait contraint, hélas, hélas, de licencier du personnel, naturellement il commençait par les derniers embauchés, ce n'était que justice, il était navré, il espérait que je comprendrais, que nos rapports resteraient ceux de francs et loyaux camarades et que je continuerais à donner mes bandes dessinées au journal. J'avais répondu que oui, je comprenais, je comprenais très bien, on ne fait pas toujours ce qu'on veut, je lui demandais simplement une petite faveur : la permission d'utiliser pendant quelque temps un coin de table dans un coin du bureau pour y dessiner. Mais comment donc ! Aussi longtemps que vous voudrez ! Et même, si vous avez des coups de fil à donner, ne vous gênez pas. Tout content d'avoir une compensation à m'offrir.

*

Je me retrouvais donc tout neuf, mais riche d'expérience. J'avais appris à parler aux gens, j'avais appris à oser, j'avais même appris à me servir d'un téléphone.

Là-dessus, le journal pour enfants de monsieur Pillet — le monsieur strict en pardessus et bord roulé — avait enfin pris son vol. Il s'appelait *Kim*. J'y faisais une page hebdomadaire, « Micou et son chien Tomate ». Ce n'était pas d'une originalité bouleversante. Il y avait là-dedans tous les défauts des débutants, augmentés des miens propres. La rédaction en chef était assurée par une petite dame charmante, madame Kanter, si j'ai bonne mémoire, qui me faisait recommencer quand c'était vraiment trop moche, ou trop scabreux. Je me souviens d'une gazelle qui avait l'air de tout ce qu'on veut sauf d'une gazelle, sans que ni elle ni moi ne parvenions à déceler ce qui clochait. Enfin, elle avait trouvé : la gazelle courait comme un chien. Ses pattes de devant se pliaient comme celles d'un chien. Elles auraient dû se plier comme celles d'un cheval. Mortifié, je corrigeai ma gazelle. Dessinateur, c'est un métier.

Mes velléités de fantaisie avaient bien du mal à se soumettre aux tabous qui pesaient alors sur les journaux dits « pour enfants ». J'aurais voulu donner une petite copine à Micou, orienter leurs rapports vers une complicité tendre, oh, sans rien de libidineux… Pas question. Nous étions ligotés dans un carcan d'impératifs féroces. L'heure était à la vertu, à la pureté, à la régénération. On traquait le sexe sous les évocations les plus innocentes, et aussi la violence, l'éloge de la paresse, de la gourmandise ou d'autres vilains défauts. On traquait par-dessus tout la « vulgarité ». La Résistance triomphante reprenait à son compte la pudibonderie bondieusarde des vieux crocodiles pétainistes, sans en avoir bien conscience, je veux le croire. Les communistes, très influents alors — le « Parti des Fusillés », deux millions d'adhérents —, se voulaient plus puritains que tout le monde.

Les journaux « destinés à l'enfance et à la jeunesse » étaient l'objet d'une toute particulière et toute suspicieuse attention. Une commission de surveillance et de censure y traquait tout ce qui pouvait présenter un rapport, même ténu, au sexe, à la violence, au crime, à la « vulgarité », ce dernier critère étant laissé à l'appréciation des censeurs. A vrai dire — je l'ai su plus tard — cette offensive de la vertu était surtout destinée à endiguer l'invasion des bandes dessinées américaines qui, après quatre années d'absence, revenaient en force dans les illustrés, accueillies avec délire par les nostalgiques de l'avant-guerre. Hélas, condamnées les pulpeuses et diaboliques créatures aux longues triomphales cuisses, aux seins mieux que nus, aux yeux étirés, au sourire maléfique ! Finis, les cowboys troueurs d'outlaws, les « privés » et les gangsters ! Finis Jim-la-Jungle, Guy l'Eclair, Luc Bradefer, Terry et les Pirates, Jane, Betty Boop, Pim Pam Poum... mais finis aussi les Pieds-Nickelés et Bibi Fricotin, ces immortelles gloires françaises, jugées trop « vulgaires » et trop arsouilles pour être tolérées parmi les lectures de la jeunesse des temps épurés. Finis, ou plutôt châtrés : Forton, le Forton de mon enfance, était mort, ses dessins mis sous le boisseau pour vulgarité, seulement, afin de récupérer les vieux fidèles — ce sont les parents qui abonnent leurs enfants — on avait gardé les titres, les *Pieds-Nickelés* avaient reparu, on les avait sans vergogne confiés à des dessinateurs remarquablement mauvais et encore plus bêtes que mauvais. Mais bien-pensants et pas « vulgaires ».

Seule, la Résistance, dans les illustrés, avait le droit de tuer. Et aussi le Boche, évidemment, pour que la Résistance puisse le punir. Le Boche tuait salement, torturait avec un cruel rictus. L'archange du maquis foudroyait, chevaleresque...

*

Pendant ces quelques semaines où j'avais travaillé à plein temps boulevard de Sébastopol, j'avais souvent rencontré Liliane Soja. Plus je croyais la connaître, plus elle me déconcertait. Plus elle m'attirait.

Elle était encore plus déboussolée que moi, je me sentais très grand frère protecteur, mais aussi, dans ses bons moments, elle était rieuse et pleine d'entrain, son élan vers les êtres secouait ma sauvagerie. Par-dessus tout, elle était bonne. Elle n'attendait pas qu'on crie au secours, elle courait au-devant.

Une chose m'intriguait : ses façons n'étaient pas celles d'une paysanne. Elle avait traversé les brutalités de la vie concentrationnaire sans y perdre ses grâces candides de petite fille bien élevée. Elle détonnait curieusement parmi les copines que je lui voyais parfois, des filles logées comme elle chez les bonnes sœurs de la rue Réaumur, petites employées seules à Paris, braves gosses sans malice qu'elle subjuguait et qui l'adoraient.

Ces allures presque aristocratiques me furent expliquées quand, au hasard de nos bavardages, elle m'apprit que son grand-père maternel avait été consul au temps des tsars avant de se fixer en France, que sa mère avait possédé jusqu'en 1939, des domaines dans l'Ukraine polonaise, maintenant rattachée à l'URSS.

Elle ne parlait pas volontiers de tout ça, de sa vie d'« avant », de « là-bas », de sa famille encore vivante, et seulement quand ça venait d'elle, au détour d'un souvenir qui la prenait par surprise. Devant une question, elle se fermait, son visage se creusait en tête de mort, je sentais venir je ne sais quelle épouvantable crise, je parlais d'autre chose, vite, je la secouais, je la berçais.

Un jour, soudain, j'ai pensé : « Et si elle était en train de mourir ? » Ça ne m'était jamais venu à l'idée. Je me suis dit « Quel con ! Mais bien sûr... » Le médecin, d'après elle, parlait d'amélioration. Mais j'apprenais qu'elle avait des syncopes, qu'elle se cachait pour crier tant elle avait mal, que des hémorragies l'épuisaient... Il ne fallait surtout pas évoquer sa santé, parler de soins, de repos, de précautions... C'était le sûr moyen de déclencher le silence muré.

Elle ne se plaignait jamais, ne tolérait pas qu'on l'aide. Voulait absolument se tirer d'affaire toute seule, sans rien devoir à personne. Obstinée comme une chèvre. Cornes baissées, front plissé. Et fondant à la moindre gentillesse, mais il fallait la mettre devant le fait accompli.

Ce jour où je me suis avisé que peut-être elle était en train de mourir, un grand froid m'a mordu au ventre. Mais bien sûr ! Ça existe, la mort, tu sais, ça arrive. Elle est peut-être irrémédiablement ravagée dans ses entrailles, lacérée, brûlée à mort, elle survit, un jour, et puis encore un jour, mais elle s'éteint, elle le sait, et voilà d'où cette morne certitude, d'où ce besoin enragé de réussir quelque chose, d'être autonome, de « gagner sa vie », comme s'il y avait une vie à gagner, le temps que ça dure, le peu de temps que ça dure, comme si ça devait durer...

Elle me dit un jour qu'elle cherchait une chambre. Je n'aurais pas ça dans mes relations ? Mes relations... Je suis bien le dernier type à qui demander ça. La démerde-copains, je suis complètement largué. Sauvage, replié, par nature et de plus en plus. Mes Ritals de la rue Sainte-Anne, je ne les vois plus guère. Oh, ils se mettraient en quatre, mais voilà, j'aime pas demander, j'aime pas qu'on me rende service. J'aime pas rendre service non plus. Tout seul et nage, voilà comme je me plais. Ennui des visages, ennui des sourires, ennui des banalités, des cordialités, du coup à boire qui n'en finit plus, du prévu. Je m'emmerde en compagnie, quoi. A part ça, j'aime rire, mais j'ai horreur de dépendre... Le pote qui vous aide le dimanche à repeindre la cuisine et qu'on aide à déménager le dimanche d'après, des choses comme ça. Chiant. Ma cuisine à repeindre, c'est mon blot à moi (j'ai horreur de ça !), et si je déménage je me coltine le bahut dans l'escalier, tout seul, à hue à dia, je jure je sacre j'écume, mais tout seul, merde. Charmante nature... Ben, oui. Faut faire avec. Par ces temps de plus en plus sociaux, c'est pas du velours.

Elle s'était accrochée sévèrement avec les bonnes sœurs, ses hôtesses, deux ou trois fois, ça devait arriver, et maintenant elle se sentait nettement de trop. La discipline n'était pas faite pour la petite chèvre aux cornes agacées, son insolence n'arrangeait rien. Peut-être aussi la peur qu'elle meure entre leurs murs incitait-elle les saintes femmes à souhaiter la voir porter ailleurs ses agonies en même temps que ses exubérances.

J'avais quand même pensé à la mansarde de la rue Séguier. J'avais demandé à Paulot si des fois sa sœur... Sa sœur avait dit non. Elle avait justement besoin de la chambre, pas de pot. Après tout, c'était la sienne. Je n'avais pas insisté.

Liliane s'était mise à courir les petites annonces. C'était alors la pleine crise, l'horrible crise du logement des années d'après-guerre, un quart de la France campait dans des « cités d'urgence » en planches, les villes du Nord, de l'Est, du littoral, n'étaient que cendres et gravats, des familles nombreuses s'entassaient dans des chambres de bonne, sans eau, sans gaz, pipi-caca dans la cour, six étages à descendre. Aucune chance.

Lorsque je suis tombé sur ce type vaguement connu autrefois à Nogent qui me révéla, devant un morne coup de rouge sifflé sur un morne zinc, qu'il était gérant d'immeubles et louait des appartements, je me suis cru dans un roman. J'ai senti des trésors de cordialité s'épanouir en ma calculatrice poitrine, garçon la même chose, si, si, c'est ma tournée, enfin, bon, j'ai pris le métro et puis le bus avec ce gars pour Asnières, ça se trouvait à Asnières, il m'avait laissé entendre qu'il aurait peut-être un petit quelque chose mais il fallait voir sa femme, la paperasserie c'était plutôt elle, nous voilà à Asnières.

Quai du Docteur-Berteaux. Dans les horribles zones pelées entre Nogent et Fontenay ou, pire, entre Fontenay et Montreuil, je n'avais jamais vu aussi sinistre. Le coupe-gorge pour rôdeurs des berges 1900, rôdeurs compris dans le décor. Becs de gaz, chats galeux, pavés brèche-dents. La Seine, huileuse. Un taudis de plâtras. Je me récitais les *Misérables* : la masure Gorbeau. En fait, c'était un garni pour paumés, mon « ami » en était le gardien, ou plutôt la femme aux crochets de qui il vivait était censée savoir qui entrait et qui sortait et, accessoirement, passer la serpillière dans l'escalier. Elle était étique, sexuellement insatisfaite et pas très propre. Quand elle bougeait, une légère odeur d'urine l'accompagnait, comme un nimbe autour de la tête d'un saint.

Mon espoir fou en avait un coup dans l'aile. Mais la rue Sainte-Anne m'avait trempé le caractère. Quoique, ici, ce n'était pas seulement le pauvre que ça sentait, mais aussi la cloche, et la gouape. La rue Sainte-Anne n'a jamais senti la cloche. Ni la gouape.

Et puis, je m'amusais. Je voyais fonctionner un mythomane, c'était la première fois, un mythomane tel que dans les livres, typé comme un schéma. Lui, pas gêné. La femme se tenait devant nous, expectante, grimaçant vers moi des méfiances.

— C'est un copain, un copain de Nogent, François, tu sais, je t'en ai souvent parlé !

Si j'avais rencontré ce type deux fois auparavant... Bien incapable j'étais de me rappeler son nom. Elle, hochement bref, sans sourire, ferme sur ses positions.

— Alors, bon, la chambre du fond, derrière, je crois que ça irait bien...

Il se tourne vers moi :

— Tu verras, tout à fait ce qu'il te faut.

— Quelle chambre de derrière ? Il n'y a pas de chambre de libre, ni derrière ni devant. Où que t'as été chercher ces conneries ? Dis tout de suite que tu t'es encore bourré la gueule, ça sera plus honnête.

Ça, c'était elle, ça. Avec un haussement d'épaules qui lui soulevait la robe dix centimètres plus haut que les genoux, qu'elle avait sales. Un accent dans la voix, heurté, comme d'une roue de brouette qui serait carrée. Alsacienne ? Allemande ? En tout cas, pas la voix vacharde qu'on aurait attendue. Plutôt traînasse, geignarde, râlant pour le principe mais résignée d'avance.

Lui, se jouant le personnage de l'homme-à-la-culotte :

— Allons, ça va. Un copain, je te dis.

Il avait le pardessus et le chapeau bord roulé, con comme un balai mais c'était lui le chef, elle avait besoin d'un chef, elle pouvait pas faire sans.

J'ai eu la chambre. Il y avait une cour, triste cour, où verdissait la planche de caisse et rouillait la tôle ondulée, c'était tout au fond, on accédait par un perron. Quatre mètres sur trois, un réduit-cuisine sans fenêtre dans un coin. Chiottes dans la cour. Noir de crasse. Puant la suie et le vieux. Une ampoule pendue à son fil, croûteuse de chiures de mouches, un robinet, une cuisinière rouillée, de quoi voir clair, se laver, avoir chaud. J'appréciais. Mille francs par semaine. Aïe. Pourrait-elle payer aussi cher ?

Elle pleura de joie. Elle venait justement d'être embauchée, ses classes terminées, dans une maison de tissus de la rue des Jeûneurs. On pendit la crémaillère. Il y avait là deux de ses amies. Elle avait acheté un matelas, des draps blancs, s'était cousu un dessus-de-lit à volants taillé dans une espèce de satin bleu ciel, des coussins du même, des rideaux, des doubles-rideaux, bleu ciel bien sûr, avait semé par-ci par-là des napperons de prisunic. Des fleurs partout. Pas de gros nounours à l'oreille déchirée. C'était une fille sans nounours. L'ogre les avait dévorés. Une fille qui ne traînait pas son enfance au bout d'une ficelle. L'ogre avait dévoré l'enfance et la ficelle.

La cuisinière ronflait. Il faisait pimpant, naïf, chaleureux. Bleu comme un baptême. Elle avait, toute seule, sans rien dire, en deux nuits lessivé murs et plafond, consolidé, repeint et maquillé le hideux lit de tubes tordus, briqué la cuisinière, passé le parquet à la paille de fer, répandu des flots d'eau de Javel et des kilos d'encaustique, et voilà, moi qui avais vu « avant », moi seul savais, moi seul pouvais mesurer cette rage d'avoir « une maison » à soi, de l'avoir par sa sueur, par ses reins moulus, par ses mains arrachées... Seules les femmes savent posséder les maisons. Donnez-leur un espace clos, elles s'y vouent corps et âme, tigresses en leur tanière.

*

Peu après, il y eut une nouvelle compression d'espace aux Déportés du Travail. On liquidait carrément le passé calamiteux. On avait assez expié, s'était assez attendri. Les « horreurs » ne faisaient plus recette. *France-Soir* aux titres noirs chantait l'épopée de la bande à Pierrot-le-Fou, ça, c'était excitant. On avait raclé tout ce qui traînait en fait d'associations méritoires et d'œuvres bienfaisantes vouées aux séquelles de la guerre — quelle guerre ? — et l'on avait entassé tout ce petit monde, ses archives, ses lainages kaki et ses queues fleurant le chien mouillé dans le local de la place Clichy déjà bien exigu. J'y avais perdu mon coin de table.

Problème. Où dessiner ? Voilà certes le métier le moins encombrant du monde, sauf peut-être écrire. Bien sûr, j'aurais dû dessiner chez nous, rue Sainte-Anne... J'aurais dû. Si les choses avaient été normales. Mais les choses étaient tordues. Pas question de ne pas partir au boulot chaque matin. Maman n'aurait pas compris. Le travail, ce n'est pas rester chez soi, au chaud, en savates, pas rasé, le cul sur la chaise, à gribouiller des gribouillis ou à regarder en l'air en attendant l'inspiration. Le travail, c'est d'abord partir au petit matin, en claquant la porte haut et clair comme un qui arrache sa journée à la sueur de ses bras, et puis descendre l'escalier en frappant du talon, quand on est honnête et pas feignant on ne rase pas les murs, et ceux qui sont pas contents, tu sais ce que je leur dis, à ceux qui sont pas contents ? Voilà comment elle est, maman. Je lui avais dit l'essentiel, le minimum, elle savait que je travaillais « dans un journal », à Paris, elle me voyait prendre le bus le matin, elle me disait fais attention dans le métro on a vite fait de passer dessous, elle me disait nourris-toi, elle aurait aimé que j'emporte mon manger dans une musette, elle aurait bourré ma gamelle de choses qui tiennent au corps, comme au temps des chantiers, enfin, bon, je partais le matin, je rentrais le soir, elle ne comprenait pas bien comment on peut payer des gars jeunes et pleins de santé à barbouiller des guignols tellement bêtes qu'on n'y comprend seu'ment ren, mais, comme on dit, il n'y a pas de sot métier, ce qui compte c'est la fatigue, c'est ça qui sanctifie le pain, qui lui donne du goût. Et puis, chaque fin de mois, je lui rapportais la paie, c'était l'argument suprême, la preuve tangible du sérieux de mon travail.

Je me rends compte aujourd'hui que c'est assez curieux, cette attitude de soumission à sa maman, chez un gaillard de vingt-deux ans. Eh, oui, mais, avec maman, tout tournait tout de suite au drame, et je ne me sentais nulle envie d'affronter ses redoutables désespoirs pour une affaire somme toute bien mince. Il vaut mieux mentir, c'est si simple. Et tout le monde est content.

Je gagnais désormais à peu près régulièrement ma vie, j'aurais pu payer le loyer d'une chambre, seulement il n'y avait pas de chambre, c'était une époque comme ça.

C'est Liliane qui m'a proposé :

— Venez travailler à Asnières. Je n'y suis pas de la journée. Vous serez tranquille. Vous pourrez manger chaud, vous faire du thé.

Et pour me décider :

— Vous paierez la moitié du loyer. Ça me fait vraiment lourd, vous savez. Je ne me représentais pas combien c'est cher.

— Ça va faire causer...

C'était exactement le truc à lui dire !

— Qu'ils causent ! Je n'ai de comptes à rendre qu'à moi.

Quand même, ça me contrariait, cette intrusion dans son intimité. J'aime ma solitude, farouchement, je ne partage pas, mon territoire est mon territoire, j'abomine y trouver des traces étrangères. Je juge les autres d'après moi-même, je ne peux imaginer qu'il en aille autrement pour eux. Et puis, un intérieur de femme...

Au fait, je n'avais jamais encore pensé à elle comme à une femme... Et qui donc y aurait pensé ? Oui, n'empêche que sa chambre était la chambre d'une femme. Et qu'elle était une femme, mais oui, mon vieux. Et toi un grand con. Ou un grand hypocrite. De ceux qui se jouent la comédie à eux-mêmes. Et qui font semblant de se croire.

Elle avait tranché la question :

— Je cache la clef sous le pot d'herbe à chat, dans le coin du perron. Venez demain, à l'heure qu'il vous plaira, installez-vous, travaillez bien, je rentre le soir vers sept heures. Si vous préférez ne pas me voir, remettez la clef sous le pot. Bon courage !

Et bon, on a fait comme ça.

J'arrivais le matin, par le train — elle avait découvert qu'il y avait des trains pour Asnières à la gare Saint-Lazare, bien plus pratiques que la combinaison métro-bus —, je déballais mes petites affaires et crachais dans mes mains, je me mettais au boulot, comme un terrassier. Je crachais pour de bon dans mes mains.

Le cœur moins tranquille qu'un terrassier. Persuadé que je n'allais pas m'en sortir. Chaque fois. Je n'en étais pas encore revenu, de ce culot de me poser en professionnel. C'était pas possible, j'aurais dû être passé « par les écoles » — quelles écoles ? —, j'étais un imposteur, ça ne pouvait pas durer... Alors je me donnais à fond, je n'aurais pas supporté qu'on me démasque, je m'efforçais de faire l'homme de l'art, de retrouver les règles de ce métier, ses gestes rituels, ses tours de main... Je m'étais acheté des bouquins, *La caricature et le dessin humoristique*, des trucs comme ça, je potassais ces pompeuses âneries avec le sérieux d'un étudiant à la veille d'un examen décisif. Je dessinais comme, je suppose, on passe son bac : écrasé par la solennité de la chose, par son irrémédiable. Je respirais un grand coup, je retenais mon souffle, je mordais ma langue, j'osais poser la plume sur le papier...

Je m'étais inscrit à un cours du soir de dessin de la ville de Paris, c'était dans une école, sur le boulevard Montparnasse. Il en existait dans chaque arrondissement, gratuits, très sérieux, deux heures chaque soir, de huit à dix. J'étais tombé sur celui-là au hasard d'une affiche. On y écrasait consciencieusement du fusain pour portraiturer une cruche en terre posée comme négligemment devant un chiffon rouge plein de plis aux ombres vicieuses, ou une tête de plâtre sur fond de velours noir. Je me serais cru revenu aux temps de la communale, dans la classe juste avant le certif. On y patouillait aussi l'aquarelle, la gouache, même l'huile mais ça revenait cher, on y faisait du modèle vivant, parfois du nu. Le nu... C'est là qu'on voit les vrais artistes : pas un ricanement, pas un clin d'œil salace, pas une rougeur furtive. Austères et concentrés, comme si la bonne femme, là, sur l'estrade, n'avait pas les nichons à l'air, compacts, lourds, dressés arrogants jusqu'au ciel, et l'épaisse sauvage touffe de poils noirs avec son odeur de bête que je croyais sentir, que je croyais mâcher. De tous j'étais le plus imperturbable, pas question d'avoir l'air d'un plouc qu'a jamais rien vu. Je me demandais si les autres hypocrites, crayon au bout du bras tendu pour voir si la nana était plutôt en largeur ou plutôt en hauteur, avaient à ce moment-là dans la tête ce que j'avais dans la mienne.

Je n'ai pas appris là grand-chose de ce que je désirais apprendre. J'y ai quand même appris par quel bout se tient un pinceau. J'y ai appris surtout que le dessin d'humour ne s'apprend pas. Des tas d'autres choses encore, dont je ne me rendais pas compte que je les apprenais, et qui devaient par la suite se montrer bien utiles, quoique pas là où j'aurais cru. Tout est utile, un jour ou l'autre, à ça ou à autre chose. Sois une éponge, mon fils.

Après un noir combat contre ma timidité, j'étais allé voir Dubout. Dubout avait fasciné mes années adolescentes. Je ne concevais l'humour qu'à sa façon. Enorme. Foisonnant. Méticuleux. Démesuré. A la pelle, à la tonne. A la loupe. Une trouvaille par millimètre carré. Toute une génération a imité Dubout. Et s'est cassé la gueule, moi tout le premier. J'avais écrit à Dubout, par l'entremise d'un hebdomadaire où se voyaient de ses dessins. Il m'avait répondu : « Venez me voir. » J'y étais allé.

C'était rue Suger, une venelle toute provinciale près de Saint-André-des-Arts. L'escalier tortillard sentait l'ail et le pastis. Des femmes se parlaient, fort, avé l'assent, d'un étage à l'autre, par-dessus la rampe. Marseille. Dubout traînait Marseille derrière lui comme on emmène pisser le chien.

— Monsieur Dubout ?

— Té, vous y êtes juste. Frappez donc.

Un petit bonhomme noiraud, pas rasé, crépu comme un diable, m'avait ouvert, avait dit « Té, c'est vous ! », avait regardé mes dessins, avait grimacé :

— Ne fais pas du Dubout, petit. Tu te gâtes la main, tu te ratatines la cervelle, tu t'escagasses les yeux.

Index dressé, sourcil Raimu :

— Surtout, tu t'étouffes la per-son-na-li-té.

Il marque le coup d'une gorgée de pastis.

— La personnalité, tu l'as ou tu l'as pas. Une supposition que tu l'aies, eh bien, là, tu te l'étouffes.

Oui. Il n'avait pas pleuré de joie, il n'avait pas appelé tout le monde, il ne s'était pas écrié : « Accourez tous ! Il nous est né un génie ! » Ça n'avait pas été Verlaine accueillant Rimbaud.

Il avait dit :

— C'est un métier de peaux de vache. Tu vas en baver.

Pressé par moi, il avait condescendu :

— Mais oui, ça vaut la peine, bien sûr. Mais tu sais, le talent, les idées, en admettant... Des tas de jeunes en ont. Ce qu'il faut, c'est la té-na-ci-té. S'accrocher comme un morpiong. Ne pas être marié, surtout. Tu es marié ? Non ? Bon. C'est déjà ça.

Dubout m'avait fait du bien. Beaucoup plus de bien qu'en m'encourageant, ce qui ne lui eût pourtant rien coûté et l'eût débarrassé de moi avec un sourire. N'empêche que, sur le moment, je m'étais senti salement seul. J'avais envie de tout laisser tomber. Je ne l'ai pas fait, puisque déjà, cahin-caha, avec mes dessins, je m'en sortais à peu près aussi bien que j'aurais pu le faire dans n'importe lequel des métiers de pauvres qui m'étaient possibles. Mais j'ai su dès lors que, dans ce milieu, personne, jamais, ne te dira : « C'est bien, ce que tu fais. » Personne de responsable. On te l'achète ou on te le laisse, c'est la seule sanction. Qu'on te l'achète ou qu'on te le laisse, ce sera du même œil, froid, blasé, indifférent. Tu es dans le noir. Tu crois en toi ? Tu sais, toi, que c'est bon ? Tant mieux, c'est la moindre des choses. Crampponne-toi, et tâche que les autres y croient aussi. Les autres, ceux qu'il faut convaincre pour toucher le public, ceux qui font barrage entre toi et le public. Peut-être le public raffolera-t-il un jour de tes petites choses. Mais ça, tu ne le sauras même pas. Tu ne le sauras que par le crayon bleu du monsieur-qui-choisit-les-dessins et qui aura griffonné « Oui » au lieu de « Non » au dos du tien. Encore s'arrangera-t-on pour que tu ne saches pas trop si c'est à un coup de pot, à un caprice, à une faveur passagère, que tu dois cette aubaine. Métier de peaux de vache, oui. Si tu n'as pas confiance en toi, ne compte pas sur les autres pour t'en donner.

Fin de ma période Dubout.

*

Enfin, bon, à *Kim* on acceptait mes pages, on me confiait des contes à illustrer, j'inventais des jeux souriants pour enfants sages. Pour un début, c'était pas mal du tout, je m'en rends bien compte aujourd'hui. J'avais l'impression réconfortante de servir à quelque chose, d'avoir ma place dans la machine, mais mon manque de confiance en moi ne pouvait s'empêcher de se dire que c'était par pure gentillesse, cette madame Kanter m'aimait bien. Et puis, le dessin pour enfants, pour tout petits enfants, ça ne comblait pas mes appétits profanateurs. Il me piaffait dans le ventre des besoins d'énormes ricanements vengeurs, mes férocités me restaient sur les bras, je me voulais Molière, je me voulais Rabelais, je me voulais Ubu, et l'on me donnait à faire risette aux nourrissons...

Il se publiait alors en France une foison de journaux et de magazines, surgis du pavé à la Libération pour prendre la place des infâmes. Ces publications faisaient une large place au dessin « amusant ». Très parisien : cocus, caleçonnades, amant dans l'armoire, belles-mères, petites madames dépensières, calembours, Marius-et-Olive, histoires juives (avec la variante du juif ridiculisant le nazi, signe des temps)... Ça sentait la pisse et l'Almanach Vermot.

Quelques titres cependant s'essayaient à la qualité, au « difficile » : *France-Dimanche, Samedi-Soir, Paris-Match, Ici-Paris**... Moi, je voyais seulement que ces dessins-là me faisaient rire alors que les autres gaudrioles me plongeaient dans un cafard meurtrier.

Cet effort vers le renouveau s'exprimait surtout par le dessin muet, le « sans paroles ». De plus en plus de dessins osaient s'affranchir du dialogue, vivre par eux-mêmes,

---

* Si, si ! Ils ont été comme ça ! Rien à voir avec les navrantes flatulences qu'ils publient aujourd'hui, pour boucher les trous entre les coucheries de chanteuses et les ménopauses de princesses de casino...

refuser de n'être que l'illustration superflue d'une plaisanterie toute verbale. Deux pépères en pardessus et chapeau en train d'échanger des réflexions « spirituelles » ou « cocasses » au coin d'une rue, voilà ce qu'était l'humour consacré. L'image n'apportait strictement rien à la « blague ». Et voilà que surgissaient des dessins dont tout le comique était dans le dessin même ! Qui racontaient toute une histoire, sans qu'un mot de texte les accompagne. Mieux : qui suggéraient. On y voyait le résultat — ou le prélude — d'une calamité qui venait de se produire — ou qui allait le faire —, d'un coup d'œil tu reconstituais l'événement, c'était irrésistible. Tout cela imperturbable. C'est le lecteur qui doit rire, pas le dessin. Ça nous changeait de cette « bonne humeur » qu'en France on confond avec l'humour. J'étais tout à fait d'accord.

Les pionniers de ce dessin pince-sans-rire s'appelaient Maurice Henry, Chaval, Mose, Nitro, Harvec... On donnait leurs œuvres avec précaution, on imprimait dessous « Sans paroles » en majuscules, pour le cas où le lecteur ne s'en serait pas aperçu tout seul.

Je m'étais mis au « Sans paroles » avec enthousiasme. Ça ne m'avait ouvert aucune porte, ça m'en avait claqué au nez un bon nombre. J'avais réussi à forcer celle du rédacteur en chef de *La Presse*, à moins que ce ne soit celui du *Hérisson*, c'est dans la même maison, un petit vieux rondelet, fané, hargneux, corse, j'ai oublié son nom, un minuscule béret soudé au crâne, crachant le sarcasme :

— Qu'est-ce que c'est ça ? C'est quoi, ça, vos trucs, là ? Ouh là là, mais vous faites de l'humour pour les agrégés, vous ! Et vous vous figurez que ça fait rire, vos machins, là ? Ecoutez. Je vends de la rigolade aux chauffeurs de taxi, moi, mon petit. C'est con, un chauffeur de taxi. Très con. Regardez-les, en station. Qu'est-ce qu'ils lisent ? Hein ? Regardez-les ! Ils lisent *La Presse*, *Le Hérisson*, *Marius*. Tous les journaux de la maison, oui. Moi, je fais de l'humour pour les cons, moi, et j'en suis fier, moi. Tant que vous n'aurez que ces trucs à me montrer, inutile de vous déranger.

46

*

Quand j'arrivais, elle était partie. Quand je m'en allais, elle n'était pas encore là. Si bien que, depuis que nous partagions la chambre, nous ne nous rencontrions plus du tout.

Le matin, je prenais la clef sous le pot de fleurs où jaunissait une touffe d'herbe à chat oubliée là par quelque vieillarde partie dans le corbillard des pauvres (et le chat ?), je poussais la porte vitrée, j'entrais de plain-pied dans la dînette des « Petites filles modèles ». Je me sentais indiscret, voyeur, j'étais gêné. Incongru plus encore qu'indiscret. Eléphant dans la porcelaine. Sur la table où je travaillais, un petit bouquet me disait bonjour dans un vase de deux sous. Elle laissait des mots : «Salut, l'artiste ! Ça boume ? Vous ne voudriez pas regarder ce qu'il y a à la lumière ? Quand je touche l'interrupteur, je prends plein de courant.» Des choses comme ça. Parfois en russe, parfois en allemand, parce qu'elle savait que ça me ferait plaisir. Sur un fil, du linge séchait, serré dans le coin-cuisine pour ne pas gêner, comme rougissant d'être là. Je marchais sur la pointe des pieds, m'efforçais de ne pas déborder de mon strict périmètre professionnel.

Elle s'était réfugiée à corps perdu dans ses quinze ans retrouvés, ses quinze ans qu'elle avait enfin le droit d'avoir, ses quinze ans de petite campagnarde de bonne famille. Elle s'en faisait une forteresse. Elle avait effacé l'intervalle. Rien ne s'était passé depuis. Elle avait tout juste fini de jouer à la poupée, elle jouait à avoir une maison. Elle mettait en pratique ce que sa maman lui avait appris, sagement, soigneusement. Le satin bleu godait partout en plis profonds. Je l'imaginais cousant à tour de bras, sans machine. Elle travaillait dans une maison de tissus en gros où elle se procurait, à prix réduit et sans points de textile, des coupons d'où elle tirait des draps, des taies, des torchons, qu'elle ourlait et brodait à ses initiales. Elle devait y passer les nuits. Quand je m'avisai de cela, et des terribles insomnies que cela supposait, et des cauchemars redoutés, je regardai d'un peu plus près dans son ménage. Je fus bientôt renseigné : elle ne se faisait rien cuire le soir, elle partait même certainement le matin le ventre vide. Maman m'a inculqué le sacré de la nourriture : « Il faut manger pour se soutenir. Surtout quand on a du chagrin. Si on ne mange pas, alors c'est le chagrin qui vous mange et on devient poitrinaire. Il faut se forcer, même si on n'a pas envie. Ah ! dame, si on s'écoute, si on se force pas, le chagrin prend le dessus ! » En somme, si tu meurs de chagrin c'est encore toi qui as tort. Tout est morale, pour maman, morale de huguenot.

Un après-midi, j'allai jusqu'à l'épicerie-buvette, j'achetai des pâtes, du beurre (on venait de le libérer), du jambon (j'avais des tickets de viande sur moi), des gaufrettes, des prunes. Quand elle poussa la porte, la table était mise, les pâtes gonflaient sur le coin de la cuisinière.

Surprise de me trouver là.

— Eh ! Vous vous êtes endormi sur le boulot ?

— Je me suis invité à dîner. Si ça vous dérange, je m'en vais.

Après tout, elle aurait fort bien pu ramener une copine, un copain. Pouvait fort bien attendre une visite, ou avoir à sortir... Je pensais à tout ça juste maintenant, et du coup je prenais conscience qu'en somme je m'imposais, jouais les autoritaires, allez, pas de réplique, du moment que c'est pour ton bien... Me voilà tout décontenancé, ma casserole de nouilles au bout du bras.

Et alors je l'ai vue. Le masque de la mort. Les yeux, comme dit maman, lui mangeaient la figure, ternes de fatigue, perdus dans d'immenses flétrissures mauves. L'ombre sous l'os de ses joues creusait des trous sans fond... Au diable les scrupules.

A partir de ce soir-là, je restai à l'attendre. Je fauchais des provisions à maman, du riz, des haricots secs, des pruneaux, des confitures, je lui faisais acheter, « pour me fortifier », des demi-livres de viande de cheval que son boucher lui cédait sans tickets, elle était toute contente que je me soucie enfin de me nourrir convenablement.

Je ne suis guère porté sur la cuisine. Je bricolais d'épaisses ratatouilles que j'estimais puissamment reconstituantes, je lui faisais rissoler de la viande aux trois quarts crue — c'est ça qui donne des forces ! —, j'achetais du vin rouge.

Liliane prenait ça à la blague. J'étais une espèce de nounou bourrue, elle faisait des caprices, mangeait pour me faire plaisir, calait à la troisième bouchée.

Je ne la quittais que dûment bordée dans son lit bleu. Mais elle jouait alors les sales gosses, mettait son pouce dans sa bouche, minaudait, exigeait un baiser. Je m'en allais enfin, sans trop d'illusions. Je me doutais bien que, derrière mon dos, elle se relevait, s'affairait à je ne sais quoi, peut-être sortait, errait je ne sais où la nuit entière. Il me fallait pourtant partir. J'attrapais en voltige le train de banlieue pour Saint-Lazare, traversais Paris en métro, puis prenais au Château de Vincennes le dernier autobus pour Nogent, en tout plus de une heure et demie.

J'aimais ces heures nocturnes où train, métro et bus, à peu près vides, bringuebalant de toutes leurs ferrailles dans les déserts sonores, appartiennent aux habitués, où l'on s'étale, les pieds sur la banquette d'en face, où l'on est tous un peu complices, où une fatigue à la fois pesante et douce rend tout un peu irréel... Je m'affalais bien à mon aise, je tirais de ma poche mon bouquin « Assimil » et je ressassais avec amour les somptueuses phrases russes en mettant bien l'accent. Ou bien je faisais les exercices écrits que m'imposait Maria Nikolaïevna. Je ne perdais pas de vue mon objectif : aller « là-bas » retrouver Maria.

*

Un soir, elle n'est pas rentrée. Je me suis inquiété, et puis je me suis dit qu'elle était bien libre et de quoi je me mêle, non mais. Il se trouvait que j'avais beaucoup à faire, un travail à livrer le lendemain, je m'y suis mis, le temps a filé. A trois heures du matin, elle n'était pas là. J'ai fini par m'allonger sur le dessus-de-lit de satin bleu, tout habillé.

J'ai mal dormi. J'avais de toute façon un mauvais sommeil depuis mon retour. Je partis au matin, passai une partie de la journée à *Kim*, puis le reste à cavaler porter des dessins un peu partout. Au milieu de tout ce mouvement, en arrière-plan, une inquiétude me tourmentait. Elle m'avait dit quitter son travail le soir à six heures. J'allai me poster rue des Jeûneurs, sous un porche en face de chez Roy frères (ça s'appelait Roy frères). Je vis sortir les employés. Il y en avait beaucoup, ça avait l'air d'une assez grosse boîte. Elle ne parut pas.

Vraiment inquiet, je pris le train pour Asnières, où je trouvai la chambre vide. Je décidai d'attendre quelques heures. Je me mis au travail pour passer le temps. Vers dix heures, on frappe à la porte. C'était elle, soutenue par un type en pardessus, la quarantaine couperosée.

L'homme était un flic. Il n'était pas en service, l'avait accompagnée bénévolement.

— Des collègues l'ont trouvée, gare Saint-Lazare, dans la salle des pas-perdus, devant le monument aux morts. Elle était là depuis longtemps, elle avait pas l'air dans son assiette, pas du tout. Ils lui ont demandé si elle se sentait malade, si elle attendait quelqu'un. Mais elle, pas un mot. Les yeux fixes, droit devant elle, comme vous la voyez là. L'air de rien voir. Ils lui ont demandé ses papiers. Là, elle a parlé. Elle leur a demandé s'ils étaient de la Gestapo. Ça leur a pas plu, mettez-vous à leur place. Alors ils l'ont priée de les suivre au poste de police de la gare. Mais quand il y en a un qui a voulu la prendre par le bras, oh, sans brutalité, n'allez pas croire, elle, comme une tigresse. Il a fallu l'aide de deux « en tenue » pour l'emmener jusqu'au poste. Et là, de nouveau le silence, et les yeux dans le vide. On a vu sur des enveloppes de lettres qu'elle habite ici, et moi je suis justement d'Asnières, et comme j'avais fini mon service j'ai dit bon, je vais la raccompagner, ça a l'air d'être de la jeune fille bien élevée, ça se voit tout de suite, elle est sûrement pas toute seule dans la vie. Si bien que les collègues ont pas fait de rapport et que nous voilà.

Je le remerciai, l'assurai que ça allait aller, je m'en occupais. Il regardait la chambre.

— C'est donc avec vous qu'elle vit ? Vous avez l'air d'un brave type. Vous avez pas le genre du quartier, ni elle non plus.

— Vous savez, la crise du logement... On prend ce qu'on trouve.

— Ouais... N'empêche, c'est un sale coin, ici.

A brûle-pourpoint, les yeux dans les yeux :

— Qu'est-ce que vous faites, dans la vie ?

Un flic est toujours un flic. Je répondis :

— Je dessine pour les journaux.

Je montrai la table et tout mon petit fourbi.

— Ah, tiens ? Vous êtes un artiste, alors ? C'est vous qui faites ces petits Bicots, là ? Ah, c'est marrant. Moi, je pourrais jamais. C'est un don, quoi.

Soupçonneux :

— Et on arrive à gagner sa vie comme ça, en dessinant des rigolades ?

— C'est dur, mais on y arrive.

Il hochait la tête, l'air de trouver ça pas très moral.

— Qu'est-ce que je vous offre ? Je n'ai que du vin rouge.

Ça, c'était Liliane. Très jeune fille de bonne famille, elle posait sur la table deux verres, ses deux seuls verres, et la bouteille de onze degrés de l'épicerie-buvette.

Je ne sais si elle faisait effort pour convaincre le flic de son équilibre retrouvé, mais ça marcha.

— A la bonne heure, dit-il, jovial. Je vous préfère comme ça.

Tourné vers moi :

— N'empêche, elle a vraiment petite mine. Elle a souvent des absences ? Vous devriez voir un médecin, mais alors, un bon. Ecoutez, je connais un interne, à la Salpêtrière...

Je notai le nom, je notai l'adresse. Ne jamais contrarier les bonnes intentions.

On trinqua. Au moment de partir, il me glissa, sérieux :

— Surveillez-la.

Je ne pus que répondre :

— Vous savez, elle est majeure.

C'est vrai, elle était majeure. Tout juste majeure.

Enfin seuls. Face à face, bras ballants. Je ne savais pas trop par quel bout la prendre. Butée, fermée, elle guettait mes premiers mots pour répondre « Non ! » Alors, j'ai rien dit.

Elle a haussé les épaules, m'a regardé de ses yeux de chien triste, si las.

— Vous voyez bien qu'il faut me laisser. Je ne guérirai jamais. Je suis marquée. Et puis, je porte malheur.

C'étaient des mots de cinéma. Je crois qu'elle allait beaucoup au cinéma.

J'ouvris le tiroir où elle rangeait les médicaments, y pris deux comprimés d'un truc pour dormir.

— Avalez ça.

— Peuh ! Si vous croyez que ça y fait ! Ça m'abrutit, et c'est tout. Je ne dors quand même pas.

— Prenez-les quand même. Pour me faire plaisir. Pour que je vous foute la paix.

Elle les a avalés. Elle s'est mise au lit. Je lui ai dit bonsoir, je lui ai tenu la main. Je me sentais un peu con, j'ai pas l'habitude. Elle ne disait rien, n'avait pas l'air de vouloir s'endormir. Ses paupières battaient, comme quand on a les yeux qui brûlent. J'ai regardé l'heure. Le dernier train était parti. Le dernier bus aussi. Elle a ouvert les draps.

— Allez, couchez-vous.

— Je peux dormir par terre.

— Oh là là ! Ne faites pas tant d'histoires. Couchez-vous là.

J'ai glissé ma longue carcasse sous le drap, avec précaution, sur le flanc droit, les fesses dans le vide pour ne pas la toucher. Allongée sur le dos, bien à plat, elle me tenait la main, comme on se cramponne. Elle s'est endormie tout de suite. C'était ça qu'il lui fallait.

Dans son sommeil, elle a gémi, s'est pelotonnée en chien de fusil, le pouce dans la bouche. Ses petits genoux pointus me défonçaient l'estomac. Jusqu'au matin, sa main n'a pas lâché la mienne.

Moi, j'osais pas bouger. Je n'ai pas fermé l'œil.

*

J'ai commencé à passer les nuits à Asnières, de plus en plus souvent. Maman ne posait pas de questions, hochait la tête, sourcils froncés, l'air d'en penser long.

Liliane dormait, moi je lisais, à la lueur d'une lampe de poche coincée sous mon menton. Sa main cramponnée à la mienne me compliquait la vie lorsqu'il me fallait tourner la page. Le lit était étroit, le sommier effondré. Le moindre mouvement déclenchait des tempêtes de ressorts malmenés. Je finissais par m'assoupir en de petits sommes hachés. Entre deux, je la trouvais yeux grands ouverts, fixant le plafond, ou braqués sur moi. Elle m'assurait que c'était moi qui l'avais réveillée, j'avais crié dans mon sommeil. Elle s'inquiétait, me demandait ce qui me tourmentait, disait que j'avais besoin de dormir seul, jurait que c'était la dernière fois qu'elle me retenait pour la nuit... Mais allez donc résister à cette panique que je voyais grandir dans ses yeux lorsqu'approchait le moment de la laisser...

Personne n'était au courant de ma curieuse double vie. Je ne me voyais pas racontant aux copains de la rue Sainte-Anne, que d'ailleurs je ne rencontrais pratiquement plus, mes chastes et épuisantes nuits dans le lit d'une petite fille asexuée. Ils m'auraient cru fou, ou jobard, ou impuissant, ou affligé d'une de ces dépravations compliquées réservées aux intellectuels, qui font rire et qui font pitié, et qui vous valent l'épais mépris des bons baiseurs sans chichis.

Au fait, comment j'encaissais ça, moi ? Eh bien, pas trop confortablement. La compassion, la rage contre ceux qui lui avaient fait ça, mais aussi une certaine répulsion incontrôlable avaient d'abord dominé en moi tout autre sentiment lorsqu'il m'arrivait de penser à elle comme à une femme. La vision de ses organes saccagés me rendait malade. Au milieu d'une conversation badine, son visage soudain ratatiné par la souffrance me ramenait brutalement à l'horrible.

Femme, elle l'était pourtant, et femme séduisante. Ses yeux eussent suffi à rendre belle n'importe laquelle. Ils étaient verts, d'un vert liquide, très grands, très brillants, même quand la fièvre n'y brûlait pas. Maintenant que ses joues, peu à peu, se remplissaient, ses traits perdaient de leur modelé tragique, un visage charmant émergeait. Ses membres aussi perdaient de leur maigreur, les jambes s'arrondissaient, robustes, insolemment galbées. Elle était bâtie en Polonaise : mollets de danseuse, hanches poulinières, taille abruptement mince posée là-dessus comme sur un socle, poitrine étroite, seins menus.

Menus, mais seins.

Et moi je n'étais, comme on dit, pas de bois.

Depuis mon retour d'Allemagne, ma vie sexuelle avait été voisine de la chasteté. Je n'y avais guère de mérite, si mérite il y a en ces affaires. Je suis un passionné, je n'y peux rien. Mes émois amoureux sont intenses, ravageurs, mais soumis au sentiment. Tout dans les élans du cœur. Si je ne suis pas amoureux, l'amour ne me tracasse pas. Il me faut un objet sur qui fixer ma flamme, comme on dit chez Racine. J'avais trouvé cet objet : Maria. Maria m'emplissait tout, je ne pouvais imaginer une autre me plaisant.

J'avais pourtant tâté d'une ou deux aventures, pour voir. Autant de déceptions. J'avais même été obligé de fuir par la fenêtre un mari rentrant en pleine nuit d'un camp de prisonniers, j'y avait perdu un pull-over et attrapé un rhume sur un banc du petit square du métro Vaugirard où j'avais terminé la nuit, épisode pittoresque à raconter aux copains de l'hospice quand on sera vieux.

J'étais retourné au petit bordel de mes adolescences, rue de l'Echiquier*. Rien n'avait changé, la sous-taulière m'avait sauté au cou comme si j'étais venu la veille, j'y avais même retrouvé des filles « de mon temps ». Mais non. Ça n'avait plus le même goût. Je n'étais plus le dadais tremblant de convoitise qui grimpait l'escalier en saccageant les jupes de la bonne pute maternelle.

---

* Voir *Les Ritals*, Belfond 1978.

Plus jamais le cul ne serait pour moi le cul tout seul. Mon ciné à moi c'est l'amour, le grand, le fou, le tendre, le total, la fleur bleue, aimer et être aimé, tout ça, tout ça... Ça ne simplifie pas la vie. Je préférerais être un de ces bons bougres qui tirent un coup derrière le tas de caisses et se reboutonnent en disant « Ah ! ça fait du bien ! Et maintenant, salut petite, me dis pas ton nom, je veux pas le savoir. » Je préférerais. Mais voilà, on ne choisit pas. On est comme on est, faut faire avec.

Et puis d'abord, voilà qu'ils avaient fermé les bordels.

✳

Lentement, lentement, Liliane émergeait de ses ruines. En reprenant vie, elle reprenait goût à la vie. Elle s'intéressait même à sa santé. Allait ponctuellement aux consultations de l'hôpital. Prenait les remèdes. Découvrait le plaisir de s'habiller, cousait des robes, invitait des copines de bureau à des thés.

Certains dimanches, je venais la voir, je l'emmenais au cinéma. Je lui avais offert un petit poste de radio. Elle raffolait d'Yves Montand, chantait en l'imitant « Dans les plaines du Far-West », faisait le singe, toute rose. C'était toujours la gosse de quinze ans, mais cette fois la boute-en-train du dortoir des grandes. Moi, de la voir comme ça, j'étais tout content.

Nos nuits main dans la main n'étaient plus aussi innocentes. Pour moi, en tout cas. Je ne pouvais pas l'empêcher de sentir très bon, ni moi d'y être sensible. Ou bien avait-elle toujours senti aussi bon, et est-ce moi qui étais devenu réceptif ? Ce qu'elle pelotonnait contre mon ventre n'était plus un misérable petit paquet d'os pointus, et quand sa jambe touchait la mienne je ne pouvais pas en ignorer la douceur, ni l'effet que ça me produisait.

Je n'étais pas aussi naïf que de la croire inconsciente de tout cela. Eh, c'était une femme, de moins en moins un chien malade, de plus en plus une femme ! Tout suivait, tout marchait ensemble ! Du besoin d'être rassurée à la câlinerie tendre, la frontière est floue, je ne savais plus trop où nous en étions, je voyais devant moi un gros malentendu prendre consistance. Et je me sentais de plus en plus ballot.

Une autre chambre de ce garni était occupée par une danseuse, girl aux Folies-Bergère, une grande bringue fendue jusqu'au menton, maquillée faux cils et tout, un abattage terrible. Une heure après qu'elle était passée par le corridor de l'immeuble son parfum vous sautait encore à la braguette comme au coin d'un bois. Je la connaissais comme ça, bonjour-bonsoir. Un après-midi, on frappe à ma porte, c'était elle, cette grande bringue, elle venait de s'arracher du lit, pas maquillée, plutôt crayeuse, robe de chambre, jambe qui passe par la fente. Intéressante, la jambe.

— Bonjour. V's'auriez pas une tasse de café à m'offrir ? J'en ai pus.

Je lui ai dit bien sûr, entrez donc, asseyez-vous, j'en ai justement que je viens de faire.

— V's'êtes chouette. Moi, tant que j'ai pas bu mon café, y'a personne.

On boit le café. On cause.

— C'est gentil, chez vous. C'est votre petite sœur qui fait ça ? Elle a vachement· du goût.

— C'est pas ma petite sœur.

Faussement confuse :

— Oh, pardon ! Je voulais pas vexer. Dites donc, ça me regarde pas, mais vous les prenez jeunes, vous.

— Elle a vingt et un ans. Passés.

— Ah oui ? On lui donnerait pas.

— Elle a été très malade.

— C'est donc ça. Faut dire qu'elle a pas bonne mine. Vous croyez que vous allez en tirer quelque chose ? A mon avis, faudrait lui apprendre à s'habiller. Si vous voulez, je lui montrerai.

En tirer quelque chose ?... Bon dieu, elle me prenait pour un mac en train de former une débutante ! Et voilà qu'elle me faisait un gringue terrible, avec sa gueule suintant le réveil pénible.

Je ne sais pas ce qui serait arrivé, je suis plutôt faible de caractère, heureusement la concierge s'est amenée, elle comptait nous surprendre en pleine partie de jambes en l'air, je suppose.

*

J'ai commencé à espacer mes nuits à Asnières. Maintenant que Liliane avait, comme dirait maman, pris le dessus, je pouvais, moi, prendre mes distances. Je me suis arrangé pour me trouver moins souvent là quand elle rentrait. Elle ne remarqua rien, du moins n'en dit rien. Elle continuait à fleurir ma table mais ne laissait plus de messages.

Oui, mais voilà qu'elle me manquait. Il me fallait faire effort pour m'en aller, sachant qu'elle serait là tout à l'heure. Eh, mais, François, tu te rends compte ? Et Maria ? Oh, Maria ! De toute mon âme, de toute ma vie. Alors, cette petite fille ? Rien à voir. Je l'aime bien... Oui, bon, je l'aime, na ! D'accord. Mais c'est pas pareil... Hm. Me voilà forcé, honnêtement, de reconnaître que je pouvais avoir cette même angoisse au ventre quand je me disais qu'il ne fallait plus que je revoie Liliane et quand j'imaginais que peut-être je ne reverrais plus Maria... J'aurais cru ça impossible, hors nature. L'amour c'était toi et moi, et personne d'autre. Un amour immunisait contre un autre amour... J'ai tenté un compromis avec ma vacillante conception de l'univers en me disant que j'en aimais une très fort et l'autre seulement un petit peu.

Raison de plus pour me faire rare à Asnières. Pas tellement pour être fidèle à Maria que parce que je sentais qu'à une Liliane on ne se donnait pas à moitié, parce qu'elle était confiante, entière, exclusive, passionnée... Et si fragile. Et seule au monde. La responsabilité me faisait peur.

Et puis, le plus important : son ventre, à jamais tabou. Ne pas oublier... Fous le camp, gars.

*

Du temps avait coulé. Nous ne nous rencontrions plus guère. Je lui supposais un flirt. Eh bien, tant mieux je m'étais dit, le cœur pas tellement en fête. Je me cherchais un autre local, mollement, ce sont choses qui m'emmerdent. Elle m'a coincé un après-midi, elle avait pris sa demi-journée sous un prétexte. Elle s'est assise au bord de la table, la jupe bien tirée sur ses genoux serrés. Elle portait son petit manteau écossais à martingale et ses socquettes blanches.

Tout de suite :

— Qu'est-ce que je vous ai fait ?

— Vous êtes censée m'avoir fait quelque chose ?

— Ça va ! Vous m'évitez. Je croyais qu'on était copains. Qu'est-ce qui se passe ?

— Il ne se passe rien. J'ai du boulot. Je cavale beaucoup. Je rentre tôt. J'ai besoin de dormir.

— Et moi, je ne dors plus du tout. Je marche dans la nuit. Des fois je demande à une copine de dormir avec moi, mais c'est pas pareil. Et puis, elle ronfle.

— Moi, je crie, vous savez bien.

— Ecoutez, ce soir, on fait la fête. Je vous invite Au restaurant, parfaitement. Ah, non, ne dites pas non ! C'est la première fois que j'invite quelqu'un au restaurant. J'ai des sous, vous savez.

On est allés au restaurant, chez Chartier, faubourg Montmartre, et puis au cinéma, et puis je l'ai raccompagnée, et puis je l'ai mise au lit, comme autrefois, et puis elle a ouvert le drap, comme autrefois. Le dernier train était parti.

J'ai dit :

— Mais le lit n'est plus défoncé !

Elle a ri.

— Eh, non, il n'est plus défoncé ! Et il est plus large, aussi, beaucoup plus large.

C'était ma foi vrai.

— Vous avez acheté un lit ? Je m'en étais même pas aperçu !

— Seulement un sommier et un matelas. Nous l'étrennons, cher monsieur.

Je me faisais tout petit, à l'extrême bord du grand lit. Elle est venue m'y rejoindre, a mis ses bras autour de mon cou, posé sa joue contre la mienne, s'est collée à moi tout du long.

— Liliane ! A quoi ça mène ?

Elle m'a dit, tout bas, à l'oreille :

— Je suis normale. J'ai eu mes règles. Le médecin m'a assuré que tout est cicatrisé et que ça fonctionne normalement. Avec des précautions, bien sûr.

— Et il vous a dit aussi que vous pouviez...

— Ça, je ne lui ai pas demandé, mais je le ferai sans sa permission. Et tout de suite !

Carrément.

Elle m'a regardé, à l'hypocrite :

— Si vous voulez bien, Monseigneur.

— Mais vous allez avoir mal...

— M'en fous ! Oui, j'aurai mal ! Oui, j'aurai mal ! Mais je suis contente d'avoir mal ! Ce mal-là ! Je suis normale ! Je suis une vraie femme !

C'est moi qui avais peur.

Et puis, elle sentait si bon, ses petits seins respiraient, si joyeux, contre ma poitrine, elle était si désireuse de bien faire et si bravement craintive... Je me suis laissé aller, j'ai oublié la boucherie, j'ai plongé...

Ce fut un paradis plus rempli de craintes et de douleurs que d'extases. Je la croyais muette de plaisir, elle était sans connaissance. Je la ranimai. Elle était blême, décomposée, mais rayonnante. La voilà qui saute à bas du lit, qui revient avec une bouteille de champagne.

— Je l'avais mise de côté pour fêter ça !

Nous trinquons. Le champagne est tiède. Elle me dit, sérieuse :

— Je pense que maintenant on pourrait se dire « tu ». Ça se fait, non ?

Plus tard :

— Tu sais, ne te crois lié en rien.

Plus tard :

— N'est-ce pas ?

Je pense qu'elles disent sûrement toutes ça. Et elles croient que ça suffit pour nous mettre à l'aise.

Je n'ai rien répondu.

1949
La guerre ne joue pas le jeu

*

A Nogent, il y eut de la soupe à la grimace quand j'annonçai, avec précaution, que j'étais en ménage sans être marié. C'était la pire des avanies dont je pouvais accabler maman.

Papa m'avait seulement demandé :

— Il est zentil, sta fille-là ? Il est courazeux ? Il t'aime bien ? Allora, fa coumme tou veux, perqué la zeunesse, il est oune fvas solement, la zeunesse, et i passe vite. Ma fa 'tention pas fare il pétite zenfant, qué si tou le fas, allora fout la marier tout svite, ecco.

Il avait ajouté :

— T'as bisoin l'arzent ?

Et il m'avait glissé mille balles dans la poche.

*

Nous voulions nous arracher à la déprimante tristesse de ce coin pourri. J'avais connu toute ma vie les rues à pauvres, mais Asnières c'était la misère sans la chaleur ritale, c'était le cafard à l'état brut. Hélas ! la crise du logement ne s'arrangeait pas, l'époque était aux reprises pharamineuses et aux dessous-de-table, trouver un logement supposait des relations, et aussi beaucoup d'argent. Nous n'avions ni l'un ni l'autre. Nous sommes donc restés dans le garni d'Asnières.

Jusqu'au jour où le propriétaire, un grigou à demi cinglé nommé Hissnicker, à qui un postulant locataire avait promis une grosse somme pour avoir la chambre, trouva le moyen de nous jeter dehors sous le prétexte que je n'avais pas rempli la fiche de police. C'était exact, j'avais totalement oublié cette formalité. Lui, de son côté, s'était bien gardé de m'en parler, pour justement se ménager la possibilité de nous éjecter. Une nuit, deux flics vinrent nous réveiller, me demandèrent mes papiers, m'embarquèrent. Je passai la nuit dans une cellule du commissariat, fus relâché au matin pour trouver Liliane faisant ses paquets sous l'œil implacable du Hissnicker. Naturellement, je vole dans les plumes du vautour. Il devait s'y attendre. Il tire de sa poche un revolver. Comme au cinoche. Ce sont des choses qui vous calment le tempérament. Mais moi, j'étais fou enragé. Je lui massacrai la gueule tout mon soûl, le jetai en bas de l'escalier du perron et le finis à coups de talon, dans la cour, devant les locataires goguenards. Le revolver avait volé je ne sais où... Et bon, nous voilà à la rue, avec des flots de satin bleu, un sommier et un matelas tout neufs.

J'ai demandé l'hospitalité à papa-maman. Ce n'était pas une bonne idée. Je me berçais d'illusions : la gentillesse de Liliane ferait fondre le quant-à-soi de maman. Quant à papa, c'était dans la poche.

Nous nous sommes tassés tout petits dans ma chambre de toujours, ma chambre d'enfant, un boyau qui servait surtout de penderie et de débarras. Le sommier l'emplissait d'un mur à l'autre... Enfin, bon, c'était du provisoire. On finirait bien par trouver un vrai chez-nous.

Ce fut l'enfer. Maman se révéla épouvantable. La pure virulente sale bête. Je la savais tourmentée, chagrine, acariâtre, prompte à la colère, mais je la croyais au fond bonne comme le bon pain, riche de trésors de dévouement bougon, prête à se sacrifier sans hésiter tout en invectivant le bénéficiaire du sacrifice... C'est l'image que j'avais d'elle, c'est celle qu'avaient ses patronnes. J'eus là la révélation que les êtres ne sont pas aussi simples que nous nous plaisons à nous les figurer. Nous nous faisons d'eux l'idée qui nous arrange.

Maman m'aimait comme une louve aime son petit. Elle était pour ses patronnes la servante au grand cœur et au mauvais caractère, veillant à tout, ne comptant pas sa peine, dévouée jusqu'à la mort... Mais quelle rage possessive, en rançon ! J'étais à elle, à elle toute seule, même papa n'était que toléré tout juste. Ses patronnes étaient à elle, elle régentait leur ménage mieux qu'elles, son dévouement était prise de possession absolue.

Liliane tombait là-dedans en rivale, en voleuse. Avec un peu de flair, j'aurais dû pressentir cela. Elle arrivait, bras ouverts, pauvre gosse désespérément assoiffée d'affection, du besoin d'être acceptée. Si longtemps farouchement repliée sur elle-même, murée dans sa peur et sa méfiance, elle osait timidement s'ouvrir, se défriper. Y croire. Elle venait à maman comme à une maman, touchante de candeur et de fragilité, débordant du désir d'être utile, de participer.

Maman la reçut comme on reçoit une pute faufilée dans une famille honnête. Lui donna du « Mademoiselle ». Le mal qu'elle me faisait ! Stupéfait, je voyais ma mère irradiant la bêtise et la méchanceté, se réjouissant de démolir, se croyant très grande dame donneuse de leçons. La conne ! La sale conne infecte !

Le ton était donné. Liliane faisait-elle mine de prendre un balai, maman le lui arrachait : « Je suis encore capable de tenir mon ménage ! Laissez ça, ça vous écorcherait les mains ! » Rentrant un soir tard, harassée, maman trouve la soupe au feu, déjà cuite, le couvert mis. Avant même d'ôter son manteau, elle vide la casserole dans l'évier, dit qu'elle est ici chez elle et que le jour où elle aura besoin d'une princesse pour lui éplucher sa soupe elle le fera mettre dans le journal. Papa, dents serrées, yeux terribles, avait pris la porte, sans un mot. Liliane était d'une blancheur de craie, un cerne sombre creusait ses orbites, lui mangeait les joues. Je l'ai prise par le bras, nous sommes allés dîner au restaurant, sur nos vélos. On s'était acheté des vélos.

*

En même temps que nous perdions notre logement, je perdais ma principale ressource. *Kim* cessait de paraître, faute de lecteurs. Il n'était pas le seul. En ces années 47-48, la plupart des journaux surgis depuis la Libération comme champignons après l'averse se desséchaient sur pied et tombaient, l'un après l'autre. Seuls résistaient les gros. Je perdis *Kim* et quelques autres collaborations, ce qui ne laissait que des rentrées misérables. Liliane me disait :

— Et alors ? La chance reviendra, c'est sûr. Cramponne-toi, dessine. Tu dois dessiner. Tant que je travaille, tu n'as pas à t'en faire.

Oui, mais, justement, je m'en faisais. La santé de Liliane n'était pas trop assurée. Et puis, j'étais l'homme, je devais pourvoir au ménage. Un qui se fait nourrir par sa femme, c'est un feignant, j'avais grandi dans ces idées-là, je me serais senti coupable, moi grosse vache, de vivre aux crochets de cette frêle petite chose... Ce n'était pas de sa part délectation dans le sacrifice, mais foi en moi. Elle m'avait choisi, elle misait sur moi. Je n'étais qu'un triste con empêtré dans ses complexes et ses tabous moraux de paysan-prolo italo-morvandiau.

J'ai donc cherché du travail. Eh, oui, seulement la France traversait une période de vaches maigres. Le chômage sévissait, noir, compact. Pas une fissure. Même sur les chantiers. Je suis allé faire un tour aux Déportés du Travail. Je suis tombé sur un gars, il s'appelait Lurquin, je l'avais connu qui cherchait lui aussi du boulot. Il était tout content, il en avait trouvé dans une entreprise de chauffage industriel, il faisait le dépanneur. Il me dit vas-y donc, ils cherchent quelqu'un, si possible un ingénieur, mais tu peux les avoir au culot, dépêche-toi, fonce. Dis que tu viens de ma part.

J'y suis allé, ça perchait rue de Vaugirard. Vous êtes ingénieur chauffagiste ? Non. Ah. C'était un grand monsieur distingué, l'air un peu de Louis Jouvet. Il a réfléchi. Et, à brûle-pourpoint :

— Qu'est-ce qu'une calorie ?

Ouh là ! Je revois à toute vitesse les bancs de l'école, le tableau noir, le père Legreneur, prof de physique.

— C'est la quantité de chaleur nécessaire pour élever d'un degré centigrade la température d'un gramme d'eau prise à zéro degré.

D'un jet. D'où ça m'était sorti ? J'aurais jamais cru que je savais ça ! J'ai ajouté, pas regardant :

— Il y a aussi la grande calorie, ou kilocalorie, qui vaut mille fois plus.

Louis Jouvet semblait apprécier.

— J'aurais préféré un ingénieur, mais vous me donnez envie d'essayer. Je suis le directeur commercial. Il s'agit d'établir des devis d'installations de chauffage industriel au mazout. Vous gagnerez quinze mille francs par mois. Voulez-vous commencer demain ?

J'ai dit oui. Quinze mille francs, c'était tout juste le minimum vital d'un manœuvre léger. Un ingénieur lui aurait coûté davantage, j'imagine, pour le même boulot. Enfin bon. Je rapportais la paie, je pouvais me regarder dans la glace.

Là encore, mauvais moment à passer. Je régressais mais, me disais-je, pour mieux sauter. Je dessinerais la nuit. Je trouverais des idées formidables. Je me créerais une personnalité. Jusque-là, je n'étais pas au point, regardons les choses en face.

Et voilà que Jojo Draghi, le fils d'Arthur, qui habitait sur notre palier et travaillait chez un administrateur de biens, me signale un logement vide ! Sans reprise ! Ça n'a pas traîné. Quarante-huit heures après nous emménagions au 87 rue Saint-Fargeau, vingtième arrondissement, dans le haut de Ménilmuche, tout là-haut, une rue qui fonce se perdre dans le ciel. Une triste cage à lapins de brique brute, une chambre et une minuscule cuisine, troisième étage, chiottes sur le palier. Le paradis.

Nous nous sommes mariés. Toujours ce besoin de régulariser qui me travaillait décidément bien fort. Liliane ne demandait rien. Ça s'est fait à Nogent, à cause des délais de séjour. La sinistre journée… J'ai horreur des fêtes, j'avais simplement retenu à déjeuner nos deux témoins, qui étaient un collègue cueilli à ma nouvelle boîte et Bob Lavignon, un ancien de Baumschulenweg sur qui j'étais tombé par hasard. Pas de famille, pas de copains. Maman n'avait pas voulu venir à la mairie, s'était retranchée dans sa cuisine où elle touillait un repas de noces pour cinq personnes, clamant à tous les échos son désespoir de voir son fils déshonorer sa propre famille en y introduisant une pareille pûûtain.

Tu parles d'un festin ! On a avalé en vitesse, sans piper mot, les deux témoins devaient retourner au boulot, papa au chantier, il était en tenue de travail, couvert de plâtre, et maman qui secouait ses casseroles en sanglotant, debout, coincée entre la table de la cuisine et le fourneau.

Et voilà. J'avais une femme à Paris, j'en avais une autre en Ukraine ou va savoir où, en Sibérie, peut-être bien. Maria avait toujours la première place dans mon cœur, enfin c'est ce que je croyais. Je ne savais pas encore qu'on peut parfaitement se dessécher d'amour pour deux femmes à la fois, et en crever si l'une des deux vient à vous manquer, l'une ou l'autre. Pourquoi refuse-t-on de voir clair quand tout est si évident ? Mais peut-être aussi que je suis un cas.

*

La vie à Saint-Fargeau. La fenêtre plongeait sur la zone de la porte des Lilas. Baraques de tôle et de carton enfouies sous les fleurs. Chiftirs, romanos, semi-cloches, tous soiffards. Le bistrot-épicerie en bas de l'immeuble, la patronne aux cent vingt kilos, le patron, Auvergnat au poil blanc, nuque de sanglier, bourré du matin au soir, la demi-douzaine de soûlardes sorties faire leurs courses et n'allant jamais plus loin que les litrons de l'Auvergnat...Les locataires : Zulma la Belge, ouvrière dans l'usine de décolletage, juste en face, en ménage avec un Allemand beau comme quand ils se mettent à être beaux, mèche sur l'œil, gueule ravinée romantique, alcoolo ça va sans dire, rescapé des brigades internationales, rescapé de Buchenwald, et tout ça peut-être pas absolument faux, qui tapait sur la Zulma et qu'elle flanquait à la porte tous les samedis soir pour le reprendre le dimanche... Le marché aux Puces de la porte des Lilas où, le dimanche, le long de la route pavée, sous les platanes, les chiftirs du coin étalaient leurs fleurs de poubelle, les petits vieux vendaient leurs souvenirs pour s'acheter du rouge, les mômes échangeaient leurs illustrés... La piscine des Tourelles* où, l'été, les pisseuses du quartier venaient se faire bronzer en grignotant leur sandwich de midi...

Le bonheur ? Vu de loin, oui. Pas tout de suite. Après, lorsque je me suis laissé aller. Laissé aller à y croire. Au fur et à mesure que ses joues s'arrondissaient, que ses jeunes forces défiaient les miennes, qu'elle devenait drue, et gaie, et belle, bon dieu, si belle ! La partie était gagnée ! On avait gagné !

Une ombre au tableau : dessiner la nuit... Va te faire foutre ! Quand j'avais abattu ma journée de bureaucrate, que j'étais remonté depuis Vaugirard à vélo — oh, la grimpette en danseuse de la rue de Ménilmontant ! —, que nous avions dîné, j'étalais mon fourbi, je tirais de mes poches les bouts de papier où j'avais noté, au long de la journée, les idées qui me venaient... Eh bien, il se produisait ce qui s'était produit lorsque je travaillais chez Orviétan : que dalle. Des platitudes. Je n'étais pourtant pas recru de fatigue. Non, le cœur n'y était pas, voilà tout. Pourtant, j'aime travailler la nuit. La nuit a les mains pleines, mais elle ne veut pas des restes du jour.

Liliane me disait :

— On ne fait bien les choses que si l'on est un professionnel. Un professionnel, c'est un type qui ne fait que ça, son métier, même s'il ne gagne pas un sou, même s'il n'a pas un client, il est un professionnel. Il consacre son temps et ses meilleures forces à son métier. Si tu travailles dans la journée pour un patron et que tu fais ce que tu aimes le soir ou le dimanche, tu es un amateur. Ça peut ne pas être trop mal, ça ne sera jamais du travail de professionnel. Un professionnel a le dos au mur et la trouille au cul.

Elle avait raison. Elle disait aussi :

— Tes forces, ta fraîcheur, tes idées, tu devrais les consacrer au dessin, puisque tu aimes ça et que tu sais que tu vaux quelque chose. Et tu les gaspilles pour des brûleurs à mazout ! Tu t'abîmes, tu te dessèches, bientôt tu te résigneras, tu t'aigriras... Mais je te connais, un de ces jours tu foutras un coup de pied dans tout ça ! Suffit d'attendre.

---

* Ajourd'hui stade Georges Vallerey, je crois.

Elle m'embrassait, elle y croyait, et moi je secouais la tête, en homme sérieux qui connaît la vie. Mais je savais qu'elle avait raison, un jour j'allais tout envoyer promener, ça montait et enflait en moi, seulement je suis un lent, un ruminateur, faut que ça s'accumule... Je fais toujours ce que j'ai dans l'idée de faire, toujours. Tôt ou tard.

Cette fois-là, j'aurais mieux fait d'être un peu plus rapide.

✱

Et Maria ?

Maria. Elle est là, en moi, tout ce temps. Le manque d'elle est là, obstiné comme une vieille fièvre, par moments me mordant au ventre à pleins crocs, et je suis malheureux à crever, et je ne sais plus où j'en suis, moi.

La vie jusque-là dans ma tête était simple, simple et évidente comme un théorème d'Euclide. L'aimée est là, je vis. Elle n'y est plus, je meurs. Condition nécessaire et suffisante. Je suis — je croyais être — la moitié mâle d'un couple idéal, prédestiné de toute éternité à se rencontrer, c'est inscrit quelque part, à chaque homme sa femme, à chaque femme son homme, ils se trouveront un jour, c'est fatal, je suis jusqu'au tréfonds de la tripe conditionné à la notion sacrée de couple, de toi-et-moi, éducation chrétienne même si jetée aux orties les schémas sont là, gravés en creux, profond et dur, exaltation littéraire tout Hugo dévoré à dix ans !, universel ressort dramatique : s'épouseront-ils à la fin ou mourront-ils ensemble, pas d'autre sortie possible, le Cid et Chimène, Roméo et Juliette, Marius et Cosette, Héloïse et Abélard, Tristan et Yseult, la Dame et ses camélias, Tarzan et Jane, Popeye et Olive Oyl, rengaines, accordéon, bec de gaz sur pavés mouillés, Tino Rossi, Edith Piaf, amour-toujours, un seul être vous manque et la suite...

Et voilà : j'ai deux amours. J'ai deux femmes. Qu'une des deux me manque — l'une des deux me manque —, tout est noir. Ce pourrait être aussi bien l'autre.

Mais c'est dingue ! Mais on n'a pas idée ! Pourquoi s'arrêter en chemin ? Pourquoi ne me mettrais-je pas, de proche en proche, à les aimer toutes, les deux milliards ? « Femme, monceau d'entrailles, pitié douce... » Deux milliards de monceaux ! Où tu vas ? Dingue archi-dingue dans ta tête, ça doit avoir un nom en psychiatrie. Erotomane ? Sentimentalomaniaque ? Menthe à l'eau toi-même ! Pas le confort de l'âme, en tout cas...

J'aime deux bonnes femmes, et je suis bien malheureux. D'abord parce que Maria n'est pas là, ensuite parce que, étant donné Maria, Liliane, c'est mal. L'amour ne se divise pas — pas chez Victor Hugo, en tout cas —, je ne peux pas en donner une becquée à l'une, une becquée à l'autre...Eh, mais, c'est qu'aussi je ne le divise pas ! Je le donne tout. Tout à l'une, tout à l'autre. Va t'y retrouver, toi. Le mystère de l'Eucharistie !

Il me vient à l'idée que je suis peut-être tout simplement un cas bien banal, le plus banal des cas : celui du gros dégueulasse modèle standard, du merdouillard jouisseur qui veut tout, la vache et le prix de la vache... Peut-être que je me paie de mots et d'attitudes , intoxiqué de lectures que je suis, que j'habille d'absolu, d'infini, d'idéal, de tempête sous un crâne et de tous les affûtiaux exaltés du romantisme à deux sous des appétits bien bedonnants bien cyniques ? Jouisseur du cul, jouisseur du cœur (c'est tout un) ? Et en plus jouisseur gourmet du tourment dans ma petite cervelle modérément maso ? Je me paie le luxe des affres, en prime ? Tous les chatouillis petits-bourgeois, dirait le secrétaire de cellule. Ben, mon cochon, on ne se refuse rien !

J'ai beau me dire que tout un chacun se trouve un jour ou l'autre confronté a ce genre de problème, surtout s'il place le gros câlin plus haut que toute ambition humaine, et que tout un chacun finalement s'en tire, plus ou moins douloureuse-ment mais s'en tire, par l'amputation chirurgicale. Un (masculin) des deux amours (féminin) saigne moins fort sous la lame, sois assez lucide pour trancher celui-là, sinon tranche au hasard, ou, mieux, tranche les deux : fuis. Fuis vers un troisième. Ça fait mal, ça cicatrise, et vogue la vie !...J'ai beau me dire tout ça , ça ne m'aide pas.

Je sais bien que certains ont des maîtresses, mais c'est qu'ils n'aiment plus leur femme, ou qu'ils n'aiment pas vraiment l'autre, pas vraiment d'amour, juste le plaisir, le frisson du défendu. C'est comme ça que j'arrange les choses dans ma grosse tête taillée bien au carré. Et ça ne m'arrange pas, moi.

Je culpabilise comme une vache. Ça doit se lire sur ma figure. Un soir, Liliane me met les mains aux épaules, les deux mains à la fois, drôle de geste, très maman compréhensive parlant à son grand fils de choses qu'il est temps qu'il sache. Elle me dit :

— Regarde-moi.

Je la regarde. De haut en bas, forcément. Elle dit :

— Et si Maria arrivait ?

Je saute en l'air. Attention, danger ! Je prends le temps de respirer un grand coup. Je dis :

— Bon. Alors ?

Elle dit, simple et royale comme la femme du pauvre pêcheur de *La Légende des siècles*.

— Il faudrait la prendre avec nous, andouille.

Très roman-photo. Si toutefois la morale des romans-photos de *Nous Deux* militait pour la polygamie...

Je ne sais pas ce que j'ai répondu. Un grognement, quelque chose comme ça. « Elle me tâte », je me suis dit. « On les connaît, leurs ruses. » De toute façon, question tout académique, Maria n'est pas derrière la porte. Je voudrais bien qu'on parle d'autre chose. Mais elle :

— Tu rêves d'elle. Tu l'appelles. Tu lui parles. Tu cries. Tu es « là-bas », avec elle. Tu as peur...

On m'a déjà dit que je parle en dormant, que je crie, même. Dommage que je ne me rappelle rien de mes rêves... Liliane aussi crie en dormant. En allemand. Elle se débat, donne des coups de pied, c'est toujours à une infirmière qu'elle s'adresse : « Nein, Schwester, nein ! Ich werde brav sein ! Ich schwöre ! »

Bon, d'accord. Quand faut y aller, faut y aller.

— D'accord. Elle est là. Elle est venue toute seule, ou bien je suis allé la chercher. Elle est là, rue Saint-Fargeau, avec son foulard et son balluchon. Et toi ?

— Quoi, moi ? Je suis ta femme aussi. Où est le problème ?

— Ben... Elle, tu crois qu'elle marcherait ? Les Russes tu sais...

— C'est dans ta tête à toi que ça ne marche pas ! C'est toi qui en fais un plat ! Maria prendra ça tout naturellement, comme moi, parce que c'est tout naturel, puisque ça nous convient. Je t'aime, elle t'aime, tu nous aimes, et, depuis le temps que tu me parles d'elle, je la connais et je l'aime. Débarbouille-toi le dedans de la tête et ne complique pas les choses les plus simples.

Je tourne autour de ça comme un rat qui renifle le piège sous le morceau de fromage. Je n'aurais pas de ces grandeurs d'âme-là, moi. Je dis :

— Moi, si tu aimais un autre type en plus de moi, je le supporterais pas.

— Que tu crois ! Mais enfin, bon, il n'en est pas question. Ne va pas chercher midi à quatorze heures. Tout ce que je sais, c'est que je ne vivrai pas sans toi, qu'il y a une Maria dans le paysage et qu'il faut faire avec, par moments tu es malheureux à crever, tu crois que ça ne se voit pas mais c'est gros comme une maison, tu es malheureux et alors moi je le suis aussi. Ce que je ferais et ce que tu ferais si j'aimais un autre type en plus de toi, on verra ça le moment venu, si ça doit arriver. Pour l'instant, ce n'est pas notre problème. Notre problème, c'est qu'on est trois, un point c'est tout, et bon, ne nous rendons pas malades, voyons les choses en face, acceptons-les ou refusons-les. Moi, je les accepte.

Elle me prend la figure à deux mains. Je suis bien forcé de la regarder.

— François, depuis qu'on est ensemble, tu ne la cherches plus comme avant. Tu ne la cherches même plus du tout. Il faut s'y remettre. Un jour, nous irons là-bas. Leur « guerre froide » ne durera pas éternellement, un jour les frontières s'ouvriront, c'est forcé. Tu ne crois pas qu'on en a assez bavé comme ça ? Avec leurs conneries de convenances, de morale, de ce qui se fait et de ce qui ne se fait pas, ils ont failli avoir notre peau, s'ils nous ont ratés ils ne l'ont pas fait exprès, ils ont salopé notre jeunesse, il y en a marre, François, il y en a marre ! Je me fous de ce qui se fait et de ce qui ne se fait pas, de l'opinion de la concierge ou de la colonelle, dans ce monde de vieux salauds hypocrites et bêtes à crever barbouillés de beaux sentiments j'ai déjà payé, je suis quitte, je ne me laisse plus avoir. L'enfant que tu me feras ne croira en rien, ne respectera rien, il sera heureux et il rira à s'en péter la figure.

Comme si je m'entendais penser tout haut ! Mais elle, elle ne se contente pas de le penser. Je suis un velléitaire à rêveries splendides, finalement bien respectueux bien convenable, rêver me console et me suffit. Pas Liliane. Le non-sens de la vie lui a été démontré à coups de botte dans les dents. Elle n'a que ça : la vie. Encore est-ce par miracle. Elle veut la vivre telle qu'elle pense qu'elle doit être, sans s'en laisser rogner, sans se la laisser dicter. Pas bouleverser le monde, non, juste vivre sa vie, bien à fond, et laisser tomber le troupeau s'il y a le four crématoire au bout. A condition de l'avoir vu à temps.

✱

Nous vivions depuis un an à Saint-Fargeau. C'était un samedi, je venais de livrer un petit travail de dessin, un livre à illustrer, on m'avait payé, Liliane me disait « Tu vois ! », elle était toute fière de moi, on avait fêté ça au restaurant, et puis, en passant sur les boulevards, on était entrés dans un cinéma, ils donnaient *François 1er*, un vieux film avec Fernandel, on avait justement envie de rire, de rire gros, de rire bête, on était tellement contents. C'était une petite salle miteuse qui faisait le coin de la rue de Cléry.

Il faisait chaud, là-dedans. Je tenais la main de Liliane. Le film faisait ce qu'il pouvait, Fernandel faisait l'andouille. Je sentis la main de Liliane s'agiter, comme si elle cherchait à la dégager de la mienne. Je la lâchai, je la regardai. Des deux mains, elle arrachait son corsage. Ses yeux étaient révulsés. Je crus qu'elle étouffait, mais le corsage arraché, ses mains, en griffes, lacéraient sa peau, ses seins. Sa tête oscillait violemment de droite à gauche. Je l'appelai, j'essayai de lui immobiliser les mains. Elle ne m'entendait pas. J'eus peur. Je la pris à bras-le-corps, la tirai vers l'allée, bousculant tous ces ahuris qui protestaient. Elle était absolument inerte, seules ses mains continuaient spasmodiquement leur mouvement de lacération, sa tête allait de droite à gauche, violemment.

Je la sortis de là dans un tohu-bohu énorme. La salle était bondée, les bousculés ne comprenaient pas ce qui se passait, m'injuriaient, me frappaient. Et moi, la panique me gagnait. Nous fûmes enfin dehors. Le type qui déchire les billets nous trouva un taxi. Y introduire Liliane ne fut pas facile. Je nous fis conduire à l'hôpital Tenon, c'était à côté de chez nous, je n'imaginais pas quoi faire d'autre. Liliane, toujours sans connaissance, se griffait comme avec rage sur la poitrine, secouait la tête. J'essayais de protéger ses seins. De ses yeux, on ne voyait que le blanc. Elle se mit à vomir, ça lui coulait du coin de la bouche. Le chauffeur gueula « Ah, non, merde ! » et freina le long du trottoir. J'empoignai son col de chemise par-derrière. Je dis : « Si tu ne nous emmènes pas à Tenon à toute vibure, je t'écrase la gueule contre ton volant. » Et je commençai à le faire. Il embraya, fonça vers le Père-Lachaise, grimpa l'avenue Gambetta, annonça : « Une urgence ! » à la porte de l'hôpital.

Nous voilà dans la cour. Et rien. Personne. Un bloc de nuit et de silence. Et Liliane qui s'agitait, maintenant plus faiblement. Je cours au type de la porte.

— Alors, personne ne vient ? Comment on fait pour avoir quelqu'un, un infirmier, je sais pas, moi ? Ma femme est très mal, il faut faire vite ! Bon dieu, grouillez-vous, merde !

Le gars ne s'émeut pas pour si peu.

— Mon pauvre vieux, c'est samedi soir, ils sont tous en train de faire la java chez les internes, ils s'enfilent les infirmières, tous bourrés comme des vaches, pas de danger qu'ils t'entendent.

Je devenais fou.

— Mais les urgences, ça existe, non ? C'est prévu ? Y a bien quelqu'un pour ça ?

— Ça se peut, en tout cas, c'est pas moi.

Il avait l'air pas mal givré, lui aussi. J'ai dit au taxi d'attendre, j'ai grimpé les escaliers, je me suis rué dans la première salle que j'ai trouvée, un immense dortoir avec des lits de chaque côté, j'ai couru tout le long en gueulant à tue-tête : « Quelqu'un est en train de crever dehors, bande de fumiers ! Au secours ! Au secours ! »

Des têtes de vieillardes se dressaient sur mon passage, ça hurlait, ça pleurait, j'allais leur y foutre le bordel, moi, dans leur hôpital !

J'ai fini par trouver un brancard à roulettes, dans un couloir. J'ai refait le chemin en sens inverse, au galop, poussant l'engin devant moi. Deux types en blouse blanche m'ont rattrapé, ont couru avec moi.

— Dites, ça va pas ? Vous êtes fou ou quoi ?

— Je t'emmerde ! Ma femme est en train de crever dans la cour et si j'avais pas gueulé j'attendrais encore.

Ils m'ont pris le chariot des mains, en moins de deux Liliane était allongée dessus, et puis transvasée dans un lit.

L'interne est venu. J'imaginais sa braguette mal reboutonnée sous sa blouse. Liliane, toujours pareil, ses gestes mécaniques des mains et de la tête, mais beaucoup plus faibles. L'interne lui prenait le pouls, ne disait rien.

J'ai demandé :

— Qu'est-ce qu'elle a ?

— Hm... Elle a déjà eu ça ?

— Jamais.

Je risquai :

— C'est la chaleur, non ?

— Hm...

Un silence. Stéthoscope.

— Bon. D'abord la calmer. Elle est agitée.

Il se tourne vers l'infirmière.

— Préparez-moi une ampoule de gardénal.

— Bien, monsieur.

Il enfonce l'aiguille, le liquide passe en elle. Les gestes de robot détraqué s'apaisent, cessent. Elle a l'air de dormir. Je dis :

— Elle a l'air de dormir.

— La voilà calmée. Revenez la voir demain.

— Je veux rester là, près d'elle.

— C'est impossible. Écoutez, il est une heure du matin,

revenez à cinq heures, on vous donnera des nouvelles.

La peur montait en moi, cette peur que je connaissais bien, la peur de Stavenhagen, la peur de la maison où il y avait eu Maria, de la maison vide de Maria.

— Laissez-moi m'asseoir là, je ne bougerai pas, je la veillerai. Je vous en prie, laissez-moi !

— Rien à faire. Je suis responsable. Vous voyez bien qu'elle est calme, à présent. Allons, quatre heures, c'est vite passé.

Je suis parti.

Con ! Con ! Triple con bien obéissant que tu es ! Fallait pas t'en aller ! Fallait pas !

J'ai tourné dans le quartier, jusqu'à l'aube. A cinq heures pile, j'étais devant le type de la porte. Qui m'indiqua un bureau vitré, sur la gauche. J'ai demandé au gars du guichet :

— Je suis le mari de la jeune femme qu'on a amenée cette nuit. Je viens aux nouvelles.

Presque guilleret. Je m'étais rassuré entre-temps, c'était un coup de chaleur, j'allais la ramener à la maison.

L'employé me dit :

— Ah, oui... Attendez... Il faut que vous alliez voir mon collègue, à l'autre guichet.

Il me montrait le guichet. Son air cafard aurait dû m'alerter. Mais non, en plein bleu.

— Je viens pour la petite dame de cette nuit.

Il manipule quelques fiches.

— Liliane Honovaty Soja, femme Cavanna, c'est ça ?

Une tête de bois, moustaches en brosse.

— C'est bien ça.

— Elle est morte.

— Vous êtes cinglé ?

Il tapote la fiche. Sévère :

— Elle est morte, je vous dis. Vous pouvez demander à voir l'interne responsable du service.

Voilà. On m'annonçait ça, comme ça. Je faisais partie de ces gens à qui il est arrivé qu'on annonce une chose pareille. Je faisais tout ce que ces gens racontent qu'ils ont fait alors. Je disais « C'est pas possible ! » Je disais « Mais non,

voyons, elle était juste venue pour un malaise ». Je disais
« C'est une erreur, monsieur. Vérifiez, vous verrez, c'est
une erreur dans vos paperasses. » Je criais « Mais qu'est-ce
que ça vous coûte de vérifier ? Je vous dis qu'elle est venue
juste pour un malaise de rien du tout, elle s'est trouvée mal,
c'est la chaleur, il faisait chaud à crever, là-dedans ! » Je
foutais le bordel. « Et d'abord, je veux la voir ! Vous me
dites qu'elle est morte, je veux la voir. Je verrai bien si c'est
vrai ! »

— Vous pourrez la voir cet après-midi, à la morgue de
l'hôpital.

A la morgue. C'était tout simple. Les morts à la morgue.
Il y a des mots qui mettent les choses en place. La morgue a
soudain rendu vrai le cauchemar. Solide. Technique. A trois
dimensions. Quand on dit « la morgue », l'heure du doute
est passée. Je n'ai plus douté. J'ai accepté. J'ai lâché mon
bout de planche et j'ai coulé à pic.

Je pourrai la voir à la morgue... Tout à l'heure, c'était tout
à l'heure, j'ai encore la chaleur de sa main dans ma main, on
décide d'entrer dans un cinéma, je l'entends rire d'avance, je
lui dis on va se faire avoir, et en effet on s'est bien fait avoir,
on s'attendait à du tartignolle, mais ce qu'il pouvait être
mauvais, ce film, ça battait tout. Je vais lui dire « T'as vu,
Liliane, on était prêts à tout, on s'est quand même fait avoir.
Aussi mauvais, c'est pas possible, ils le font exprès ! » Et
voilà. La morgue. Cet après-midi, à l'heure de la morgue.
En attendant, allez donc faire un tour, ça vous changera les
idées.

On est con, dans ces moments. Enfin, je suis con.
Complètement à côté. Une seule idée : ne pas avoir l'air
d'un plouc, faire ce qui se fait, dire ce qui se dit. Voyons,
que suis-je censé dire ? Ah, oui.

— Et de quoi serait-elle morte ?

— Voyez l'interne de garde, escalier ceci, salle cela.

— Merci.

J'ai dit « Merci ». Peut-être même « Merci, monsieur. »
J'ai marché vers la porte, je ne savais plus pourquoi, on
m'avait dit d'aller quelque part, j'y allais, où, je ne savais
plus, j'ai marché vers la porte du petit bureau, les deux murs

faisaient un coin, je me suis calé dans le coin, debout, face au mur, le front appuyé contre le creux de l'angle du coin, et quelque chose m'est sorti de la gorge, un hurlement comme les fous dans les films, comme les chiens qui redeviennent loups, un hurlement sans mots, qui me sortait tout seul, impossible de le retenir, j'aurais voulu, j'avais honte, j'ai hurlé, hurlé, hurlé. Je ne pleurais pas, je hurlais.

Je suppose qu'ils m'ont calmé, qu'ils m'ont fait une piqûre, je ne sais quoi, qu'ils m'ont emmené à l'écart, je ne sais pas, je ne me rappelle rien, je me rappelle seulement m'être retrouvé sur le trottoir de l'avenue Gambetta, c'était un dimanche matin, un joli dimanche d'été, les arbres étaient verts, les oiseaux chantaient, comme dans une chanson à deux sous. 26 juin 1949. Ces choses-là existent.

*

La morgue, c'était derrière l'hôpital, au fond d'une cour perdue, à côté du tas de charbon. Elle était allongée sur un de ces chariots blancs, un vieux tout écaillé, un drap la couvrait toute, se collait à elle. Elle était nue dessous. Papa me tenait le bras. Je claquais des dents. Le type en blanc a soulevé le coin du drap, je l'ai vue, belle et dure comme du marbre, blanche de ce blanc translucide, un peu bleu, du marbre. J'avais voulu croire encore à une petite possibilité d'erreur, toute petite, ils s'étaient trompés de nom, ou bien elle n'était qu'en catalepsie, ça peut arriver, pourquoi ça n'arriverait pas ? Et voilà... Je l'ai embrassée. Sa joue était ronde, une joue de belle santé, je me suis dit comme elle a bien repris, comme elle est devenue belle ! Ç'avait été mon problème toutes ces années : la guérir, la faire être telle qu'elle devait être... Il faut le temps que les réflexes s'habituent. Et la grande panique m'a mordu au ventre, j'ai de nouveau hurlé sans pouvoir me retenir.

Leur guerre de merde ne finira donc jamais, jamais...

Je suis allé voir l'interne. Il m'a dit « Le cœur n'a pas tenu. Elle avait quelque chose au cœur ? » J'ai dit :

— Absolument pas. Elle était suivie de près, médicalement. S'il y avait eu quelque chose, on l'aurait su.

Il m'était passé une idée par la tête.

— Dites voir, docteur, cette piqûre de gardénal...

— Hm ?

— Vous ne croyez pas qu'il aurait plutôt fallu soutenir le cœur ?

Il m'avait vu venir.

— Ecoutez, dans l'état d'agitation où elle était, il fallait avant tout la calmer. Ce serait à refaire, je lui donnerais exactement la même chose.

— Avec en plus un tonique pour le cœur ?

— Je l'ai auscultée. Le cœur ne donnait aucun sujet immédiat d'inquiétude.

— Mais il n'a pas lâché d'un seul coup, en admettant ? Aux premiers signes de défaillance, vous ne croyez pas qu'on aurait dû intervenir ?

Je me retenais de parler de solucamphre, les médecins ont horreur des petits dégourdis qui s'instruisent dans le « Larousse médical ». Il m'a répondu je ne sais quelle baliverne embarrassée, de toute façon je m'en foutais, elle était morte, et qu'elle soit morte de la connerie de ce merdeux guindé dans sa science toute neuve ou des suites lointaines des tripatouillages des médecins SS dans ses tendres viscères, qu'est-ce que ça changeait ?

Je dois être une espèce d'anormal. Je soupçonne qu'il me manque quelque chose, quelque chose que les autres ont et que je n'ai pas. N'importe qui aurait voulu savoir, fou de rage plus encore que de chagrin, comprendre ce qui s'était passé, dénicher les responsables, leur coller le nez dans leur merde, se venger, se soulager, casser des gueules, porter plainte... Moi, assommé. Le bœuf après le coup de merlin. Je découvrais l'absolue perfection du désespoir. Ma stupeur ne se laissait pas leurrer par des ersatz d'action. Remuer, cavaler, questionner, punir, c'eût été s'occuper de Liliane par la bande, s'accrocher à quelque chose d'elle. C'eût été faire joujou à nier la mort. C'eût été retarder le sale moment du face à face, et sans doute est-il bon de le retarder puisque tous font comme s'il était important de venger les morts, de respecter leurs volontés, d'entretenir leur souvenir, de prier pour eux...Oui, mais, moi, je n'y arrivais pas. C'est comme la foi, il faut l'avoir d'avance. La foi est une excellente thérapeutique, à condition de ne pas savoir qu'elle n'est que ça. Si on le sait, ça ne marche plus. Il y en a que l'horreur du désespoir total soudain béant devant eux rend croyants sur-le-champ, et croyants d'un bloc, leur occultant la clairvoyance au point qu'ils oublient comment c'est quand on ne croit pas. Heureux ceux-là, l'instinct de vie — de survie — a été assez fort pour les arracher au désespoir, ce mur. Oui, mais, chez moi, il n'avait pas fonctionné. Liliane était morte, point final. Liliane était morte, Liliane n'existait plus nulle part, n'avait jamais existé, n'était qu'un souvenir d'entre mes souvenirs, une combinaison de quelques entités chimiques ou électriques en certains nœuds de ce fouillis de cellules nerveuses qui constitue ma mémoire. A ce mur : « Il n'y a plus de Liliane », tu ne peux rien ajouter. Elle est morte, et moi je suis tout seul, et il fait noir, et il fait froid, et tant pis pour ma gueule, et ça ne regarde que moi.

*

J'avais quand même esquissé une vague tentative pour me renseigner, ce sont des choses qui se font. A l'hôpital, on avait fait l'écran de fumée. Ça puait le faux-cul et les mecs bien emmerdés se couvrant l'un l'autre. Sûr qu'un veuf teigneux et accrocheur aurait facilement déniché de quoi les faire danser. Heureux les teigneux, ils ne sont jamais complètement malheureux ! Moi, encore une fois, je m'en foutais pas mal de qui qui qui avait commis la connerie, maintenant qu'elle était commise, et irrémédiable. Les toubibs-internes-infirmières, toute la sainte clique en blanc, l'avaient vite compris, un désespoir de cette qualité on n'a rien à craindre. J'avais attrapé au vol quelques formules embarrassées, « tumeur au cerveau... », « peut-être les suites d'un traumatisme ancien... »

J'étais allé voir son docteur habituel. Il avait hoché la tête. Tumeur au cerveau ? Il avait eu un étonnement, aussitôt rattrapé mais qui en disait long. Et puis avait déployé le paravent des mots. « Evidemment, ce n'est pas absolument impossible... Ces maladies sont insidieuses, pleines de surprises... Et puis, nous en savons si peu... Des symptômes ? Non, je n'avais rien remarqué, mais vous savez, le médecin n'est qu'un homme, et elle avait tellement souffert d'autre part... Naturellement, vous pouvez exiger l'autopsie. »

Non, je n'exigeais pas l'autopsie. Je voulais Liliane, Liliane vivante, c'est marre. C'est justement la seule chose qu'on ne puisse pas me donner ? Alors, rien, merci, vous pouvez disposer.

Elle est morte alors que c'était gagné, que j'osais me rassurer, qu'elle osait y croire. Elle demandait bien peu, se contentait des bribes qu'elle avait recollées. C'était encore trop. Elle avait tenu le coup, si longtemps. Obstinée petite chèvre. Elle avait tenu plus longtemps que la guerre. Elle avait eu la guerre à l'usure. La guerre avait claqué sa grande gueule sur le vide. Mais la guerre est une salope, la guerre ne joue pas le jeu. La guerre n'avait pas renoncé. Elle l'avait guettée, tout ce temps, et elle l'avait rattrapée...

Elle est morte, elle n'existe plus nulle part, elle n'a jamais existé, elle n'est rien qu'une image dans ma tête, qui me hantera, qui s'estompera...

*

Elle m'avait prié, un jour où nous parlions de la mort et de ses rituels, de la faire incinérer, « comme ses parents et son petit frère ». Je le lui avais promis, lui avais demandé le même service pour moi, là, c'est d'accord, maintenant tu crois pas qu'on pourrait parler d'autre chose ?

De Tenon au Père-Lachaise, il n'y a pas loin, juste l'avenue Gambetta à descendre. On a regardé brûler la petite Liliane, papa, maman, Maria Nikolaïevna et moi.

1950
Les petits mickeys

*

Liliane morte, je n'avais plus rien à perdre. Ni à espérer. L'angoisse n'est pas un état d'âme, c'est une crise violente, une maladie, ça se tient dans le ventre, ça rayonne dans les membres. Une saloperie de crise qui dure, qui dure, et s'installe, et devient partie de soi, sans qu'on s'y habitue jamais, toujours aussi neuve, aussi sauvage, ce sera comme ça désormais, voilà. Tout avait goût de mort, tout n'était que mort, le soleil était de cendre.

Pendant ces quatre années, j'avais dépendu de Liliane à un point que je mesurais maintenant par le vide qu'elle laissait. J'avais joué les grands frères, je protégeais, j'assumais, tellement rempli de mon rôle que je ne voyais pas que c'était elle, la protectrice. La mère. J'avais été le nourrisson cramponné à son sein.

Et voilà. J'étais de nouveau seul, mais seul comme jamais encore je ne l'avais été. Je ne croyais plus à la possibilité de retrouver Maria. Le vent mauvais avait tout emporté.

Après quelques semaines hébétées où je m'étais abandonné aux habitudes comme un bouchon à la houle, métro-boulot-dodo — non, pas dodo... —; un sursaut tout aussi incohérent me fit faire le geste que Liliane m'avait tellement exhorté à faire. Mes scrupules de brave petit prolo timoré gisaient, avec mes « responsabilités » de chef de famille, scellés dans l'urne dérisoire du Père-Lachaise. J'envoyai promener les brûleurs à mazout et décidai que j'étais désormais un dessinateur « humoriste » professionnel.

Professionnel, mais sans client. Et sans grand ressort pour en chercher.

Enfin, bon, dessinateur, ça consiste avant tout à dessiner.

Je pouvais toujours commencer par là, c'est le plus facile.

Les économies du ménage, y compris ma dernière paye, équivalaient à environ trois mois de mon minuscule salaire. C'était simple : j'avais devant moi trois mois pour parvenir à m'assurer un minimum de rentrées, ne fût-ce que de quoi payer le loyer.

Je me mis donc à dessiner des rigolades. Toujours méthodique, je commençais par chercher des idées, je les notais sur un bloc en esquissant le dessin, c'étaient les heures les plus pénibles, va donc empêcher l'imagination de quitter les stricts sentiers de la production utile pour cavaler dans les ruminations morbides... Epuisant. J'entassais une vingtaine d'idées, bonnes pas bonnes on triera après, et vite vite l'encre de Chine. Le dessin, ça, oui, ça te fixe l'attention. Je ne bougeais plus de la table, notre petite table de bois blanc dégotée aux Puces de la porte des Lilas, je descendais de loin en loin acheter du saucisson, du pain, du camembert à l'épicerie-buvette du rez-de-chaussée, la grosse patronne me servait, la larme à l'œil, les ivrognesses de la zone accrochées au zinc fermaient leurs gueules, gênées, tant que j'étais là. Ah, on me plaignait bien, dans le quartier ! Le secrétaire de la cellule venait me voir, tâchait de me ramener parmi « les copains », dans les coups durs c'est bon de pas se sentir tout seul, tout ça tout ça, bon petit curé de la Sociale qui croyait en la chaleur humaine, mais moi justement leurs bons yeux pleins de choses j'en voulais pas, je voulais être seul, tout seul, et il me faisait chier, le brave gars, douloureusement chier... J'espère qu'il ne s'en est jamais aperçu.

C'est depuis la nuit de Tenon que je suis insomniaque. Je n'allais me coucher que lorsque les yeux me brûlaient tellement que je ne pouvais plus continuer. Le médecin m'avait ordonné des trucs pour dormir. Je tombais dans de brefs trous de sommeil hantés par un rêve très précis et très simple : elle est là, on fait je ne sais quoi ensemble, une chose ou l'autre, de ces choses quotidiennes, elle s'active, elle rit, elle m'engueule, elle se jette à mon cou sans prévenir, comme elle fait. Et en même temps j'ai, dans l'arrière-plan de la conscience, la sensation floue de quelque chose d'horrible, je ne sais quoi, de moins en moins flou, de plus en plus horrible, et tout à coup, en pleine gueule, nette et flamboyante, l'horreur pure : elle est morte, Ducon ! Mon hurlement me réveillait. Je me traînais jusqu'à la table, ou bien je descendais marcher dans les rues, mais les jambes me tremblaient, je remontais.

Je ne me lavais plus, me rasais quand il n'y avait plus moyen de faire autrement. Une ou deux fois, papa est venu me voir, il me demandait de venir habiter à Nogent, maman se faisait du mauvais sang. Je promis d'y aller, plus tard.

*

Il me fallait une signature. Cavanna, ça ne fait pas artiste. Les dessins, dans les journaux, étaient toujours signés de noms brefs, qui claquaient, faciles à retenir... Et puis, Cavanna, c'est trop exotique. Pas l'exotique qu'il faudrait, je veux dire. Un nom américain, ça, oui, c'est bien vu. Cavanna ça fait juste métèque, rital et rue Sainte-Anne. Des idées que je me faisais, oui, bon... Je me suis cherché un nom. D'abord, j'ai essayé de l'abréviation, ça se fait beaucoup. Avec une apostrophe, très chic. Ça donna « Cav' ». D'accord, d'accord... Alors, « Cava », « Cavan' », « Cavann' »... Marrant, « Cavann' ». Par l'autre bout : « Vanna », « Vana », « Vann' ». « Vann' », tu te rends compte ?... Là, la chatte m'a sauté sur les genoux. J'avais une chattte. Elle s'appelait Sépia. Parce qu'elle était juste de cette couleur-là. Eh bien, voilà, cherche pas plus loin, ce sera « Sépia », emballez ! De ce jour, au bas de mes dessins, je fus Sépia.

Quand même, quelque part tout au fond, j'étais pas très fier d'avoir renié mon nom, le nom que papa m'avait refilé. On est con, des fois...

*

Et un jour, m'estimant au point, je commençai la tournée des journaux.

Quand on n'a plus rien à perdre, rien ne peut plus vous toucher. Et sûrement pas les affres de l'amour-propre blessé. Ma timidité, elle aussi, était restée scellée dans l'urne. J'avais décidé que rien ne me rebuterait. D'avance, je m'étais dit « Je m'en fous ».

J'abordais cette fois le métier avec plus d'humilité, avec aussi plus de réalisme. Je le voyais moins prestigieux, donc moins intimidant. Je ne rêvais plus d'y faire une entrée fracassante. J'admettais enfin que c'est bien plutôt « en s'accrochant comme un morpiong », en collant obstinément ses dessins sous le nez des responsables dans le plus d'endroits possible, qu'on finit par s'imposer. Habituer les gens à voir vos trucs. Ne pas miser sur l'éblouissement pâmé d'un rédacteur en chef (En admettant que mes dessins soient capables de provoquer des éblouissements !)... Et d'abord, je l'appris bientôt, le type qui choisit les dessins est rarement le rédacteur en chef, plutôt quelque protégé du patron casé là parce que c'est là qu'il risque le moins de faire du dégât : que le « coin de l'humour » soit de haute tenue ou con à crever ne met pas en péril l'avenir du journal.

Donc, règle de conduite, produire, produire à tour de bras, inonder de mes dessins toutes les antichambres et surtout, surtout, être bien convaincu que je ne les placerai pour la plupart pas, me blinder d'avance contre la déception, continuer à inonder et considérer comme une chance effrénée qu'on publie une fois un dessin de moi, va savoir pourquoi justement celui-là... Ne vous inquiétez pas, mes gros pères, le jour où je serai arrivé je saurai bien vous les resservir, les idées que vous repoussez aujourd'hui !

J'avais aussi pris conscience du fait qu'il n'y a pas que les « grands » titres prestigieux, les *France-Dimanche* et les *Ici-Paris* aux centaines de milliers de lecteurs — lesquels « grands » avaient d'ailleurs, dès cette époque, abandonné leurs velléités d'humour pas absolument inepte et plongeaient vertigineusement vers les tristes caleçonnades de la bonne vieille tradition en même temps qu'ils vouaient leur « une » aux émois sentimentaux des chanteuses et des princesses royales d'Angleterre, coup de barre général et résolu vers des caps bien définis : la ménopause et la caserne —, mais qu'il y a énormément à faire avec l'immense marée des « petits » : périodiques locaux, magazines spécialisés, bulletins de liaison des comités d'entreprise des grosses boîtes, journaux inconnus du grand public mais disposant souvent de confortables budgets.

A partir de là, je me mis à dessiner surtout la nuit, retardant d'autant le moment d'affronter mes monstres intimes. Je consacrais plusieurs jours de la semaine à tenter de placer mes produits. Je m'installais dans un bureau de poste, je relevais des adresses dans l'annuaire des téléphones à la rubrique « Journaux, revues et bulletins », il y en a des pages et des pages, une mine d'or, et puis je prenais mon envol vers les étages.

Je n'avais pas le droit de me plaindre avant d'avoir frappé à dix portes sans avoir placé un seul dessin, c'était la règle du jeu. Je constatai bientôt que le monde n'est ni aussi hargneux ni aussi méprisant que ma susceptibilité se le représentait. Les gens dans leurs bureaux, que je me figurais importuner avec ma camelote, se montraient au contraire généralement ravis de ce petit intermède. Et puis, un humoriste, rien que le mot vous met en joie... On appelait ceux du bureau voisin, on faisait venir les dactylos pour leur demander leur avis... Je pense que je devais trimbaler une tête aussi joviale que celle du comte Dracula à jeun.

Jamais je ne fis chou blanc plus de cinq fois de suite. Ma réserve d'optimisme étant réglée sur dix bides, je n'eus donc jamais le droit de gémir sur mon sort. Mieux, je me faisais des relations, je me constituais peu à peu le noyau d'une « clientèle », peut-être pas très prestigieuse mais qui, assez vite, m'assura de façon presque régulière le minimum vital.

Ce n'était pas la gloire flamboyante, c'était l'artisanat grignoteur. Mes mécènes s'appelaient *Les Vins de France*, *Rabelais*, *Ridendo*, *L'agenda des Vins du Postillon* (cent dessins d'un seul coup, chaque année, des originaux faits spécialement, distribués à tous les bistrots et à tous les épiciers de France, ça fait du monde, et ils payaient honnêtement, le vrai coup de pot !), *Kodéco* (le journal d'entreprise de l'usine Kodak), d'autres publications aussi modestes que nourricières.

Et j'ai enfin placé un dessin dans *Ici-Paris*. Deux gosses devant une boutique de farces et attrapes, examinant les étiquettes des boules puantes et du poil à gratter. L'un constate, soucieux : « Les fournitures scolaires ont encore augmenté ! » Oui... Pas de quoi se relever la nuit, d'accord. Mais j'avais forcé la porte.

J'en plaçai d'autres. A *Ici-Paris*, à *Marius*, à *La Presse*. Un petit courant qui tendait à se régulariser. Je faisais la connaissance d'autres dessineux. Chaque hebdomadaire ayant son jour fixe de « dépôt de la chemise », on se rencontrait forcément dans l'antichambre, devant la pile des liquettes. On fraternisait entre débutants, on se serrait, intimidés, on se montrait les gloires qui passaient, on allait prendre un pot au plus proche troquet. C'est ainsi que j'ai connu Fred.

Je portais la moustache, depuis peu. Je la portais épaisse, noire, brutale. C'est peut-être ce qui nous avait rapprochés, en ce monde de glabres. Fred était une moustache. Somptueuse comme un pelage d'ours, roulant sur elle-même comme la vague par gros temps, noire jusqu'au bleu, anachronique avec insolence, triomphale. Tu fais le tour, tu vois un Turc. Fred est un Grec avec une tête de Turc. Une formidable tête de Turc, belle à en faire des chenets de cheminée. De derrière la moustache sortaient des « Hm ! » qui semblaient être l'essentiel de la conversation de Fred. Il fallait bien se garder de prendre ces « Hm ! » pour de simples accompagnements musicaux. Ils avaient toujours un sens, la plupart du temps goguenard, auquel le vulgaire ne prenait pas garde, en quoi il avait tort. En dehors de ces « Hm ! », Fred ne parlait que lorsqu'il estimait avoir quelque chose à dire qui vaille la peine d'être dit, si bien que, lorsqu'il parlait, on l'écoutait. Il se faisait du dessin d'humour une très haute idée. Nous fûmes tout de suite copains.

Fred habitait chez ses parents, rue de la Paix, un invraisemblable appartement, vaste comme la place Vendôme et strictement vide. Tu passais sous le porche d'un parfumeur célèbre, tu trouvais une cour avec une rotonde au milieu, un escalier de fer, une passerelle en l'air, tu enfilais tout ça et encore quelques couloirs, tu arrivais chez Fred. Tu étais reçu par sa minuscule mère, un désarmant sourire grec tout joufflu, des yeux d'enfant qui te fixaient bien droit, tu allais présenter tes devoirs au maître de maison, le père, ouvrier bottier de luxe pour l'instant en chômage. Tous deux l'air de débarquer du dernier cargo d'Istamboul, en passagers clandestins, cela va de soi, plus grecs que nature, plus immigrants que dans un film de Kazan. On t'offrait du thé, on t'offrait des gâteaux, ou des boulettes de viande, et toujours des petits oignons blancs avec ces longues queues vertes qui se croquent jusqu'au bout. La famille se tenait recroquevillée dans la petite cuisine, seul endroit où il y avait une table et de quoi s'asseoir, îlot de chaleur perdu dans un désert de ténèbres sonores.

Fred avait sa chambre, comme chacun avait la sienne : un vaste parallélépipède gris, un matelas par terre dans un coin, rien d'autre. J'aimais ces gens et ce lieu.

J'ai sympathisé avec d'autres dessineux, on formait une petite bande, il y avait Sim, il y avait Rous', Tienno, Gondot. Il y avait ceux qui taillaient leur route à coups de coude, à coups de dent, à coups de lèche. Il y avait ceux qui n'acceptaient pas la plongée délibérée de la presse d'humour vers la médiocrité et qui s'obstinaient à présenter des dessins qui leur restaient sur les bras.

Ici-Paris avait alors ses bureaux dans le haut des Champs-Elysées. La « liquette » était le mercredi matin. Nous nous retrouvions à la terrasse du bistrot en bas, un machin prétentiard où l'on refusa un jour de me servir une « petite côte », « Nous ne servons pas de vin rouge, ici, monsieur », ce genre-là. Nous remuions nos amertumes. *Ici-Paris* était une forteresse. Si l'on voulait y travailler de façon à peu près régulière, il fallait non seulement se violenter la matière grise pour pondre des platitudes, mais encore des platitudes du modèle qui conviendrait au genre de connerie de Madame de Morfond, épouse de Monsieur du même, directeur de la chose et gâteux plus qu'à moitié. Les dessins refusés nous revenaient avec, au dos, un « Non » éclatant que soulignait l'impérieux paraphe « H. de M. », H pour Hervé, tracé de la main même de Madame épouse. Je m'étais un jour aventuré à solliciter une audience, qui m'avait été accordée, et j'avais pu voir fonctionner le couple redoutable. Madame feuilletait les dessins, disait « Non... Non... Non... », les retournait, griffonnait d'altiers « Non, H. de M. » au dos de chacun d'eux, vous les tendait, disait : « Non. » Vous risquiez un timide « Pourtant, madame... », elle vous les reprenait, les tendait à son mari, assis bien sage au bout de la table : « Mon ami... » Il se les faisait un peu trembloter sous l'œil, les lui rendait, chevrotait « N... non... on... », elle faisait « N'est-ce pas ? », vous les tendait derechef : « Voyez-vous, c'est non. » Si vous aviez l'air vraiment décidé à insister, elle appelait la secrétaire à la rescousse. « Madeleine... ? » Madeleine effleurait des yeux la chose. « C'est non, n'est-ce pas ? » « Oh, certainement, madame ! Tout à fait, madame ! » « Vous voyez bien, je ne le lui ai pas fait dire. »

On épluchait nos liquettes.

— « Non, H. de M. » ! « Non, H. de M. » ! Merde, elle m'a rien pris, la vieille vache !

— Moi, la semaine dernière, elle m'en a passé cinq, dis donc ! Cinq d'un coup, avec mon nom dans un rectangle !

— Ouh là ! C'est la gloire ! Qu'est-ce que tu lui avais fait, cochon ?

— Ouais, mais, cette semaine, balpot... Pourtant, je croyais avoir pigé le truc, je m'étais dit bon, d'accord, puisque c'est ça que tu aimes, Cocotte, je vais continuer dans le même genre, tu pourras t'en mettre plein la lampe. Et total, que dalle. Pas un. Merde !

— On est bien cons, tous. On devrait faire comme Savaty.

— Qu'est-ce qu'il a fait, Savaty ?

— Je l'ai vu tout à l'heure, il attendait d'être reçu par la mère de Morfond, il était sapé en troufion, il est en train de faire son service, il avait amené sa fiancée, en cloque jusqu'aux yeux, un bide que c'en est obscène. Je vous parie la tournée qu'elle lui prend tout ce qu'il a dans la liquette.

— Ouah, ça va pas, eh, il aurait pas fait ça !

— Ben, tiens, le voilà qui sort, justement. Je dis des conneries, peut-être ?

En effet, Savaty apparaît, en uniforme, glissant les yeux à droite à gauche derrière ses grosses lunettes voir si y aurait pas un de nous autres sales ricanants dans les parages. Il donne le bras d'un côté à un carton à dessins marbré vert et noir, de l'autre à une citrouille montée sur pattes avec au moins des quintuplés à l'intérieur.

— Y en a qui manquent pas d'air ! C'est de la mendicité, ça.

— Oh , dis, eh, si t'étais belle fille, tu refuserais pas qu'on prenne tes dessins sous prétexte que tu serais pas sûre que ta petite gueule et tes guibolles y sont peut-être pour quelque chose, non ? Tous les moyens sont bons pour amadouer le fauve. Savaty le fait à la pitié, et pourquoi pas ?

— Oui ben, moi, je pourrais pas, dit Sim. S'il faut faire la pute pour placer nos merdes, qu'ils aillent se faire foutre, j'aime mieux laisser tomber.

— Ce qui me fout en rogne, avec Savaty, c'est pas tellement sa lèche de petit merdeux, ça, ça le regarde, mais c'est que ce fumier-là pompe★ à tout va ! Je l'ai vu ouvrir les liquettes des copains pour mater les idées. Et son trait ! Il change de style tous les mois, suivant le mec qu'il est en train de pomper. Dégueulasse !

— Oh, il finira bien par se fixer.

— Oui. Il adoptera définitivement le style d'un gars, modifié par lui pour faire bien concon-la-balayette, et ce sera le style Savaty, créé par lui, et il aura son nom dans le petit rectangle des vedettes.

— Sois pas jaloux ! Dans ces journaux de cons, forcé que les cons soient à l'honneur.

— Oui, mais, plus ça va et plus il y a ces journaux de cons et rien d'autre, bonhomme. Et moi, l'idée qu'il faudra faire de la merde jusqu'à la fin de mes jours, je peux pas supporter.

★ « Pomper », c'est plagier. On peut pomper les idées, quand on n'en a pas soi-même, ou bien le style d'une vedette, pour être à la mode. Le pompage du trait ou, carrément, des personnages des Américains célèbres est une industrie bien de chez nous. Il serait amusant de publier côte à côte les dessins de certains caïds français avec ceux des Américains qu'ils ont pompés.

— La merde, c'est comme tout, faut être doué pour. T'as beau te forcer à être con, on sent que c'est pas naturel, et total ça te reste sur les bras.

— Bon dieu, mais il doit bien y avoir des gens que cette presse minable emmerde ! Qu'est-ce qu'ils peuvent lire, ceux-là ? Rien. La France n'est quand même pas peuplée que de mongoliens, quoi !

— Pas que, mais presque.

— Bon, mais les autres, même s'ils ne sont pas beaucoup, ils existent, non ?

— Pour eux, il y a Chaval, il y a Bosc, il y a Maurice Henry, Mose...

— Tu parles ! Une petite page dans *Paris-Match* de temps en temps, un album de luxe tous les cinq ans, ça va pas loin !

— C'est parce que le créneau pour le dessin dit « intellectuel » est trop étroit. Ça ne peut pas devenir grand public, donc ça ne peut pas intéresser les gros tirages.

— Mais je veux pas faire dans l'intellectuel ! Je veux juste dessiner des trucs qui me feraient marrer moi-même. La connerie ne me fait pas rire, même elle me fout en rogne, et je sais que je suis pas tout seul à réagir comme ça. Ce qu'on appelle des trucs « grand public », je ne les méprise pas parce que c'est pas « intellectuel », j'y pense même pas, à ça, je m'en fous, simplement ça m'emmerde, voilà, et j'aime pas m'emmerder, et je vois pas pourquoi j'irais acheter un journal pour qu'il m'emmerde.

— Va dire ça à Madame Non Hache de Eme !

— Ça va ! La vérité, c'est qu'on ne s'en sortira pas tant qu'on n'aura pas notre journal à nous tout seuls. Combien ça peut coûter pour imprimer un journal ?

— Beuh... Même un tout petit, des dizaines de millions... Et il faut le lancer, le distribuer, le faire connaître. Et il y a toute la partie technique...

— Et on est tous des enfants de paumés, et en attendant faut bouffer. Rêve pas, petit gars.

— Alors, c'est « Non, H. de M. » jusqu'aux chrysanthèmes ? Et on va mouler nos petites crottes en nous efforçant d'être bien cons bien cons pour plaire aux H. de M. et compagnie qui se ravalent au niveau du plus con des plus cons tellement ils ont peur de louper un client, et à force de jouer les cons on deviendra vraiment cons, et si on est bien sages on aura notre nom dans le petit rectangle, et on finira comme ceux-là...

« Ceux-là », c'est l'escadron des vieilles tiges, qui, en ce moment-même, sortent de l'immeuble du journal, leur liquette sous le bras. Entre soixante-dix et quatre-vingt-dix berges, serrés en un petit tas grisâtre pour ne pas tomber, l'un d'eux emmitouflé en toute saison d'un gros cache-nez, un autre habillé en bohème montmartrois belle-époque, avec feutre artiste à large bord, lavallière et boucles blanc jaunâtre sur les épaules... Je voyais déjà leurs signatures sur les vieux almanachs Vermot quand j'étais gosse. Ils sont toujours là, on leur passe un dessin par semaine, une niaiserie aussi navrante que ce qu'ils faisaient autrefois, ce sont les bonnes œuvres de Madame de Morfond, ses pauvres... Ils ne se mêlent pas à nous, cette nouvelle génération ne fait pas assez artiste, nous puons le prolo évadé de l'usine. Ils restent entre eux à évoquer le bon vieux temps où l'art n'était pas envahi par les voyous et où l'artiste était considéré. Ils nous glacent le sang. Comme si on nous collait sous le nez ce que nous serons dans cinquante ans.

— C'est quand même quelque chose, je dis, ces journaux qui étaient des journaux du maquis et qui sont devenus ces sacs à merde !

— Des journaux du maquis ?

— Eh, oui. Quand Paris a été libéré, tous les journaux qui avaient collaboré avec les Chleuhs, c'est-à-dire toute la presse française, ont été supprimés, leurs responsables fusillés ou mis en taule, et leurs locaux, leurs imprimeries, tout ça, distribués aux journaux de la Résistance. Si bien que, du jour au lendemain, ces petits machins clandestins ronéotés sont devenus les grands organes nationaux. Comment des journaux de combat collectifs ont pu devenir la propriété d'un seul homme ou d'un groupe de presse, va savoir ! En tout cas, ils se sont empressés de changer de nom (Ils s'appelaient *Défense de la France*, *La Patrie en Danger*, *Qui vive ?... France !*, des noms comme ça) pour devenir *France-Soir* (en imitant soigneusement le graphisme, l'allure et le ton du *Paris-Soir* pro-allemand), *Le Parisien libéré* (en imitant à s'y méprendre le collabo *Petit Parisien*), *Ici-Paris*, *France-Dimanche*, etc. Et ils n'avaient qu'une idée en tête, vite vite oublier les discours enflammés et les serments faits dans l'émotion du danger pour enfin se mettre au travail sérieux : fabriquer la bonne grosse merde abrutisseuse de populo qui s'est toujours vendue et se vendra toujours. Et mendigoter de la pub.

— Et dire que des pauvres cons se sont fait tuer pour ça ! Ont été torturés, battus, injuriés, déportés, assassinés, pour ça ! Pour cette merde ! Pour que ces gras malins prennent la place des gras malins d'avant ! Ou pour qu'ils tiennent la place chaude afin de la rendre à ses vrais maîtres, le temps que les nazis se fassent un peu oublier...

— Même pas, dit Sim. Les journaux Hachette appartiennent toujours à Hachette.

— On leur a quand même sucré les Messageries, dit je ne sais plus qui.

— C'est vrai, en partie. Hachette s'est déjà démerdé pour grignoter la chose. Mais même ça, quelle rigolade ! Pour qui nous prend-on ? Enfin, faudrait savoir. Hachette ayant collaboré avec Vichy et les Allemands, c'est-à-dire ayant trahi, on punit Hachette en lui ôtant le monopole des Messageries de Presse et en proclamant que le principe même du monopole est contraire à la liberté de la presse (tout à fait vrai !), et alors on institue les Messageries en coopérative appartenant à tous les journaux et gérée par eux. Alors, suivez-moi bien, si Hachette n'avait pas trahi, les Messageries appartiendraient toujours à Hachette. Ben, et la liberté de la presse, dans tout ça* ?

— Ce qui m'épate, dit Fred, c'est que ce genre de saloperies puisse encore vous épater. On est dans un monde de requins, c'est marre.

✱

* N'oublions pas que ceci se passe dans les années 50. Depuis, comme chacun sait, le trust Hachette a été racheté par Matra, honnête artisan en objets de destruction massive à longue distance. La morale finit toujours par triompher.

J'avais un moment été tenté par la bande dessinée. Après tout, c'est par là que j'avais commencé, aux temps déjà lointains du *Déporté du Travail* et de *Kim* ! Les journaux semblaient friands de bandes en quatre ou cinq dessins pour bas de page. On m'avait fait comprendre que je n'y avais aucune chance, le marché étant solidement tenu par les Américains, qui balancent à vil prix — littéralement au poids — les resucées des bandes qui ont déjà amplement nourri leurs auteurs et — surtout ! — leurs éditeurs dans les quelques centaines de journaux paraissant dans les cinquante Etats de l'Union. Leurs antennes dans le monde, tel « Opera Mundi », déversent à la tonne des «Famille Illico », des « Blondie », des « Juliette de mon cœur » et toutes les bandes vedettes pour quelques centimes la bande, dix fois et même cent fois moins que ne prendrait un dessinateur d'ici pour strictement ne pas crever de faim. J'avais appris également que ces dessins sont payés — très cher — une fois pour toutes au dessinateur américain, qui perd tous ses droits et ne reverra même jamais son dessin original. L'éditeur (journal ou agence) peut revendre les copies du dessin à qui il veut sans avoir à en rendre compte, et sans plus rien payer à l'auteur. Il ne s'en prive pas, l'éditeur !

Le samedi matin, on relevait la chemise à *France-Dimanche*. On en profitait pour grimper casser la croûte à la cantine de l'imprimerie, tout là-haut, et s'il faisait beau on prenait le café sur la terrasse, tout Paris à nos pieds, c'était grisant. J'y fis la connaissance de Bosc, un grand garçon triste, l'air malade, monté de son Languedoc, son carton à dessins sous le bras, et qui s'était immédiatement imposé parmi les grands de grands. Ces lieux de rencontre étaient de petites bourses aux combines. Par exemple, Fred me dit :

— J'ai un truc terrible pour se faire tout de suite un peu de fric. Voilà : il faut peindre des facteurs.

Il attendait mon exclamation. Je ne le déçus point :

— Des facteurs ?

— Hum. Des petits facteurs en plastique pour mettre derrière le pare-brise, tu vois, ça bouge, ça se balance... Faut les peindre en quatre couleurs : bleu pour l'uniforme, couleur figure pour la figure et les mains, noir pour la sacoche, jaune pour les pompes. On les aligne à plat sur une planche, il y en a un qui peint tous les uniformes, ratata, ça fonce, un autre se tape les têtes et les mains, un autre les godasses, tu vois, quoi. C'est con comme la mort, on se fait un bon paquet en moins de deux.

— Et où on fait ça ?

— Ben, justement, mon frangin a dégoté un local. Ça te dit ?

C'était un grenier, sans rien pour chauffer, il y faisait froid à crever, on a posé une porte sur deux tréteaux, on a étalé les petits facteurs sur la porte, je ne sais plus combien de centaines de hideux petits facteurs tout plats, et on a commencé à peindre, de la gauche vers la droite, chacun sa couleur, chacun sa spécialité.

La peinture était de la valentine ou un truc comme ça, en petits pots, nos pinceaux étaient juste les pinceaux qu'il fallait. Peut-être alors qu'on n'était pas doués. Ça dégueulait partout. Les couleurs se mélangeaient, le bleu de l'uniforme coulait dans le jaune des chaussures et faisait du vert, bavait dans le rose figure et faisait du lilas, nous avions de la peinture jusqu'aux cheveux et grelottions de froid. Une effroyable colère muette s'amassait derrière la moustache de Fred. Je n'y suis pas retourné le lendemain.

✱

Paris est plein de ressources. Par exemple, les vitrines des restaurants quand approche Noël. Tu t'amènes avec ton fourbi, essentiellement des pots de gouache et un pinceau, tu proposes au patron de lui décorer sa vitrine pour les réveillons. En général, ça marche, suffit d'arriver le premier. Tu lui montres un petit projet sur un papier, le gars est ébloui. Dès que tu peux dessiner un bonhomme où on reconnaît un bonhomme, les gens crient au miracle. Le dessin a quelque chose de magique. Ils n'en reviennent pas qu'on puisse faire ça avec un bout de crayon tenu entre deux doigts. Si tu y mets de la couleur, alors là, ils se prosternent, le nez dans la poussière. Tu faisais ton prix, et vas-y. En deux heures de temps tu gagnais ta journée. Des pères Noël, des sapins, du houx, de la neige, des clowns, des mirlitons... Surtout pas d'ange, ni d'Enfant-Jésus, ça refroidit la clientèle. Les tauliers n'étaient pas trop regardants à la dépense, pourvu qu'ils soient contents. Mais certains préféraient le faire eux-mêmes, les sales rapiats, et c'était à dégueuler, mais après tout, que demande le client ? Du rouge, du vert, du blanc et une promesse de rigolade, alors, bon.

✳

Et les Salons ! Salon de l'Enfance, Salon des Arts ménagers, Salon de tout ce que tu voudras... Providences des barbouilleurs ! Incroyable, le nombre de petits industriels qui se louent un stand, très cher, dans un Salon et qui s'aperçoivent juste avant l'inauguration qu'ils n'ont pas prévu la décoration, qu'ils ne savent pas à qui s'adresser, et que de toute façon tous les professionnels sont déjà mobilisés par ce, précisément, Salon. C'est là que tu entres en scène.

Tu repères le malheureux désemparé devant son bout de stand tout nu, tu lui proposes de te charger de ses ennuis, tu es du métier, tu vas lui tortiller une petite chose ravissante, en technicolor, son et lumière, le clou du Salon pour le prix d'un cochon de six mois. Il t'accueille avec des larmes de reconnaissance. Ou bien balade-toi simplement avec une petite échelle sur l'épaule et une blouse tachée de peinture, ils accourent tout seuls, comme les moineaux sur le crottin.

— Monsieur, monsieur ! Si vous aviez un moment... Je suis en panne, voyez-vous...

Tu gribouilles un projet, et en avant. Le contreplaqué, tu le chines à droite à gauche, les tasseaux, pareil. Il règne dans ces Salons un joyeux gaspillage. Les gars ne sont pas chiens, tous rapins ou faisant comme si, esprit Quat'zarts, tu peux même t'amener sans outils, sans échelle, sans rien, tout se prête, tout se fauche, ça va ça vient. Les dernières quarante-huit heures avant l'inauguration atteignent au grandiose. Tout le monde est à la bourre, la fièvre survolte les stands, le gros rouge coule à flots, on travaille vingt-quatre heures sur vingt-quatre, trognes hallucinées, ça chante, ça s'engueule, ça se balance des seaux de blanc à la volée, un carnaval chez les dingues.

Tout ce qui risque de prendre feu doit être revêtu d'une couche préalable de peinture ignifuge, les pompiers passent vérifier, mais la peinture ignifuge ressemble beaucoup à de la peinture blanche pas spécialement ignifuge, le seul moyen de vérification consiste à se faire présenter les emballages ayant contenu de l'ignifuge, tu m'as compris tu m'as, les pompiers, on les voit arriver de loin, les seaux vides d'ignifuge, avec la marque bien visible, passent de stand en stand, par-derrière...

J'ai vu des mômes de quatorze-quinze ans, se disant élèves des Arts Déco mais vas-y voir, se présenter froidement comme peintres en lettres et oser se faire payer d'épouvantables dégueulis... Quand le ministre s'amène pour l'inauguration, la moitié des stands est à la traîne, les flics font taire les marteaux le temps du discours.

Les humoristes aussi ont leur Salon, le Salon, eh oui, des Humoristes. Chose assez navrante. Fred exposait, j'exposai donc. Il fallait mettre de la couleur sur ses œuvres et les monter soi-même en sous-verre. Mon apparition ne souleva pas des tempêtes d'enthousiasme. Mais quand je vis quelles choses soulevaient des tempêtes d'enthousiasme et décrochaient des prix, je fus rasséréné. L'humour français se portait bien.

*

Dans le quartier Saint-Fargeau, j'étais l'« artiste ». Ça me valait une considération flatteuse, mais aussi une certaine méfiance. Dans ce coin de zone à chiftirs et à sous-prolos, j'étais celui qui a passé la ligne, qui se cassera presque sûrement la gueule mais qui aura du moins tenté de s'arracher à la vinasse et aux journées de belote aux frais des « Assurances ». Un crâneur, quoi.

T'es « artiste », tu sais tout faire. De même que pour les madames un ouvrier c'est bon à tout ce qui se bricole avec des outils, de la maçonnerie à la réparation des bracelets-montres, pour le populo un artiste sait faire tout ce qui se dessine, se peint, se sculpte, s'imprime. Un entrepreneur du coin vint me demander de lui faire un plan d'exécution pour un escalier en colimaçon. Quand je lui eus expliqué que ce genre de travail nécessitait bien plutôt un charpentier qu'un dessineux de petits Mickeys, il me regarda d'un drôle d'air, comme s'il soupçonnait que ma prétendue qualité d'« artiste » couvrait des activités inavouables.

Je ne sais plus quel enchaînement de fil en aiguille m'avait amené dans le bureau rédactorial en chef du responsable d'un journal sarrois en langue allemande. La Sarre était alors, victoire oblige, un glorieux trophée de guerre accroché à la poitrine de la France. Plus pour longtemps, et tout le monde le savait, mais on faisait comme si les populations de cette province minière et foncièrement teutonne pouvaient être sentimentalement conquises à l'amour de la France éternelle, il y suffisait d'une propagande habile. D'où ce journal sarrois, j'ai oublié son nom, assez luxueusement fait, dans le genre tapageur, et qui servait surtout, ainsi que beaucoup d'autres institutions mises en place par les organismes de tutelle, à remplir les poches de quelques nourrissons bien en cour, gras asticots sans illusion quant à leur utilité. On m'y avait confié d'emblée l'illustration de récits « authentiques » d'évasions de prisonniers allemands chez les Soviets, d'énormes dessins étalés sur une double page, d'un réalisme minutieux et d'une grande intensité dramatique, genre couverture de *Radar*. J'avais accepté, témérairement. Je m'en étais péniblement sorti, sans trop de honte, mais quel bagne ! Il y avait une telle croûte de gouache entassée en retouches superposées que je ne pouvais pas rouler la feuille, ça se serait émietté sur le plancher... Je n'en voulais cependant pas démordre, je fulminais, me ravageais en colères effroyables, y passais nuit sur nuit... C'était d'ailleurs confortablement payé, la France ne lésinait pas sur le prestige. J'allais cependant lâcher la rampe et avouer mon imposture, lorsque l'hebdomadaire, un beau jour, mourut, couic, tout seul, d'une espèce d'infarctus.

Il m'arrivait des aubaines davantage dans mes cordes. Monsieur Pillet, l'homme qui, jadis, m'avait introduit à *Kim*, avait fondé une agence de publicité. M'ayant demandé quelques croquis pour les soumettre à un éventuel client, il m'avait ensuite chargé de la campagne. Il s'agissait de créer une marque pour un fabricant de fromages divers, avec personnage-type sympa, affiches, animation de rues, tout le folklore. Quand, devant le président-directeur général et son état-major, j'avais déroulé mon affiche, j'étais assez ému. Je vis se peindre sur les joues rasées et poudrées du robuste sexagénaire une satisfaction que reflétèrent aussitôt les joues salariées de l'état-major. J'osai respirer. Une ombre cependant peu à peu s'avançait sur le rose velouté des pommettes, comme un nuage sur un paysage ensoleillé, du haut vers le bas, du front vers le menton. L'industriel finit par dire, après quelques tortillements et raclages de gorge :

— J'aime beaucoup. Très efficace. Très amusant. Très appétissant. Félicitations, jeune homme. Cependant...

Nous attendions, debout sur le quai, le train funeste dont « cependant » était la locomotive.

— Cependant, je dois vous dire. Je suis colonel de réserve, monsieur.

J'acquiesçai du chef, me demandant si je n'aurais pas dû saluer.

— Mon frère a été tué en 1916, devant Verdun. J'ai répondu dans les premiers à l'appel du général de Gaulle.

Je regardai Pillet. Pillet me regarda. Nos quatre sourcils haussèrent à bout de bras une interrogation muette.

— Hm... Eh bien, monsieur, dans ma famille, nous avons toujours fait dans la fromagerie. Or, toujours, vous m'entendez, toujours les trois couleurs ont été celles de notre marque. Votre projet est très beau, très efficace du point de vue incitation à la dégustation, mais je regrette qu'il ne soit pas bleu-blanc-rouge, je le regrette vivement, monsieur, et je ne puis accepter un tel projet.

Je me voyais déjà racontant ça aux copains. Jamais ils ne croiraient que je n'en remettais pas. J'avais passé des jours à doser les jaunes crémeux, les verts agrestes, les roux stimulants, je voulais exciter l'appétit et l'aspiration vers le naturel tout en contrastant sec en valeur et en couleur de façon à avoir quelque chose qui claque, qui réveille et mette de bonne humeur... L'ABC du métier, quoi, et c'est déjà assez coton ! Et voilà ce birbe qui s'amenait avec son monument aux morts...

Rien à faire, il fallut en passer par là. Les camemberts furent tricolores, les quarts de brie furent tricolores, et les carrés de l'est, et les Pont-l'Evêque... Le client a toujours raison, et s'il se casse la gueule c'est toi qui as tort. Je n'avais pas le culot d'envoyer se faire mettre le birbe, j'avais besoin de son fric, ô que j'en avais donc besoin, de toute façon la publicité est un métier de pute, quand on fait la pute on n'est pas regardante sur la fraîcheur des slips de la clientèle.

Du moment que c'était bleu-blanc-rouge, tout alla sur des roulettes. J'avais du génie, dans les mains, dans l'œil et dans la tête, il fallait qu'à moi et à nul autre fût confiée la responsabilité de la campagne-test tous azimuts que Monsieur Quart-de-Brie comptait lancer sur un arrondissement de Paris, le XVᵉ.

Grisante sensation de toute-puissance. Je demandais des hommes-sandwichs, ils étaient là au petit matin, gueules uniformément grises, groupés au centre d'un nuage violâtre d'haleines vinassières. Je demandais des têtes de vaches, elles étaient là, grandeur nature, en carton bouilli ou appelle ça comme tu voudras, ce truc, enfin, dont sont moulés les chevaux de bois, avec des cornes prodigieuses et des trous pour voir clair. Je demandais des queues de vaches, j'avais mes queues de vaches, je les faisais coudre au bas du dos de blouses qu'on peignait couleur de vache, de vache tachetée, c'est ce qui fait le plus vache. Il ne restait plus qu'à enfiler mes clochards dans les blouses-peaux de vaches, qu'à leur cacher la tête sous les têtes de vaches, et à les lâcher dans les verdoyantes prairies de Vaugirard, une rame de prospectus à la patte antérieure gauche... Qu'on vous paie pour ça, j'en revenais pas. On me payait, et même bien.

✳

J'avais été mis en contact avec un industriel de Joué-lès-Tours qui cherchait un dessinateur. Il avait inventé une machine à développer à grande vitesse les films de cinéma et, à ce qu'il voulut bien me confier, s'était fait coiffer au poteau par une firme américaine, laquelle, arrivant en force, avait écrasé les prix et raflé les clients. Il ne lui restait qu'à exploiter lui-même ses prototypes. Il se démenait comme un diable, avait équipé un camion pour suivre le Tour de France, ce genre-là... Il venait me proposer une de ses idées.

Il s'agissait de filmer une bande dessinée, en images fixes, sur un morceau de film de petit format. Dix centimètres de film contenaient douze images, verticalement disposées. Ce bout de film serait agrafé sur une carte postale et vendu très bon marché. On le regardait à travers une minuscule visionneuse de trois centimètres de long sur un centimètre et demi de diamètre, faite de deux tubes de plastique coulissants, l'un d'eux muni d'une petite lentille, l'autre d'encoches pour y engager le bout du film. On fermait un œil, on regardait par le bon bout, on voyait l'image comme sur un écran de cinéma, grande, magnifique, avec tous les détails. La visionneuse était présentée elle aussi sur carte postale, tout ça ne coûtait rien à fabriquer, pouvait se vendre très bon marché en laissant un confortable bénéfice, bien lancé ce devait être le boum, il s'était protégé par tous les brevets possibles.

L'idée me plut. D'abord par son côté gadget. Quand j'étais gosse, je me serais jeté là-dessus. Et puis les dessins, reproduits par photographie directe, étaient d'une netteté, d'une fidélité à l'original saisissantes. Les couleurs venaient telles que posées par le pinceau. Le dix millième tirage était aussi frais que le premier, puisqu'il était la photographie directe du négatif initial... Et puis, je voyais, derrière ça, se profiler des choses.

J'avais, comme tout le monde, lu des vulgarisations sur les microfilms. Je savais, en gros, qu'il s'agissait de fixer, page par page, le texte, réduit à la dimension d'un rectangle de film parfois extrêmement petit, de lettres, de plans, de documents, enfin de toutes ces paperasses fragiles et poussiéreuses qui encombrent les archives et coûtent si cher à envoyer par la poste.

Je m'étais dit « Et pourquoi pas les livres ? Pourquoi pas les journaux ? » Je m'étais dit ensuite : « Tu parles qu'ils y ont pensé ! Sûr qu'on va voir dans pas longtemps arriver les bouquins sur microfilms ! Un livre énorme devenu pas plus gros qu'une boîte de cachous, pour le lire une petite visionneuse-projecteur, à pile, pliante, pas plus encombrante qu'un paquet de gauloises, tu la déplies d'un doigt, tu as devant toi, projeté bien à ta vue, éclairé optimum, ton texte, tu tournes le bouton pour faire défiler, tu peux lire debout dans le métro t'emmerdes personne, pas comme leurs saletés de canards deux bras déployés vlan dans les narines, et les dessins, les photos, dis donc, aussi beaux aussi nets que des diapos, d'ailleurs ce seraient des diapos, alors que jusqu'ici l'imprimerie, fût-elle typo, hélio, offset ou même gravure sur bois coloriée main, ne nous donne que grossières approximations et dérision amère. Le plus luxueux des livres de luxe reste bien loin de l'original, et quel formidable déploiement de machines, d'énergie, d'ingéniosité, d'encre et de papier !

Surtout le papier. Je ne supportais pas l'idée de ces forêts rasées pour nourrir ce fantastique gaspillage de matière imprimée dont une part infime sera lue, dont une part encore plus minuscule vaut la peine de l'être. Un arbre qu'on abat, une bête qu'on tue, ça m'est insupportable. Qu'au moins on ne s'y résigne que là où c'est nécessaire. Qu'on cesse dès qu'on peut s'en passer. Qu'on s'ingénie à trouver des moyens de s'en passer. J'accepterais bien volontiers de me nourrir de protéines synthétiques, même si ce n'est pas très bon, pour nous épargner les massacres d'animaux. J'étais tout heureux d'entrevoir un proche avenir d'où le massacre des arbres serait banni. Ce genre de choses me paraissait plus important que toute la politique. Rêveries bucolico-romantico-petites-bourgeoises ? Bien sûr. Et pourquoi pas ? Toute rêverie d'avenir, toute utopie est petite-bourgeoise. A commencer par celle qui se préoccupe du bonheur de tous les hommes. Quoi de plus cucul, de plus endormisseur ? Ah, pardon ! Là, il s'agit de l'Homme ! L'homme ne doit s'intéresser qu'à l'Homme, cela seul est louable, et viril, et réaliste, et admirable. Cela seul vaut la peine qu'on meure pour. Ben, voyons. Jésus-Christ et Karl Marx son continuateur n'ont pas fini de nous tresser des guirlandes pour nous envoyer aux glorieux abattoirs... Oui. Où je m'en vas ?

Microfilms. Cette idée que j'avais dans un coin de ma tête, couverte de poussière et de toiles d'araignée, j'osai la soumettre à Aruello — il s'appelait Aruello —, je l'estimais assez fou dingue pour ne pas me rire au nez. Il ne me rit pas au nez. Il me dit :

— Ah, vous aussi, hein ? Je suis content que vous pensiez ça. Une bibliothèque dans une valise ! Toutes les illustrations, toutes, quelles qu'elles soient, aussi fidèles, aussi précises, aussi magnifiquement belles que la nature même ! Projetables si l'on veut, par des appareils plus puissants, sur les murs, les plafonds, aussi grand qu'on veut ! Le livre inusable, incombustible, indestructible ! Et d'un bon marché à vous couper le souffle : le prix d'une boîte d'allumettes ! Seulement...

— Seulement ?

— Il faudra se battre, tiens ! Qu'est-ce que vous croyez ?

— Les papetiers ?

— Les papetiers, les bûcherons, les armateurs transporteurs de pulpe, les imprimeurs, les fabricants de rotatives, d'encres, de matériel d'imprimerie, les distributeurs... Ils joueront à fond sur les habitudes du public, les traditions... Je les entends d'ici pleurer la noblesse du livre, la douceur des vieilles reliures, le prestige des bibliothèques, le geste serein et caressant dont on tourne les pages... Ils exalteront les imperfections mêmes du bon vieux temps comme autant de sources d'émotions riches et de prestige... Ah, les chères vieilles gravures à moitié bouffées ou tout empâtées par l'excès d'encre ! Ah, le papier qui jaunit si noblement ! Les taches d'humidité, les trous de vers, les pages écornées, les traces de doigts sales !

— Vous savez, c'est toujours pareil. Quand les premiers chemins de fer ont roulé, les bonnes gens se sont soudain aperçus qu'ils étaient amoureux des diligences ! Les compagnies de diligences n'ont eu qu'à appuyer sur la pédale. Je suppose que, lorsque le papier a remplacé la peau de mouton, on a entendu les mêmes clameurs. Et aussi quand, un peu plus tôt, le livre en pages cousues par un bord avait remplacé le manuscrit roulé.

— Oui, mais là, il n'y avait pas ces énormes intérêts cramponnés aux vieilles façons de faire. La commodité (dans le cas du livre en pages) ou la nécessité (quand les peaux ne suffirent plus et qu'il fallut bien trouver un autre support) jouaient à plein. Dans cette anarchie qu'est notre société mercantile, si un mode de production anachronique et même nuisible assure de gros revenus à une catégorie suffisamment puissante, le jeu du progrès est faussé.

— Dites, monsieur Aruello, ça me fait penser... Il y a déjà pas mal de temps, j'ai vu les premiers magnétophones arriver en France. Je me suis dit « Le disque est foutu ! C'est tellement plus fidèle ! Et ça ne se casse pas, ne s'use pas, se range facilement... » J'attendais les premiers enregistrements commerciaux sur ruban... Et qu'est-ce que j'ai vu arriver ? Le microsillon ! Un peu moins fragile que les disques d'antan, mais aussi malcommode. C'est un objet con, un disque, non ? Aussi con qu'un parapluie, je trouve. Il est vrai que, dans la rue, les gens voient se déployer des parapluies, et ils ne gueulent pas à la chienlit... Moi, un pébrock, ça me donne envie de hurler à la mort.

— Surtout quand on reçoit le bout d'une baleine dans l'œil... Bon. On met en route notre petite affaire de bouts de films sur cartes postales, si ça marche ça me donnera une base de départ, des capitaux, je veux dire, du crédit, et puis on se lance dans la grande aventure. L'édition sur microfilms. Si vous voulez bien travailler avec moi.

Si je voulais bien ! Pardi... Seulement, je ne voyais pas très bien en quoi il pouvait avoir besoin de moi, mes compétences étaient nulles. L'idée des livres et des journaux microfilmés, des millions de bayeurs aux corneilles dans mon genre étaient capables de l'avoir eue... Oh, et puis, hein, on verrait bien. Je m'étais bien retrouvé du jour au lendemain spécialiste en brûleurs industriels à mazout !

Enfin, bon, pour le moment j'avais un boulot précis et

dans mes cordes : les petites bandes en douze images pour les films vendus sur cartes postales. On s'adressait à de tout jeunes enfants, ça se vendrait surtout dans ces boutiques à bonbons bizarres et à poil à gratter qui fleurissent à proximité des écoles primaires. Je décidai donc de redonner vie à Micou, mon héros du défunt *Kim*.

Je dessinai, sur mon élan, une vingtaine d'épisodes, et aussi les cartes postales-supports, je touchai une avance, Aruello m'envoya les premiers spécimens, et puis il disparut. C'est-à-dire cessa de donner signe de vie. L'affaire avait foiré, je pense. Manque de moyens pour assurer un lancement sérieux, ou manque d'intérêt de la clientèle. Ou peut-être que mes dessins n'étaient pas bons. Ou que ce n'était pas une bonne idée, après tout.

✱

Quand je dessine, j'oublie tout. Aussi quand j'écris, ou quand je cherche des idées. Sinon, c'est que ça ne marche pas, et alors j'ai beau m'acharner, me maintenir de force le nez sur le boulot, le résultat ne vaudra pas tripette. Mais quand je suis en prise avec mon sujet, ah, alors, tout disparaît, je perds le contact, je ne suis plus là, je suis dans le dedans de ma tête, dans les paysages du dedans de ma tête, avec les choses et les êtres que j'y mets que j'en ôte, je les vois très précis et en couleurs, en couleurs très vives très belles, avec des détails que je n'aurais pas cru avoir remarqués quand je les voyais par mes yeux, et ce sont justement ces détails-là qui font que ces êtres sont vraiment, pleinement eux-mêmes, mes yeux avaient vu tout cela, ma tête avait compris tout cela, ma mémoire l'avait mis de côté, et moi je ne m'étais rendu compte de rien, et voilà, ils sont là, bouleversants de vérité, et je comprends sans effort quels détails les font vrais, quelle légère sinuosité du sourire, quelle modulation de quel geste familier, quel infime incongru dans la silhouette. Tout l'individu tient en une ligne, une seule, qui le résume et l'exalte. Et aussi le paysage, et aussi l'action, et aussi les causes et les effets, car je vois même l'abstrait. Je vois s'ordonner mes démarches mentales, s'accrocher mes déductions, piétiner mes tâtonnements. Je vois l'idée fertile courir d'un trait au but pressenti sans se cogner aux angles du labyrinthe, et son impeccable trace lumineuse briller sur fond de velours noir. Je vois les idées mort-nées se dessécher et tomber en poussière avant même d'avoir été formulées. Je vois les raisonnements et les sentiments, je vois les passions et les inhibitions, je vois l'invisible et l'inexprimable, je vois tout cela schématisé en lignes simples et vigoureuses avec des croisements et des bifurcations et des culs-de-sac, et les contingentes complexités réduites à un chevelu de maigres radicelles, je vois littéralement fonctionner ma petite tête, comme ces plans du métro avec les lignes en couleurs où des petites lampes s'allument quand t'appuies sur le bouton.

Il paraît que, lorsque j'écris, je tire la langue. Que, si je dessine, je pousse d'énormes et alarmants soupirs. Que je geins, que je ris, que j'ahane... C'est mon corps qui fait ça. Mon corps abandonné comme un vieux chien et qui pleure après mon retour. Il paraît aussi que je grimace et gesticule. Ça, c'est parce que je me joue ce que je dessine ou ce que j'écris. Je mime les expressions, en les exagérant très fort, ça aide à faire venir le mot juste, le trait essentiel, le seul, l'incontestable, celui qui, tchac, d'un coup, fait surgir, là devant toi, éblouissant d'évidence, cet idéal pressenti que l'on traquait, qui se dérobait... Oh, le bonheur d'avoir enfin trouvé ! Oh, le formidable soupir ! Car, tant que l'on traque, on ne respire pas. Tant qu'on sent que c'est là, tout près, sur le bout de la plume, on bloque tout, on retient son cœur de battre, la vie est suspendue, tendu tendu qu'on est à la pointe extrême du neurone exploratoire qui balaie sans trêve l'immensité des possibles, et resserre ses cercles, prêt à tout moment à accueillir le bouleversant sursaut de l'illumination.

Une espèce de transe, en somme. Parvenir à l'hallucination dirigée. Je ne veux pas dire celle que prônent Baudelaire, Rimbaud et les modernes freaks, extase peu regardante sur les moyens, gros rouge, absinthe, pavot ou autres chimies, tous les soûlards hélas ne sont pas des

Bukowski, mais tout bêtement l'imagination excitée méthodiquement par la concentration, la « descente en soi-même ». Je crois que les imaginations les plus riches, les plus audacieuses, se rencontrent chez les mathématiciens de haut vol. La mienne hélas n'est pas de celles-là, elle est tout juste capable d'en pressentir la formidable puissance.

Pour intense qu'elle soit, ma concentration est d'une fragilité extrême. Un rien la brise, douloureusement. J'ai beaucoup de mal à me mettre au travail, je dois à chaque fois m'y traîner de force, ruser avec moi-même, et quand enfin j'ai réussi à dompter le bestiau et à le coller sur le sillon, quand, après un temps qui peut être long, je me suis enfin englouti corps et âme dans l'abîme de la page blanche, encore suis-je à la merci de la plus infime perturbation.

Bannir toute source de perturbation. Je ne puis travailler utilement que dans le silence absolu, si possible volets clos. Une flaque de lumière sur la feuille de papier, tout autour la nuit totale, voilà l'idéal. Il en est qui affirment pouvoir travailler — et même ne pouvoir travailler que — dans une ambiance musicale, voire dans le brouhaha d'un café. Possible. Je demande à voir le résultat. D'illustres le font, paraît-il. Ouais. Prennent-ils des notes, ou bien s'ils créent ?... Je lis avec épouvante des articles où sont vantées les vertus stimulantes (ou apaisantes, selon besoin) de la musique diffusée en usine. Je vois sur les chantiers les gars perchés sur leurs échelles, transistor à l'oreille... Même pour repeindre le plafond, je deviendrais enragé. La musique au robinet, le bavotage jovial qui pas une seconde ne te laisse l'oreille en paix, ça m'excite, certes, mais d'une excitation cannibale qui m'éparpille la cervelle comme à coups de pied et me donne envie de cogner.

J'aimais autrefois les grands magasins, les prisunics, tous ces bazars anonymes, ma sauvagerie s'y trouvait à l'aise, tu fouilles, tu prends, tu te ravises, jamais une gueule humaine à affronter, pas de vendeur au sourire gluant pour te forcer la main... Voilà qu'ils ont inventé d'y coller un « fond sonore », c'est comme ça que ça s'appelle, rock, disco, cucaracha, adagiodalbinoni avec crème chantilly... Coupé toutes les vingt secondes par l'annonce de la réclame —

pardon : de la vente promotionnelle — du jour beuglée par une arracheuse de betteraves qui se prend pour l'hôtesse de l'air d'un charter de mongoliens. Paraît que ça stimule l'impulsion d'achat. De toute façon, si les margoulins le font, c'est que ça rend, faites-leur confiance. Oui, ben, moi, ça me la coupe, l'impulsion. Net. Je fuis à toutes pompes. Monsieur le psychiatre, s'il vous plaît, suis-je anormal ou bien sont-ce les autres qui ont de la purée froide à la place de la cervelle et des spaghetti trop cuits à la place des nerfs ? Non, ne me le dites pas, mon autosatisfaction m'a déjà donné la réponse.

1954
Vous n'avez rien
contre les jeunes ?

*

Un soir de janvier 1954, Fred et moi, côte à côte, nous arpentons le boulevard du côté de la porte Saint-Denis. Nous venons de « relever la liquette* » chez deux ou trois journaux, il fait froid, nous déconnons pour nous réchauffer, d'habitude nous déconnons pour déconner, Fred fait « Hm » dans sa moustache, c'est sa façon de ricaner, j'ai sous le bras ma vieille serviette en cuir de quand j'allais en classe, finalement j'aime pas les cartons à dessins, ça fait celui qui fait l'artiste, et puis va donc fourrer ta flûte de pain, ta tranche de jambon et ta livre de raisin dans un carton à dessins, toi, avant d'entrer au cinéac Saint-Lazare, tarif unique cent balles une heure et demie de spectacle ininterrompu, toutes les actualités l'une après l'autre, toutes, 20th Century Fox, Pathé-Journal, toute la lyre, avec entre chaque un Mickey, un Popeye ou un petit film comique, le vrai repos du guerrier, quand j'en ai marre de grimper les étages que je sens la déprime pointer son vilain nez et la famine me ravager les mollets je fais le détour si pas trop loin, je m'arrête rue d'Amsterdam chez le boulanger chez le charcutier chez le primeurs, je planque ça dans le compartiment à part de mon cartable pas graisser les dessins, je prends mon ticket à la vieille de la caisse, je plonge sous la gare ses trains ses rêves, c'est une petite salle bien cradingue bien chaude, toujours bourrée, même des mecs debout dans

---

* « Relever la liquette », c'était aller, au jour prévu pour ça, dans les locaux de tel ou tel hebdomadaire afin d'y déposer une chemise de dessins frais, reprendre celle qu'on avait laissée la semaine d'avant et constater, avec joie ou consternation, combien de ceux-ci avaient été retenus par la rédaction.

le fond le long du mur il y a, toujours, de drôles de mecs, ça schlingue la cloche et la vieille pute de la rue de Budapest venue se les épanouir un instant au chaud à la sauvette, prétexte pieux de voir si y aurait pas une pipe à glisser vite fait à un plouc en avance pour le train, ça grouille de pédés aux premiers rangs, la porte des chiottes, juste à côté de l'écran, palpite comme l'aile du papillon, ça et aussi d'autres trucs plus sournois, je cherche pas à savoir, je m'affale dans le velours rouge effondré, un ressort me mord au cul, je tire de ma sacoche, à l'hypocrite, mon pain et mon jambon, pas faire gueuler le papier surtout, je mords dans la première délicieuse fantastique bouchée, je fuse un gros soupir de bonheur, je mastique le pâton brutal, à pleines mâchoires, les yeux accrochés à l'écran par deux ficelles tendues, je m'emplis de jambon fade, de pain trop frais et des pitreries cons à crever sur place des trois Stoodges★, c'est tellement con que je rigole que ça puisse même exister, je suis bien, je suis bien, je suis assis, j'ai chaud, je bouffe, et trois crétins payés pour ça se donnent des coups de n'importe quoi sur la tête pour m'arracher un rictus... Le paradis.

Oui. Mais ce soir-là, j'arpente, donc, avec Fred, le boulevard, du côté de la porte Saint-Denis, mon vieux cartable sous le bras. La nuit tombe, c'est l'hiver.

Une fille — sortie d'où ? — est devant moi. Grande superbe créature pleine de dents et de santé. Les yeux dans les miens. Bleus à ne pas croire. Ou noirs, peut-être bien. Ou jaunes. Superbes. Ses seins sur les miens, pointe à pointe, il faut bien que je m'arrête. Vraiment très grande. Quoi, me draguerait-on ?

★ Jusque vers les années 60, les « Cinéac » (il y en avait une rue Champollion — il lui en est resté son nom : l'Actua-Champo — un sous la gare Saint-Lazare, un, je crois, aux Ternes, un sous la gare Montparnasse et un dans la gare de Lyon, excusez si j'en oublie) étaient les seuls cinoches où l'on pouvait s'empiffrer de dessins animés entrelardés de bandes d'actualités, et aussi d'épouvantables merdes américaines, vraisemblablement achetées aux surplus de l'armée, tournées pour entretenir le moral du troupier le plus bouché. On voyait là des vedettes inconnues ailleurs : Abbot et Costello, épais démarquage de Laurel et Hardy, et surtout les Stoodges (ou Scroodges ?), « copiés » sur les Marx Brothers, qui battaient tous les records.

— Vous n'avez rien contre les jeunes ?

Ma foi, je ne m'étais jamais posé la question. Ai-je ? N'ai-je point ? Je m'interroge. Je suis comme ça : consciencieux. Elle ne me laisse pas le temps.

— Alors, vous m'achèterez bien mon petit journal ? C'est pour aider les jeunes.

Voilà, voilà. Je me disais, aussi... Je veux faire le dégourdi :

— Attendez, eh ! J'ai pas dit que j'aimais les jeunes. Peut-être que je les aime pas ?

— Oh, ben, achetez-le pour moi, alors.

Moue qu'elle veut adorable. Grande saucisse, va ! Sais plus quoi dire, moi. De plus en plus grande conne à nattes :

— Ouah, eh, prenez-le-moi, quoi...

Elle n'a pas dit « ... soyez pas vache ! » mais le ton y est. Naturellement, j'achète son journal. De toute façon, elle me l'a collé sous le bras, ne veut pas le reprendre. Deux cents balles, j'en mourrai pas. Elle dit « Merci ! », **la gueule** fendue, l'air de me prendre gentiment pour un con, et elle a bien raison, et moi ça ne me gêne pas, je peux me payer le luxe d'être pris de temps en temps pour un con, la voilà déjà qui plante ses nichons-harpons dans un autre père de famille, cette fois dans les œils, il est sensiblement plus bas du cul.

— V's'avez rien contre les jeunes, m'sieur ?

Ce n'est pas vraiment une nouveauté. J'ai déjà vu vendre comme ça, à l'accrochage. Fred, moi et d'autres plaçons même des dessins à *Quartier Latin*, qui tapine exclusivement autour de Saint-Michel. Première fois que je vois ça ailleurs. La fille a dit « Vous n'avez rien contre les jeunes ? » au lieu du « ... contre les étudiants ? » qui est de mise sur la Rive Gauche.

Voyons ce canard. Oh, mais, c'est plein de dessins ! Fortuné, Jac Faure, Meunier... Tous les rapaces, tous les morfaloux. Et rien que de la resucée*... Ça ne doit pas payer gras. Fred fait la grimace. Bof, ça ne peut pas être plus mal

---

* Pour le cas où je ne l'aurais pas encore dit, les « resucées » sont des dessins ayant déjà été publiés ailleurs, que l'on vend par conséquent moins cher à des

payé que les dessins que nous filons à *Quartier Latin*, qui les paie en principe cinq cents balles (le quart de ce que paient les plus pingres des « grands », à savoir *Marius* et les autres productions Ventillard), et qui en fait ne les paie pas du tout, j'attends toujours son premier chèque, c'est ça la vie d'artiste, j'avais qu'à écouter maman, je serais dans les Postes. Comment ça s'appelle, ce truc ? *Zéro.* Nous apprécions. Ça, oui, c'est un titre ! Préjugé favorable. C'est tout mal foutu tout pataud, mis en page par un amateur, par un amateur pas doué, mais, à première vue, c'est plein d'ambition, et sympathique par sa maladresse même. Nous tombons d'accord qu'on peut prendre le risque de se faire estamper par un type qui trouve un titre comme celui-là. *Zéro*, peste ! J'aurais voulu avoir eu l'idée.

— Jamais vu avant, dit Fred. C'est quel numéro ?

— Voilà... Numéro un. Dis donc, ça vient juste d'exister... Attends, je cherche l'adresse... 28, boulevard Bonne-Nouvelle. C'est juste à côté. On va voir ?

On va voir.

Entre la rue d'Hauteville et la rue de Mazagran, sur le trottoir, donc, de droite du boulevard Bonne-Nouvelle quand tu viens de la République, il y a, tapie contre le flanc d'un tabac à l'enseigne parfumée du « Bouquet », une porte cochère monumentale tout à fait années folles, avec au-dessus, moulé dans le ciment en lettres expo coloniale, « Piscine Neptuna ». Tu entres, tu passes sous le porche, tu traverses une cour carrée, tu contournes une vaste verrière à ras du sol avec tout autour de ces buissons taillés ras aux feuilles comme en épais plastique vert glaireux dont la vue quotidienne en a conduit de plus costauds au suicide, c'est la verrière qui éclaire la piscine, là en dessous. Éclairait. De piscine, il n'y en a plus, pas rentable. Ils en ont fait un dancing. Puis ils en ont fait un parking. Cette fois, ça y est, le parking c'est la vraie tirelire, pas à craindre les fuites d'eau chaude ni les loubards du samedi soir. La cour traversée,

---

journaux à petit budget. Certains journaux ne publient que des resucées. Certains dessinateurs besogneux ou débutants vendent des inédits au tarif des resucées, cassant ainsi les prix. C'est mal vu des petits camarades.

s'offre à toi un petit corridor, tu l'enfiles, tu vois tout de suite une porte à gauche, une porte à droite. C'est celle de droite. Toc toc. « Oui. »

Deux mètres cinquante sur deux mètres cinquante, un bureau en bois, derrière le bureau une chaise avec une dame assise dessus, une autre chaise devant, vide. Au mur, un plan de Paris, une carte de France. La dame t'accueille, sourire engageant.

— C'est bien ici la revue *Zéro* ?

Le sourire retombe un peu, comme le soufflé qui a pris l'air.

— Oui. C'est pourquoi ? Vous ne venez donc pas pour l'annonce ?

— L'annonce ? Ah, non, pas du tout. Nous venons vous proposer des dessins.

— Ah, oui... Il faudrait que vous voyiez monsieur Novi. Il ne devrait plus tarder à rentrer. Tenez, le voilà.

Un sourire passe la porte, vent arrière, toutes dents dehors. Sourire de bouche, à pleins muscles, les deux coins haut relevés, pas mégoter. La bouche sourit. Pas les dents. Ni les yeux. Serrées, les dents. Terribles, les yeux. Entre les sourcils, un pli vertical. Complet bleu marine de chez le bon coupeur, cravate champagne, chemise blanc neige, un peu les élégances des bals du dimanche dans ma banlieue, mais ça, tu le vois après. La mise au point est plein jus sur les durs yeux gris-bleu, sur le terrible sourire, tout le reste rejeté dans le flou.

Le sourire m'arrive droit dessus.

— Oui ?

Les dents restent serrées, les commissures relevées.

La dame parle. Humble.

— Jean, ces messieurs sont des dessinateurs...

Je guette le sourire. Voir s'il va, comme tout à l'heure celui de la dame, prendre soudain un rien de mou dans les haubans. Mais non. Ce sourire-là est d'acier au tungstène. Un sourire orthopédique.

— Faites voir.

Je fais voir. Pas tout. Seulement les dessins de la petite chemise à part, les « difficiles », les teigneux, ceux que partout on repousse du pied, ceux qui, je veux croire, seront chez eux dans un journal qui s'intitule *Zéro*.

Sourire d'Acier feuillette à toute vitesse. Gâcheur, va. D'accord. On va te sortir le tout-venant. Tiens, il rit. Rire d'acier. Il rit deux ou trois fois. Il dit :

— Je peux les garder ?

— Vous pensez en publier ?

Il me regarde, interrogateur.

— Je vous dis ça, c'est que j'aimerais pas les immobiliser sans être sûr que vous en passerez quelques-uns.

— Oui, oui, je les passerai. Pas en une seule fois, mais je préfère les avoir, pour le cas où j'aurais un trou.

Et bon. Il ne paie pas cher, mille balles le dessin. C'est quand même le double de ce que paie *Quartier Latin*. Et peut-être ira-t-il jusqu'à les payer pour de vrai, avec des billets de banque, lui ? De toute façon, qu'est-ce que j'ai à perdre ? Mon travail, mes idées ? J'ai l'habitude. Semer pour, peut-être, un jour, récolter. Semer à tout vent. Fred est bien d'accord.

Nous sommes pour prendre congé. On frappe, timidement. « Oui ? » Un grand gars rougeaud, les bras plus longs que ceux de sa veste, de grandes grosses rougeaudes paluches pendues au bout, s'encadre — de justesse — dans le chambranle.

— Je viens pour l'annonce...

Sourire d'Acier lui dit « Voyez Madame », Madame lui dit « Asseyez-vous », il dit « La place est toujours libre ? », tout de suite après : « C'est bien quatre mille francs par jour que vous donnez ? »

Sourire d'Acier me pousse vers la porte.

— Vous avez bien une minute pour prendre quelque chose ?

Nous voilà devant le zinc du « Bouquet ». Le taulier s'empresse. Sourire d'Acier est le client respecté. Sans qu'il ait commandé, un bol de café se matérialise devant lui, noir goudron, serré à te tétaniser la mâchoire.

— Ecoutez, dit Sourire d'Acier. Je suis en train de boucler le numéro deux. J'aurai besoin d'illustrations, je ne sais pas encore lesquelles, je n'ai pas les textes. Voulez-vous passer me voir demain ?

Nous disons en chœur « Bien sûr », il a déjà avalé son hectolitre de concentré de café, il n'est pas tombé raide mort, il ne grimpe pas aux murs, le patron enlève le bol et lui fait le signe discret, qui, dans tous les bistrots du monde, signifie « Je vous remets ça ? » Sourire d'Acier fait « Oui » du menton, le bol de nouveau est devant lui, plein, noir, fumant, aussitôt descendu. J'ai tout juste bu deux gorgées de mon demi. Sourire d'Acier nous tend les mains, plante ses yeux dans les nôtres, alternativement.

— A demain, amis.

Ajoute :

— Je m'appelle Novi.

✳

Le lendemain, Novi était contrarié. Il ne devait pas avoir l'habitude. Ça le ravageait. Le sourire plus d'acier que jamais, virant à la tête de mort. Le bleu de l'œil carrément meurtrier.

— Je boucle tout à l'heure, je devrais être bouclé depuis longtemps, l'imprimeur me harcèle, et j'ai un tas de trous. Voyez-vous, je manque de textes. Les dessins, j'en ai à ne savoir où les mettre. Mais les textes, ça...Personne ne veut écrire. Et quand ils s'y risquent, c'est pire que tout.

On se regarde, Fred et moi.

— Écoutez, je dis, on pourrait essayer.

— Des petits machins, dit Fred.

— Des jeux bidon, des petites annonces à la blague, des recettes, des conseils...

— Des tests ! Depuis le temps que j'ai envie de me farcir leurs tests à la con...

— Des variétés, quoi. De ces petites choses par-ci par-là qu'on lit toujours en premier dans un journal parce que c'est court, sans façon, que ça se picore entre deux et aussi parce qu'on cherche d'abord les trucs qui font rire... Enfin, moi, en tout cas, je suis comme ça.

Ça m'excite cette idée. J'ai toujours été porté à la parodie, au sacrilège. Et voilà que l'occasion m'est offerte ! L'envie me prend d'imperturbables canulars, mais fignolés dans le détail. Se payer la gueule des « grands » de la presse flatte-cons, quel rêve !

Novi se défripe.

— Vous voulez bien ?

— On s'installe au bistrot à côté, on vous apporte un échantillon dans une heure.

Nous voilà accrochés à un guéridon dans l'arrière-salle du tabac, là où tient ses assises le type du P.M.U., c'est relativement tranquille, devant nous un cahier de cent pages, marque « Le Gaulois », quadrillé comme à l'école, et deux thés bouillants, Fred ne peut travailler de la tête qu'en la maintenant à haute température, et donc j'en fais autant, par solidarité, quoique je nous eusse plutôt vus sifflant des petits blancs secs, ça, oui, ça fait journaliste, ou des whiskies, comme Humphrey Bogart dans je ne sais plus quoi, un truc où il portait un trench-coat et recevait plein de choses dures sur la tête, mais de toute façon on n'a pas les trench-coats, ni les chapeaux, et bon, quoi.

Nous commençons par un test. C'est excitant, les tests. En ce moment, il y en a partout. Chaque semaine dans les hebdos, tous les jours dans les quotidiens. A propos de tout : « Avez-vous du cholestérol ? », « Etes-vous égocentriste ? », « Avez-vous épousé l'homme qu'il vous faut ? », « Vivez-vous au-dessus de vos moyens ? » ... Nous nous sentons terriblement féroces. Nous tombons d'accord sur « Madame, êtes-vous une bonne épouse ? »

La première question, c'est Fred qui la trouve : « Quand votre mari rentre tard, avez-vous la délicatesse de lui faire tenir sa place chaude dans le lit par la concierge ? » C'est parti. A mon tour : « Avant de plonger les chemises de votre mari dans la lessive, les secouez-vous pour vérifier qu'il n'est plus dedans ? » Nous nous amusons comme des enfants sages au patronage. « Tricotez-vous des chaussettes à votre mari pendant que vous pratiquez le coït avec son ami Antoine ? » Oh, oh, c'est osé, ça ! « Quand votre fils se plaint d'être un enfant martyr, lui maintenez-vous la tête

pendant vingt minutes dans une bassine d'eau bouillante ? »
Oh, oh, c'est cruel, ça ! La réponse est : « Non. Dix
minutes suffisent. » Naturellement, la dernière question
est : « Votre grand-mère fait-elle du vélo ? » Et la notation :
« Si vous avez quinze points, considérez-vous comme une
épouse modèle. Moins de quinze points, considérez-vous
comme giflée. » Voilà. C'est terminé. Qu'est-ce qu'on leur
a mis, aux abrutisseurs de pauv'monde !

Fred s'inquiète :

— Combien tu crois qu'on peut lui demander, pour ça ?

— Ben... Comme surface, ça prend la place de deux
dessins, à peu près...

— Dis, eh, ça va pas ? Il y a des idées pour quinze dessins,
là-dedans ! Une idée par question. Et c'est du boulot sur
commande, ça, pas de la resucée.

— Ecoute, pour l'instant, on le dépanne. On verra bien
ce qu'il donnera. S'il faut jouer les marchands de tapis, alors,
bon, on aura compris, on laisse tomber et c'est marre. Et
puis d'abord, peut-être que ça lui plaira pas.

— Si ça lui plaît pas, je le méprise.

Ça lui plaît. Ça l'enchante. Bien sûr, il faut faire la part du
soulagement de voir se combler les trous. N'empêche, pour
un début, ça fait plaisir. Il tique sur le coït avec l'ami
Antoine. Nous nous débattons, auteurs blessés dans leur
création. On transige. La question devient « Tricotez-vous
des chaussettes à votre mari en remplissant vos devoirs
conjugaux ? » L'enfant martyr aussi a du mal à passer. Mais
passe. On repart en faire un autre. Ce sera « Etes-vous à la
page ? » Il se termine par cette apothéose : « Si vous avez
répondu à chaque question en votre âme et conscience, sans
parti pris ni considération politique ou confessionnelle
d'aucune sorte, et si, montre en main, vous n'avez pas mis
plus d'une demi-heure, vous pouvez vous vanter d'être un
fameux luron qui a eu une sacrée veine de trouver ce
numéro *Zéro* pour passer le temps. »

Nous sommes très contents de nous.

Novi, lui, semble moins tourmenté que tout à l'heure,
mais pas tellement moins. Il finit par nous avouer que sa
mise en page comporte encore pas mal de trous. Un, entre

autres, dont la surface atteint celle d'une page entière. Bigre ! Les tests et amuse-gueule, ça commence à bien faire, nous en sommes tout à fait d'accord.

— Ce qu'il me manque, c'est un article, un vrai, un article de fond, comme on dit.

Il me regarde.

— Je voyais un article sur les bonnes affaires, entre guillemets...

Il a vraiment dit « entre guillemets ».

... ces combines parfaitement légales mais à la limite de l'escroquerie, ces exploitations cyniques des pauvres, des chômeurs, des jeunes, des sans défense...

— Par exemple les petites annonces mirifiques « H.F. 100 000 p. mois ss. conn. spéc. » ?

Je dis ça pour voir.

Il exulte, heureux d'être si vite compris. Ça, alors !

— Voilà ! Exactement. Ce serait un très bon commencement pour une série d'articles. Ensuite viendraient la publicité, les pompes funèbres, les assurances, les horoscopes, les colorants et toutes ces cochonneries dans la nourriture...

Ses yeux brillent, il est vraiment enthousiaste. Le chevalier à la blanche armure. Je ne sais plus où j'en suis, moi. Mais non, il ne joue pas. Il n'en remet pas. Il y croit. On n'invente pas ces accents-là. Ce type jeune, dans les trente-cinq, sorti tout nature de son village, avec ses élégances rasta — rasta 1930 —, ses affectations de langage trahissant le fils de femme de ménage qui se surveille — j'en connais un bout ! —, ce n'est pas comme ça que j'imagine un faisan... Je n'ai pas encore appris que les plus convaincantes personnalités d'emprunt se construisent en utilisant les éléments de la vraie. Ou, pour faire vraiment maxime du bon faiseur, que les meilleurs mensonges sont faits de vérités... Mais ce boy-scoutisme répond tellement à point à mon propre boy-scoutisme que je veux « y croire », moi aussi. Et comme je le vois venir, je prends les devants.

— Je peux peut-être essayer ? J'ai justement placé de l'assurance-vie à domicile, j'avais été recruté par une petite annonce dans *France-Soir*. Je crois que j'aimerais écrire ça.

En fait, je crois que j'aimerais écrire. Mais il me faudrait un peu de temps.

— Combien ?

— Disons, jusqu'à demain.

— Chic ! Je me débrouille avec l'imprimerie. Demain... pas trop tard ?

— Demain matin. Enfin, heu... fin de matinée.

— Je compte sur vous.

*

Eh bien, voilà. Ça se prend par quel bout, un article ? Le papier est devant moi, et moi je suis devant lui, juste en face, terrorisé. La rédaction, j'étais bon. Allez, pas le faux modeste : mieux que bon. Ça et le dessin. Mais chaque début de dissertation, chaque compo de « composition française » me trouvait frappé d'impuissance*. Non que je n'eusse rien à dire. Au contraire. Les idées me venaient, accouraient, se bousculaient, le temps d'en prendre une en note, c'en étaient douze qui me filaient entre les doigts, le sujet, je le voyais devant moi, petit « a » petit « b », la logique et l'imagination, grandes belles femmes au front studieux, aux nichons laiteux, aux hanches maternelles, m'ouvraient leurs bras et leurs cuisses, les pluriels irréguliers piaffaient, prêts à s'accorder tchic tchac, les participes passés employés avec « avoir » s'assouplissaient les mollets dans le coin du ring, les orteils leur démangeaient d'entrer dans la danse, dans leur fameux petit ballet, un pas en avant deux pas de côté sur un air de Lulli, les imparfaits du subjonctif, en pouffant, essayaient leurs flûtes siffleuses car, sachez-le, ils sont les premiers à en rire... Tout était fin prêt, tout reluisait sous le soleil comme au matin d'Austerlitz, et moi, moi, j'arrivais pas à planter la première lettre du premier mot. Scrupulissimo. J'y va-t-y, j'y va-t-y pas. L'heure fuit. Panique. Allez, tant pis, n'importe quoi, mais démarre.

---

* Ça ne m'a toujours pas quitté.

Et alors, ben oui, n'importe quoi c'est n'importe quoi, quoi. Je biffe. Rage. Angoisse... Les sales, sales minutes d'avant que ça démarre ! Je les avais oubliées. Enfouies bien profond avec mes culottes courtes. Eh bien, les revoilà. Je suis perdu dans mon rond de lumière, naufragé sur l'île déserte, je souffre, j'ahane, je me gratte le ventre, je me gratte la tête, je me gratte les couilles, je vais pisser, je vais boire au robinet, je gribouille des géométries de désespoir... Je fais mes devoirs.

Comment finit-on par démarrer ? A quel moment ? Tout à l'heure, c'était le vide, la gueule ouverte et les fourmis rouges dedans, et me voilà en plein galop ! Je suis tombé dedans comme on tombe dans le sommeil : sans s'y voir tomber.

La nuit y passe, mais je m'en sors. Je suis très fier de moi. Mon premier texte. Ça commence comme ça :

« A Paris, autour de la gare Saint-Lazare, triomphent les verticalités massives des façades marmoréennes des Temples des Affaires. Des façades à chaîne de montre en or sur le ventre... »

Tagada, tagada !

Marmoréennes. Parfaitement.

Cet aigre matin aux yeux rouges est celui d'un jour de victoire. Mon article sera peut-être refusé, ce n'est plus ça qui compte. Ce qui compte, ma victoire, c'est que je l'ai fait. Fini. Terminé. D'un bout à l'autre. Je m'en suis sorti. En professionnel. Relu, rerelu, pinoché la virgule, pas une brique qui dépasse, les joints fignolés au petit fer.

Novi me sacre écrivain. Il me pommade, bien sûr, mais je suis juste dans l'état qu'il faut pour apprécier la pommade. Entre deux coups d'encensoir il me sucre quelques paragraphes par-ci par-là, dissimule les amputations sous des ravaudages à la six-quatre-deux, vire carrément ma péroraison au lyrisme vengeur et la remplace par une de son cru, plus conforme à ses vues profondes, que je ne pouvais pas deviner mais que j'aurais dû. Je laisse faire. Je suis le coureur de marathon après l'arrivée, l'infaisable est derrière moi, plus rien ne peut me toucher.

Perdu dans la vapeur de son saladier de café, Novi me

demande si j'aimerais corriger moi-même les épreuves de mon texte. Tu parles si j'aimerais ! Un taxi nous emporte vers l'imprimerie.

*

Rue Vicq-d'Azyr, numéro huit. De l'autre côté du canal Saint-Martin, pas loin de l'hôpital Saint-Louis et de son vieux porche où les vérolés font la queue pour qu'on leur coupe la bite en quatre comme une banane pourrie, c'est ce que je croyais quand j'étais petit, je ne peux plus passer devant Saint-Louis sans y penser, tout près de la place du Combat, désormais place du Colonel-Fabien — cette sale manie de changer les beaux vieux noms un peu marrants pour ceux, gris et chiants, de vagues gaziers qui faisaient dans la politique, ou dans l'héroïsme, ou dans la culture grise et chiante... —, une de ces rues tristouilles où se chamaillent des gosses barbouillés de morve, où des femmes enceintes traînent des cabas, une de ces rues bordées d'ateliers de papier bitumé et de bâtisses de plâtras pour sous-prolétaires, une rue sortie tout droit de chez Zola qu'un rayon de soleil ou une bouffée de croissants chauds rejette soudain chez Prévert.

Au fond de la cour d'un de ces clapiers à pauvres, un de ces ateliers pour pauvres. La machine secoue la baraque à lourds coups placides bien réguliers. La porte poussée, le fracas vous avale. Trois presses se démènent, noires, luisantes de graisse, sous la verrière rafistolée. La plus grosse fait le plus de boucan, son chariot va et vient sur le bâti trapu, cueille une feuille de papier à un bout, la recrache à l'autre bout, couverte de tortillons noirs serrés serrés qui racontent des choses. Ça sent violemment l'encre, la benzine, le plomb fondu, la graisse chaude, le dessous de bras d'homme. Je suis très ému. Je me dis que j'ai pénétré dans l'antre sacré, là où s'élabore le Livre, où se multiplie la Pensée. Je me grise volontiers de majuscules sublimes, dans l'intimité de ma tête. Grandi dans la passion de l'imprimé, intoxiqué de lecture jusqu'à la moelle, et avec ça curieux comme un chiot, j'ai toujours tenu en grand respect l'invention de Gutenberg et tout ce qui s'y rattache. Tout gosse, je me hissais sur la pointe des pieds pour tâcher de voir fonctionner par la fenêtre, l'été, la petite presse à cartes de visite du père Henry, l'imprimeur du bas de la rue Sainte-Anne★. Le père Henry n'aimait pas, il nous envoyait nous faire foutre, va savoir pourquoi.

Les presses sont de vieilles bécanes, la grosse surtout a un jeu terrible, il faut sans cesse la régler, ses coups de corne de vieux bouc obstiné ébranlent le quartier, n'empêche, à chaque aller et retour de l'énorme balancier, vlam, vlam, une feuille imprimée sort, et s'abat, grand oiseau blanc, dans un langoureux battement d'ailes, sur le tas qui, feuille à feuille, monte. Je me dis « C'est beau », avec conviction. Vraiment le public en or. Un tour à décolleter me laisserait admiratif mais froid.

Novi me présente Guichard, un gars placide, en blouse grise, pipe au bec. Ils sont trois associés, ils se sont connus dans un stalag, ils étaient ouvriers imprimeurs, ils ont mis ensemble leurs économies et leurs dettes, ils ont racheté les bécanes et le hangar autour, tout ça bien pourri mais ils avaient du poil au cœur et l'envie stimulante d'être leurs propres patrons.

Guichard m'emmène dans un coin noir, c'est par là que ça se tient pour moi : l'atelier de composition, la typographie, le « marbre ». Là s'active une machine fascinante. Un gros insecte de métal aux gestes anguleux de mante religieuse. Un homme effleure à toute vitesse son vaste clavier, déclenchant des dégringolades de petits bazars de laiton dans un cliquetis musical. Les petits machins jaunes tombent exactement côte à côte, juste dans le bon sens, quand il y en a une certaine longueur l'opérateur appuie sur le truc qu'il faut, fchiap, une giclée de plomb fondu emplit l'ensemble des petits machins, qui sont creux, chacun d'eux porte une lettre, en creux aussi, le plomb se faufile là-dedans, se fige et, plof, tombe sur un plan incliné prévu pour ça, ça fait une

★ Voir *Les Ritals*, Belfond 1978.

ligne d'écriture en relief, d'un seul bloc, et voilà qu'un long maigre bras surgit de je ne sais où, saisit délicatement l'alignement des petits moules jaunes maintenant vides de plomb, les élève jusqu'à un point précis, les laisse tomber sur une longue vis horizontale sans fin, et alors ils se mettent à courir tout le long d'un grand entonnoir plat, cliquetant tintinnabulant, et chacun d'eux, au passage, tombe là où il doit tomber, dans sa case à lui, prêt à repartir sous la sollicitation des doigts légers du linotypiste.

— Vous comprenez, me dit Guichard, chaque ligne est fondue d'un bloc. Si bien que lorsque vous trouverez une faute dans un mot, c'est toute la ligne qui est à refondre. J'ôte la ligne de plomb défectueuse, comme ceci, et je mets à la place la ligne corrigée, voilà.

Il fait ça prestement, à l'aide d'une sorte de pince à épiler.

— Les titres et les choses en gros caractères, je les compose à la main.

Il me montre. Il puise les blocs dans un tiroir divisé en petits casiers, la « casse », et il les dispose à l'envers sur une espèce de bout de cornière muni d'une gâchette qu'il tient de la main gauche, le « composteur ».

Guichard me débarrasse un coin de table, me glisse sous les fesses une chaise agonisante, me colle sous le nez un paquet de rubans de papier, les épreuves, et bon, à moi de jouer.

Je sais qu'il existe un code typographique pour les corrections, un recueil de signes mystérieux, je les ai vus dans mon *Tout en Un*, le dictionnaire que la ville de Nogent-sur-Marne offrait à ses glorieux lauréats du certificat d'études. Je le dis à Guichard.

— Oui, bien sûr, ça vaudrait mieux, mais on peut faire sans. Une lettre à supprimer, vous la barrez et vous tracez un « S » dans la marge. Une lettre à changer, vous la barrez et vous indiquez en marge celle que vous voulez à la place, ou même vous récrivez le mot en entier, c'est encore plus sûr. Les signes typo, c'est bon quand on doit corriger à toute vitesse, mais là vous avez tout votre temps.

Je demande pourquoi le texte se présente sur une seule colonne, longue comme un serpent boa.

— On pose les lignes de plomb sur le marbre l'une derrière l'autre, comme ça vient, autant que la presse à épreuves peut en contenir, et on tire l'épreuve. Après, une fois les corrections faites et reportées, vous couperez les colonnes selon les besoins de la mise en pages.

Ah, parce que c'est moi qui... Je me tourne vers Novi. Pas gêné pour si peu :

— Oui... J'ai pensé que vous aimeriez faire aussi la mise en pages, suivre votre texte jusqu'au bout. C'est passionnant, vous savez.

— Mais j'y connais rien !

— Ce n'est pas sorcier. Ça demande seulement un peu de goût, et de la patience. Je suis sûr que vous aimerez.

Ah, bon. S'il est sûr...

Pour corriger de l'imprimé, une bonne orthographe ne suffit pas. Il y faut encore un œil infaillible. Surtout quand on corrige son propre texte. L'œil distrait voit la faute, mais le cerveau corrige avant qu'elle n'arrive à la conscience parce qu'instinctivement nous supprimons ce qui nous déplaît. Enfin, moi, ça me fait ça. Je croyais avoir été implacable, je m'aperçois à ma honte que j'ai laissé passer une foule d'énormités. Maurice, le gars de la linotype, m'explique :

— Il faut que tu apprennes à oublier la phrase, juste te concentrer sur le mot. Tu suis de la pointe du crayon, tu t'obliges à ne penser à rien d'autre qu'au mot. Surtout, ne t'intéresse pas à ce qui est raconté !

Pas facile. Je me gargarise de mes belles phrases, moi. J'en déguste l'enchaînement rigoureux, l'harmonieuse envolée... Se voir imprimé, ça fait quelque chose, tiens. Tant que j'y suis, je perfectionne. Je m'aperçois que j'ai une tendance à forcer sur l'adjectif, à enfiler les épithètes à la queueleuleu, comme des perles. Je biffe. Et puis, il me vient des expressions plus heureuses. Je change. Je tends les épreuves à Maurice, qui saute en l'air.

— Eh ben, dis donc, t'es pas vache avec l'ouvrier, toi. Tu te rends compte : t'as pas laissé dix lignes sans retouches ! Autant tout refondre, ça ira plus vite.

Il regarde de plus près.

— Et presque tout en corrections d'auteur ! Ah, non, là

ça ne va pas, mon petit père ! Faut que t'en parles à Guichard. Je veux bien corriger mes coquilles, c'est réglo, rien à dire, mais si tu te mets à récrire entièrement ton papelard, c'est plus possible, la maison en serait de sa poche. Et de toute façon, moi, à sept heures, je me tire.

Tout penaud, je dis :

— Bon, je savais pas, moi. Laisse tomber les corrections d'auteur, comme tu dis.

— Un peu, que je les laisse tomber !

Il se penche vers moi.

— Et ce litron, tu le paies ?

J'aurais pu y penser tout seul. Décidément, je n'en loupe pas une.

*

Les corrections faites, puis vérifiées, commence la mise en pages. Au vrai, elle aurait dû commencer avant, puisque la « définition » — le choix des caractères — et la « justification » — la largeur des colonnes — découlent de la mise en pages. Mais je prends le travail en cours de route, c'était jusqu'ici Novi qui s'en chargeait, et qui s'en chargeait sans enthousiasme. Il faisait tailler tous les textes sur la même justif, et après il dévidait ses colonnes, les collait à la file comme des rouleaux de papier peint, si c'était trop long il coupait, si c'était trop court il entrelardait de blancs, s'il y avait trop de blancs il les garnissait de petites vignettes passe-partout dont Fortuné lui avait dessiné d'avance une bonne provision. Ça faisait assez tiré par les cheveux. Sans rien y connaître, j'étais sensible au côté bâclé de la chose. J'avais envie de faire mieux. Mon côté pinocheur obsessionnel.

Une fois de plus : par quel bout ça se prend ? Devant moi un gros pot baveux de colle de poisson, un trognon de pinceau planté dedans, une paire de ciseaux, un crayon bleu, un monceau de textes en colonnes à l'état brut, et des feuilles de papier blanc qui s'appelleront des « gabarits » quand j'aurai tracé dessus les contours des marges de chaque page de ce qui sera, si tout va bien, le numéro deux de *Zéro*. Ah ! aussi une règle plate, en acier, graduée, d'un demi-mètre, qui n'est pas un demi-mètre : sa gradation n'est pas en centimètres, mais en « cicéros », unité déconcertante au nom grisant. Et aussi un catalogue des caractères disponibles, pour choisir les titres.

Guichard m'explique qu'en typographie on ignore le système métrique. On mesure en cicéros et en points, comme au temps de Gutenberg. Le cicéro contient douze points, on l'appelle d'ailleurs aussi un « douze ». Sur le typomètre, les cicéros sont divisés en quatre, chaque division contient donc trois points. C'est drôlement petit, un point, à quoi ça peut bien servir ? T'en fais pas, ça sert. Il y faut du doigté, il y a des espaces d'un point, d'un demi-point, ça a l'air mesquin, comme ça, mais l'œil y est sensible, il y trouve plaisir ou déplaisir.

Bon, faut y aller, quoi. Je regarde comment est fait le numéro un, j'essaie d'en faire autant, j'essaie de faire mieux. Je me rends bien vite compte que grande est ma prétention. Il faut caser là-dedans des dessins, ils sont déjà clichés, c'est-à-dire qu'ils se présentent sous la forme de plaques de zinc gravées en relief, clouées sur des pavés de chêne pas question d'en changer les dimensions. Il faudra que le texte se faufile autour, comme il pourra. Penser aux titres ! Penser aux sous-titres ! Attention si page de droite (« bonne » page) ou page de gauche ! Mon bel article de la nuit flotte, perdu dans sa trop grande page blanche. Je demande s'il est encore temps que je l'illustre. Guichard se laisse attendrir, mais il faudra que je porte moi-même les dessins à la photogravure, de l'autre côté de Montmartre, au diable.

Une première page enfin montée, j'ai moins la trouille. Je me dépatouille pas trop mal avec ma colle à piéger les éléphants. Je regarde entre les doigts de Guichard se matérialiser « en vrai » ma mise en pages. Il pose sur le marbre les paquets de lingots de plomb qui sont les colonnes de texte, faufile des « blancs », case les dessins, les titres, ficelle le tout bien serré, coince les pages de plomb dans de grands cadres de fer, les unes à l'endroit, les autres à l'envers, c'est le mystère de l'« imposition », et voilà, c'est prêt à être calé sur la presse, à recevoir l'encre, à la reporter sur le papier vierge, à des milliers d'exemplaires, texte, dessins, tout comme ça a été écrit, comme ça a été dessiné...

✳

Ce travail me plaît, me plairait, si j'y étais moins godiche. Il ne me serait jamais venu à l'idée de me mettre à la mise en pages, mais pourquoi pas ? Quand Novi me propose de continuer et de faire en plus le secrétaire de rédaction, je ne sais pas trop en quoi ça consiste, on verra bien, je dis oui. Je vous donne quinze mille francs par numéro. C'est pas le pactole mais ça bouche un trou. Et ça paraît tous les combien ? Eh bien, dès qu'un numéro est presque épuisé, on met le suivant en route. Je vois. Et vous épuisez un numéro en combien de temps ? Oh ! ça dépend. Ça dépend du rendement de l'annonce, du temps qu'il fait, du moral des vendeurs... En ce moment, j'ai quelques bons éléments, le numéro un aura été liquidé en deux mois.

Y aura-t-il un numéro trois ?

✳

Zéro n'est que très accessoirement un journal. Il aurait pu être n'importe quoi d'autre qui puisse se vendre à l'accrochage. C'est là sa véritable raison d'être : fournir au jeune vendeur quelque chose à vendre, quelque chose de peu fragile, de peu encombrant, qui se dissimule facilement derrière le dos, se brandit à l'improviste sous le nez de la victime, se laisse coller d'autorité entre ses doigts, offre un prétexte culturel-aide aux jeunes... Le journal est l'objet qui se prête le plus complaisamment à la vente sauvage. Aucune perte : on attend que tout soit vendu pour mettre en chantier le numéro suivant. Pas nécessaire de se casser la tête pour le contenu. Le « client » considère qu'il s'est fait gentiment avoir, il passe ses deux pièces de cent balles par profits et pertes et pense à autre chose. Supposons qu'il aille jusqu'à jeter un œil distrait sur la marchandise, il n'en fera pas un drame si s'y étale un amateurisme sans vergogne. Cela pourra même lui paraître sympathique, authentifier le côté petits jeunes bien courageux de la chose, et aussi le côté mécène de son geste à lui, bonne pomme, même s'il a presque fallu le déculotter pour lui arracher ses deux cents balles. De pigeon, le voilà devenu grand seigneur protecteur des arts et des lettres. Ça le flatte, cet homme.

Rien de tout cela n'est jamais dit, bien sûr. Même pas un clin d'œil. Novi, imperturbable. Il joue son personnage d'indigné social chronique, d'écorché vif de l'injustice faite au pauv'monde. Peut-être aussi, après tout, qu'il ne joue pas. Ou qu'il ne sait pas lui-même où commence le jeu... Commercialiser ses tendances les plus généreuses, voilà le secret des grandes réussites. C'est en se battant très sincèrement pour la République que le citoyen Bonaparte s'est retrouvé empereur à la surprise générale et à la sienne propre. Plus tu es sincère, plus tu es en paix avec toi-même. Et plus, donc, tu es efficace dans la grande foire d'empoigne. Ce qui prouve qu'il y a une morale.

Bon. Je ne suis pas là pour tracer le graphique psychologico-caractériel de Jean Novi. Ça m'amuse de le voir fonctionner, comme ça, en passant, parfois ça me fascine, le personnage vaut le détour, mais moi j'ai du boulot, on m'a donné un journal à faire, et je découvre que j'aime ça, et je m'y mets de tout mon cœur, il n'y a que comme ça que la vie vaut la peine.

Autrefois on me donnait plutôt la cour à balayer. Je la balayais de tout mon cœur, en vrai professionnel du balayage, fignoleur et tout. Je suis programmé comme ça, je ne supporte pas de m'ennuyer, l'ennui m'est une souffrance aussi violente qu'une rage de dents, je préfère cavaler jusqu'au prochain arrêt plutôt qu'attendre le bus ne serait-ce que dix secondes, et donc je prends le risque de le louper, et je le loupe en effet, et je recavale jusqu'à l'autre prochain arrêt, et je fais comme ça tout le parcours à pied, et j'arrive en retard, dégoulinant, boursouflé d'angoisse, mais j'aime mieux l'angoisse et la course à pied que m'emmerder au coin de la rue, na. Quand on est fabriqué comme ça, le mieux est encore de s'intéresser à ce qu'on fait, quoi que ce puisse être, fût-ce déboucher une fosse à merde. Je dis fosse à merde parce que ça aussi je l'ai fait, ça m'est arrivé, comme à mon papa, eh, oui. Eh bien, une fosse à merde, en plus que c'est de la merde et qu'il faut plonger dedans, il faut s'y intéresser. Il y a une manière.

Là, c'est un journal qu'on m'a confié. La chose précisément dont je rêvais, l'inaccessible, l'objet de nos convoitises folles, à nous, les petits humoristes obligés de faire les putes pour complaire aux vendeurs de merde imprimée.

Fred et moi, on exulte. Bien sûr, nous ne sommes pas les maîtres absolus, nous avons des comptes à rendre. Novi, malgré ses très réelles pulsions anticonformistes, est engoncé dans une conception de la respectabilité assez paralysante. Il ne faut pas choquer le passant, encore moins le boutiquier, lequel voit d'un sale œil ces jeunes effrontés enquiquiner l'acheteur éventuel et détourner son attention des séductions de la vitrine pour laquelle lui, boutiquier, paie patente. Il ne faut surtout pas donner prise au flic, allié naturel du commerçant patenté, ennemi instinctif de l'incongru. Les vendeurs ont beau être en règle et la vente au colportage sur la voie publique a beau être protégée par la loi comme la forme la plus spontanée de la liberté d'expression, le flic renifle là du gibier de flic : du pauvre. Du pauvre. Alors ? pas de « gros mots », et entortiller le marteau de chiffons avant de cogner. A part ça, ce qu'on veut.

Fred donne vie à un projet qui lui trotte par la tête depuis longtemps et dont, naturellement, personne ne veut : « Minus, le Surhomme intermittent ». C'est une bande dessinée qui se paie la fiole de « Superman », l'idole de la presse américaine du dimanche, vedette d'un film qui fait ici, en ce moment, un malheur. Moi, je continue la série des « bonnes affaires », je ponds des « enquêtes » sur la presse du cœur, les guérisseurs, les horoscopes, l'immobilier, le « milieu »… Je me lance dans la critique littéraire à propos du livre d'Yves Gibeau, *Allons z'enfants*. J'inaugure, sur la suggestion de Novi, les « Billets de Tartuffe », comme leur nom l'indique. Je signe d'un tas de noms, pour faire grande équipe : Pierre Marchant, Michel Renard, Jean Duval, Louis

Camerel... Jean Novi... et même François Cavanna. Et puis, je mets en pages, cahin-caha, je corrige les épreuves, je m'initie à la sauvette aux subtilités et tours de main de l'art typographique, dans le fracas des machines, les coups de gueule et les grosses blagues des gars de l'imprimerie.

Un jour, je découvre mon nom dans l'« ours » — le pavé administratif réglementaire —, suivi de la mention « rédacteur en chef adjoint ». Promotion. Du coup, c'est à moi qu'il échoit de choisir les dessins. Ça, c'est moins drôle, ça. Tous les dessineux sont des potes à moi. Me voilà passé de l'autre côté. Du côté des Madames de Morfond « Non, H. de M. »... Et impossible de me résigner à accepter des pauvretés conçues pour *Marius* ou *Ici-Paris*.

— Donnez-moi du bon, je leur dis. Profitez-en. Montrez ce que vous savez faire.

— Ouah, dis, eh, pour le prix, tu crois pas que je vais te filer de l'inédit ! Et comme resucées, moi, j'ai que ces conneries-là, forcément.

Hm... J'ai bien peur d'être obligé de convenir que tel et tel qui râlaient à la petite semaine contre les niaiseries qu'on les forçait à pondre ne peuvent au fond rien faire de mieux, n'ont rien d'autre que « ça » dans le bide, et sont bien attrapés quand on les met au pied du mur... Me voilà tout emmerdé.

Novi, entre-temps, a découvert la Providence. La Providence des petits journaux méritants et des bulletins paroissiaux de curés de campagne : l'A.P.P., l'Agence Parisienne de Presse, 28 rue des Jeûneurs. Pour un prix fort modique, on y trouve à foison des articles tout faits, cousus main, signés de noms éblouissants : André Maurois, Pierre Humbourg, Paul Guth, Michèle Deixonne, Rémy Roure... et aussi des jeux, des tests, des Marius-et-Olive, du sport, de la science, des recettes de cuisine, du jardinage, du bricolage, des éditos politiques, de la culture, des romans d'amour, des contes, des nouvelles... Un André Maurois, de l'Académie française, deux feuillets dactylo, douze cents balles★ ! Comment s'y retrouve-t-il, l'illustre ? Novi m'ex-

★ Douze cents francs 1954, c'est-à-dire légers légers...

plique. C'est un texte qui a paru en édito dans un hebdomadaire quelconque auquel Maurois collabore régulièrement. Il a été payé, inédit, mieux que confortablement (« de l'Académie française » valorise la griffe). Après un délai décent, le Maître revend le texte à une agence, en l'occurrence l'A.P.P., laquelle lui en donne de nouveau une bonne pincée, et maintenant c'est à l'A.P.P. de placer son Maurois au plus grand nombre de clients possible, à un prix tellement bas qu'aucun pisse-copie ne pourra lutter. Y a-t-il donc tellement de journaux modestes en mal de copie pour que le placement de ces resucées soit rentable ? Eh oui, et c'est même mieux que rentable, beaucoup mieux.

Du Maurois, c'est du passe-partout. Bien élevé, bien léché, moderne sans choquer la baronne, courageux sans bousculer le pot de fleurs, presque aussi hardi de pensée qu'un colonel en retraite, ça se place comme des croissants au beurre. La presse de province et de l'étranger francophone en raffole, et aussi ces journaux qu'on trouve chez le dentiste, les organes corporatifs, les bulletins de comités d'entreprise, les magazines offerts à l'œil par les grands magasins, les almanachs, les agendas... J'ai vu la pile des ronéotés, à l'A.P.P. : un mètre de haut pour un seul article. Je comprends maintenant pourquoi on retrouve les mêmes textes, plus ou moins somptueusement mis en pages, dans des tas de publications et à des années de distance : c'est si soigneusement neutre qu'on peut les publier encore vingt ans après, ils tombent toujours à pic.

Qu'il se penche sur les problèmes du couple, ou sur la délinquance qui recrudesce c'est-y pas des malheurs, ou sur la guerre qu'est une chose si triste qu'on va peut-être bien voir encore une fois mais faut espérer que non, il est toujours merveilleusement dans le coup, sans avoir à changer un seul mot. Un gars qui pensait à sa retraite des vieux en écrivant sa première phrase. « Les temps sont durs, gardons le sourire », ainsi pourrait-on résumer l'œuvre journalistique de monsieur André Maurois (de l'Académie française). Que quatre-vingt-quinze pour cent des Français confondent avec François Mauriac.

Je fais observer à Novi que ce n'est pas précisément avec

ça qu'on fera le journal anticonformiste que *Zéro* se flatte d'être. L'inoxydable sourire se teinte de ce que j'appellerai une nuance d'agacement.

— Le public existe, ami. La police aussi. Des noms comme André Maurois, Paul Guth ou Rémy Roure sont un gage de sérieux, d'honorabilité. Le client éventuel est rassuré quand il les voit, en grosses lettres, sur la couverture du journal que lui propose le colporteur. Il sait que ces auteurs français, ces grands hommes, ne se prêteraient pas à une entreprise qui ne serait pas irréprochable...

Je dis :

— Et, bien sûr, le client se figure que ces grands hommes ont pris la plume spécialement pour *Zéro*.

— Ce n'est pas nous qui le lui disons, en tout cas... Il y a aussi le moral du colporteur. il sera beaucoup plus gonflé s'il vend des textes de valeur plutôt que les élucubrations d'illustres inconnus....

— Comme Pierre Marchant, Jean Duval, François Cavanna...

— Ne le prenez pas mal. Pensez aussi à la police. Les flics sont enragés après les colporteurs. Sous le moindre prétexte, ils les embarquent, les gardent des demi-journées au poste, les accablent de contraventions. La vente sur le trottoir est permise, mais pas le racolage, ce qu'ils appellent « importuner les passants ». Autrement dit, la parole du flic fait loi. Croyez-moi, auprès d'un chef de poste ou d'un commissaire de police, un journal de qualité, où figurent fièrement des signatures prestigieuses, a son poids quand il s'agit de faire libérer une équipe.

Faut bien que je me contente de ça. Je sais qu'il a raison. Se rend-il seulement compte que ce qu'il me dit revient à tenir le genre humain, ses passants, ses colporteurs, ses flics, ses andrémaurois et moi-même pour un épais, bien tassé et homogène magma de cons ? Oh ! il s'en défendrait. Et d'abord le mot le choquerait, il faudrait dire « imbéciles »... Bon. Faut voir. Je ne crois plus tellement à la possibilité d'infléchir *Zéro* vers le chouette formidable intelligent marrant sans pitié journal qui que dont auquel... En attendant, j'apprends à écrire (quand je me relis, à quelque distance, je rougis de ce qui m'avait paru génial sur le moment), j'apprends à faire un journal, ça ne peut pas être du temps perdu. Considérons ça comme une espèce de stage.

En même temps, bien sûr, je continue mon train-train d'humoriste à la pige, et aussi mes petits boulots de dessineux toute main.

Un ami de Novi nous donne de temps en temps des pamphlets mordants, d'un style châtié, aux élégances un peu surannées, très vieille France, qui m'impressionne. Je rêvais d'écrire comme ça. Maintenant, je sais que ce n'est pas mon genre. Il signe Jean Brasier, parle et s'habille comme il écrit. J'apprendrai qu'il exerce pour vivre le métier de comptable et qu'il épuise ses nuits à préparer des examens arides mais rassurants.

Comme je l'ai dit, la conception et la fabrication de *Zéro* ne constituent que l'aspect le plus accessoire de l'activité des éditions Novi. L'essentiel de cette activité est le recrutement, la formation et, surtout, le gonflage permanent du moral des colporteurs.

Le recrutement se fait par les fameuses petites annonces quotidiennes dans *France-Soir*. « J.H., J.F., 4.000 par jour... » Le chômage sévit. Une queue de postulants s'étire à la porte du petit bureau, souvent jusque dans la cour. C'est l'affaire de Denise, la femme de Novi. Elle doit en quelques secondes jauger les candidats, déceler les canards boiteux et les évincer sans faiblesse, convaincre les autres de la chance formidable qu'ils ont de pouvoir s'élancer, un paquet de journaux sous le bras, sourire aux lèvres, à l'assaut des passants qui foncent sous la pluie d'hiver, hargneux, tête baissée, crocs en avant. Surtout elle essuie le premier choc de la déception de ces jeunots qui croyaient aux petites annonces du Père Noël et qui découvrent qu'effectivement ils PEUVENT gagner quatre mille francs dans la journée, à condition de placer les quarante journaux correspondants.

Il n'y a là ni escroquerie, ni exploitation de la misère. L'affaire est parfaitement régulière. Sur les deux cents francs que rapporte un journal, cent francs restent l'acquis du vendeur, vingt francs vont à son « chef d'équipe », c'est-à-dire au gars chevronné qui le forme, le stimule et, au besoin, l'aide. Dix francs rémunèrent le « directeur des ventes » qui coiffe toutes les équipes. Le reste passe en fabrication, en petites annonces, en loyer, téléphone, frais généraux... et en bénéfices du promoteur de l'entreprise, Jean Novi.

L'expérience enseigne que tout nouveau colporteur doit rapidement être capable de placer son minimum de quarante exemplaires par jour, sinon il se décourage et, un matin, sans prévenir, il ne revient pas. Le rôle du chef d'équipe est capital. Il lui faut de l'entrain, de l'autorité, du doigté, un certain sens de la psychologie, une bonne dose d'abnégation... et ne pas lésiner sur les tournées de blanc sec ! Le blanc sec est le nerf de la vente sauvage. Le chef d'équipe s'occupe d'une demi-douzaine de vendeurs ou davantage et doit en plus assurer sa propre vente. C'est dur, très dur, mais, c'est vrai, un gars qui « en veut » gagne vite de l'argent, et même beaucoup d'argent.

Tout le secret consiste à forcer les gars à faire ce qu'ils ne feraient pas d'eux-mêmes. Vaincre sa timidité, s'imposer brutalement à l'indifférence, à l'hostilité des passants, s'accrocher mordicus, ne pas lâcher sans avoir vendu... Il y a beaucoup de déchet. Certains trouvent très vite là ce qui convient parfaitement à leurs aptitudes et que, nulle part ailleurs, ils n'avaient trouvé. D'autres, de loin le plus grand nombre, n'y trouvent au contraire que la confirmation de leur conviction intime d'être irrémédiablement ratés.

La quasi-totalité des garçons et des filles qui s'accrochent sont des mal à l'aise dans la société. En porte à faux avec la norme établie, instables, fugueurs, en cavale de leur famille, tempéraments d'aventuriers, de cabochards, souvent réputés « feignants » parce que n'ayant jamais pu mordre à aucun travail « honnête », et qui, lâchés sur le trottoir, se révèlent d'enthousiastes vendeurs, voire des meneurs d'hommes.

✱

La France a perdu une grosse guerre mais, ses généraux n'étant pas fatigués, elle s'amuse maintenant à en perdre de petites. Le désastre de Dien Bien Phu vient de frapper les Français de stupeur. Moins que celui de Sedan, tout de même. On s'habitue. L'armée française reflue, sans tapage. Les engagés « pour la durée des opérations » sont rapatriés discrètement et puis libérés, les opérations étant terminées.

Cela teinte d'une nuance nouvelle le produit des petites annonces. Des gaillards à tournure de grands fauves aux griffes mal rognées se mêlent aux éternels chercheurs de situation.

Le soir, les yeux rouges d'avoir traqué la coquille, je descends de l'imprimerie à pied par le faubourg Saint-Martin et je viens boulevard Bonne-Nouvelle respirer une bouffée de jeunesse. Le retour des colporteurs, ça vaut le coup. Ils arrivent, transis, souvent ruisselants, les pieds recroquevillés dans des « baskets » d'où l'eau gicle, triomphants s'ils ont « fait leur moyenne », péteux s'ils ont mal travaillé, soulagés en tout cas que ce soit fini jusqu'à demain. Ils rendent leurs comptes à Denise Novi, et puis traînent là, au chaud, dans le bureau minuscule, déconnent, chahutent, des bouffes s'organisent, des couples se trouvent, des sauvetages de paumés qui ne savent où coucher s'improvisent, des bouchons de champagne sautent : une nouvelle a fait ses quarante pour la première fois, elle est des nôtres, pour elle hip hip hip hourra !

Ce soir-là, le nouveau consacré était un grand type efflanqué, le cheveu taillé court sur un crâne rond, la bouille avenante, une ombre de moustache blonde, sur les épaules un blouson flamboyant aux énormes quadrillages écossais. C'était son troisième jour, il avait « fait » ses quarante, il avait fait mieux que ses quarante, il en avait fait quatre-vingt-deux. Sensation. Il était magnifiquement soûl. Il avait bu le champagne qui lui était offert, et puis il en avait fait venir avec ses sous à lui, tout le champagne qu'il pouvait payer avec son gain de la journée, et puis tout ce qu'il pourrait payer avec son gain du lendemain, il avait pas la trouille, et essayez voir de l'arrêter. Le voilà debout sur la chaise, gueulant par-dessus les plus grandes gueules :

— J'ai pas honte de le dire moi, je suis un ancien d'Indo. Parfaitement. Quelqu'un de pas d'accord ? Bon. Je m'appelle Bernier. Sergent-chef Bernier Georget. Georget, c'est mon petit nom, c'est ma mère qui me l'a donné, mais faut pas lui en vouloir : elle est bête. J'ai tout fait, blessé, palu, tubard, réformé, et je vous emmerde. Je vous enfoncerai tous, tas de civils, tous !

Il boit un coup, au goulot, le champagne lui fuse du nez, lui coule le long du menton. Son œil fait le tour de l'assistance, un œil plus malin que féroce, moins bourré qu'il ne s'en donne l'air. De la voix puissante du sous-off qui donne le ton, il entonne ce chant viril :

— Quand Jésus-Christ créa la Coloniale,
Il vit qu'il lui fallait des types costauds,
Des types costauds !
N'ayant pas peur du feu et de la mitraille
Et sachant boire le vin et le pernod,
Et le pernod !

L'assistance, enthousiaste, beugle en chœur l'héroïque refrain.

Novi arrive là-dessus. Novi est antimilitariste, foncièrement. Il m'a expliqué. Élevé dans les enfants de troupe, il y a ramassé une haine solide de l'armée et des galonnés. L'ambiance guerrière de cette soirée le cueille à froid. Le sourire se fait rictus, la prunelle vire à l'orage. Denise apparaît à son côté, comme elle apparaît : va savoir d'où. Elle lui annonce, discrète, le chiffre de vente du nouveau. Les yeux de Novi s'agrandissent, s'arrondissent, s'adoucissent, le sourire redevient sourire, super-sourire. Antimilitariste, bon, mais chacun son opinion, n'est-ce pas. Novi sable symboliquement le champagne à la gloire de Bernier, symboliquement car Novi ne boit que du café. Et puis il s'en va, emmenant Denise, et la soirée continue au « Bouquet ».

— Paul et Virginie dans une chambrette
S'amusaient ensemble comme des petits fous.
Elle lui tripotait sa grosse quéquette,
Il lui chatouillait son p'tit trou-trou...
Ah, laissez-moi, monsieur, j'ai mes affaires,
Depuis deux jours, j'appartiens aux Anglais

Oui, z'aux Anglais !
Les arrêter serait une triste affaire,
Laissez couler, couler le sang français !

...

Bon dieu, avec des gaillards pareils, comment ont-ils fait pour perdre l'Indochine ? Peut-être qu'en face ils étaient encore pire ? Ça devait être chouette, les nuits de Dien Bien Phu !

*

Dès le lendemain, Bernier est bombardé « directeur des ventes ».

Immédiatement, ça remue. Le nombre de débutants qui résistent à l'épreuve de la première journée grimpe en flèche, chaque soir le champagne coule pour les « Quarante » de plusieurs nouveaux confirmés, les équipes se multiplient, Paris devient trop petit, des tournées sillonnent la province, d'abord en train, puis dans des bagnoles achetées à la casse.

Bernier secoue la baraque. Cette grande gueule se révèle tout autre chose qu'une grande gueule. Un fonceur, un meneur d'hommes, un organisateur, un paquet de santé et de culot, propulsant les hésitants, virant les mous, ne s'encombrant pas de détails. Je ne sais pas ce qu'il valait comme sous-off, mais il semble bien qu'il ait ici trouvé sa voie. Les mots « homme d'action » font pâlot, appliqués à cet ouragan d'efficacité. Un dingue de l'action, oui. Un risque-tout que la difficulté stimule, un dévorant, un projectile lancé vers je ne sais quelles formidables revanches.

Encore un gosse de pauvres. De très très pauvres. Sa mère, veuve d'un cheminot, garde-barrière dans l'Est, aux confins brumeux de la Champagne et de la Lorraine, l'a élevé cahin-caha dans les escarbilles que lui crachaient au nez les grands express pleins de belles madames.

« La soupe au lard ! Tous les soirs la soupe au lard ! Tu peux pas savoir. Des choux et du lard. Du gras de lard, je veux dire, et de la couenne. Me parlez pas de soupe au lard, rien que les mots je dégobille...

J'aimais lire. Je lisais tout ce que je pouvais attraper. Je me cachais. Mes sœurs se foutaient de moi. »

A treize ans, on le met au travail. Apprenti dans une fromagerie.

« C'était dur, t'as pas idée. Mais surtout, qu'est-ce que ça puait ! Une vraie charogne. On le sait pas, ça. Les fromageries, ça pue, mais ça pue ! T'avais beau te laver, rien à faire, tu puais. Le dimanche, je me faisais foutre de ma gueule parce que je puais le fromage pourri. J'allais au bal pour me faire une fille, les filles elles fronçaient le nez, pourtant des filles de la campagne, pas la première fraîcheur, ça se lavait le bout du nez chaque dimanche, et encore : la poudre de riz remplace bien, quand ça commençait à chauffer il leur sortait de la vapeur de sous les bras, ça sentait plutôt l'écurie que la boutique de coiffeur, tu peux me croire, même une, je me rappelle, on était en train de danser, on frottait sec, tout près tout près, voilà que je vois un morpion qui lui sort du sourcil, un gros père morpion qui se promène sur son front, sans s'en faire... Te dire ! Eh bien, ces salopes, elles voulaient pas de moi, à cause de l'odeur. Et ma mère qu'attendait la paie pour faire becqueter les frangines... Bon, j'en ai eu marre, je me suis châtaigné avec le taulier, je me suis tiré du boulot, j'ai pas osé rentrer à la maison, j'ai foutu le camp droit devant moi, jusque dans le Midi, j'avais plus un rond, j'ai trouvé de l'embauche comme plâtrier. Plâtrier, tu parles ! J'avais jamais vu de plâtre autrement que sur les murs. J'y suis allé au culot, je me suis démerdé, après ça j'ai trouvé à faire des grands chantiers, à la tâche, je faisais des plafonds, tant du mètre carré, je bossais comme un dingue, je couchais sur l'échafaudage, sur les sacs vides, je mangeais du pain du saucisson, je me soutenais au blanc sec. Un gars de mon village est venu me rejoindre, Guy Garnotel, un copain d'enfance, qu'est-ce que c'était dur, merde ! On se tapait douze-quatorze heures par jour, mais j'aimais toujours mieux ça que leur fromagerie de merde ! On prenait de ces bitures ! Horrible. Et puis j'ai commencé à en avoir marre, toujours la même chose, et j'ai vu sur une affiche « Engagez-vous dans les troupes coloniales », j'ai toujours rêvé d'aller voir du pays, de toute façon j'avais dix-huit ans, un peu plus tôt un peu plus tard, en avant pour l'aventure, pas de regrets ! Mon copain Guy en a fait autant, comme de juste, ça fait qu'on s'est retrouvés tous les deux parachutistes sur les hauts plateaux.

Mais avant ça, ils nous ont fait faire nos classes, près de Toulon. Qu'est-ce qu'ils nous en ont fait chier ! J'en ai vu chialer, des costauds. Ils nous faisaient marcher en chantant des chansons boches, ils nous disaient « Je vous dresserai le poil, tas de Latins ! »

J'anticipe. Bernier ne m'a pas parlé comme ça tout de suite. Dans l'organisation Novi, on ne se tutoie pas. Politesse, cravate et discipline.

Novi aussi est un dévorant. Lui aussi fonce vers quelque chose, qu'il faut bien appeler la réussite, qui ressemble plutôt à une revanche. Une revanche à prendre sur la vie, sur l'enfance de brimades, sur les années de vacherie.

Novi et Bernier, deux révoltés, mais révoltés solitaires. Deux conquérants. La machine qui les écrase, ils ne veulent pas la jeter par terre, ils veulent grimper dessus, à griffes et à crocs, ils veulent la dompter, la salope, être ses maîtres. Aussi avides l'un que l'autre, aussi impatients, et combien différents ! La raideur contrainte de Novi, cette distinction affectée, ce sourire d'automate... Il a quelque chose d'un pasteur. Bernier est l'Aventurier majuscule, le soldat perdu, le légionnaire tatoué... Bien sûr, ce sont là les images d'eux-mêmes qu'ils se plaisent à donner, à se donner, c'est ainsi qu'ils se voient, qu'ils se veulent. L'impassibilité surplaquée de Novi cache mal une terrible violence contenue à grand'peine, toujours prête à exploser. La brutalité de soudard romantique de Bernier laisse voir, dans ses gestes de grand héron las, une faiblesse secrète, méprisée, niée, défiée, cravachée... Mais cette image qu'on donne de soi, n'est-ce pas justement ce que l'on veut, éperdument, être ? C'est donc ce qu'on est vraiment. Tel qui se rêve athlète et est avorton ne s'accepte pas avorton, se vit athlète, athlète truandé par le destin : sa vérité, c'est l'athlète, l'avorton est une erreur de livraison. Le coureur à pied qui a eu les jambes tranchées dans un accident n'est pas un simple cul-de-jatte, il est un coureur à pied qui a eu des malheurs.

Novi se veut Rockefeller. Bernier fonce droit devant lui, il sera temps de voir où ça mène quand on sera arrivé. Novi se bat pour gagner. Pour avoir gagné. Bernier se bat pour se battre, pour la soûlerie de l'action, pour le danger couru, la catastrophe frôlée, pour le sport. Tôt ou tard, ces deux fauves s'attaqueront au même os. Les poils voleront.

Pour l'instant, sous l'impulsion de Bernier, les éditions « Les Cordées » — Novi a appelé ça « les cordées », ça suggère des idées de solidarité, d'entraide, tous pour un-un pour tous... — les éditions « Les Cordées » foncent vers les zéniths. Les numéros de *Zéro*, tirés à cent mille, s'écoulent en un mois, l'imprimerie et la rédaction — c'est-à-dire moi — s'essoufflent à suivre le train. Bernier se paie sa première bagnole.

Une américaine. C'est son rêve fou, à lui. Plus américaine que nature. Une américaine pour émir. Novi, qui soigne le moral d'un aussi fabuleux directeur des ventes, a pris à sa charge le premier versement, et voilà la blanche Cadillac Eldorado décapotable qui éclabousse le boulevard de ses cuirs rouge sang. Une foule tassée, admirative-haineuse, s'amasse autour. Bernier fait claquer l'épaisse portière, déplie sa longue carcasse, le cou rentré dans le blouson flamboyant. Ses colporteurs lui font un triomphe. La belle américaine de Bernier est là pour leur prouver que le rêve est possible. Un jour, ils auront la leur, eux aussi.

✳

Nulle part le flic n'aime le colporteur. Mais en certains lieux cela devient de la haine enragée. Naturellement, ce sont les meilleurs lieux de vente. La gare Saint-Lazare, par exemple. Les flics n'arrêtent pas les colporteurs, ils n'en ont pas le droit, sauf sur plainte formelle, mais un flic a toujours le droit de demander ses papiers à un passant, de les examiner, de les garder par-devers soi en priant le passant de le suivre au poste de police pour « vérification d'identité », c'est comme ça que ça s'appelle.

Là, on enferme le colporteur dans la cage de garde à vue, avec les cloches, les putes et les petits malfrats ramassés dans la journée, et on le garde dix-douze heures, le temps nécessaire, paraît-il, pour aller voir s'il habite bien à l'adresse indiquée.

Quand les flics sont en verve, ou s'ils s'emmerdent, ils entreprennent de démolir le moral du petit gars.

— Si j'apprenais que mon fils fait ça, je l'enverrais en maison de redressement, aussi sec. Et la rouste que je lui filerais, avant !

— Tu sais comment que tu vas finir ? Tu feras des pipes aux vieux dégueulasses dans les pissotières, voilà ce que tu feras. Et qui c'est qui te ramassera ? Ça sera encore nous.

En fait, ce qui les fait renauder, c'est qu'ils soupçonnent que ces mômes se font plus de fric qu'eux, beaucoup plus. Et c'est bien vrai. Mais le mal qu'ils se donnent, les mômes, et les terribles coups de déprime, la pluie, le froid, les injures, la chambre d'hôtel miteuse, la traque obsédante du flic, tout ça, ils l'oublient, les rabougris jalminces.

Dix heures dans la cage, c'est la journée de travail fichue. Dix heures sans manger, ça n'arrange rien. Quand une équipe entière a disparu, comme engloutie par le pavé, il n'est pas difficile de deviner où elle se trouve : dans un poste de police. Une brève enquête la situe. A Bernier de jouer.

Du téléphone, d'abord.

— Allô ! C'est bien le commissariat du neuvième arrondissement ?

— ...

— Ici, le directeur des ventes des éditions « Les Cordées ». Passez-moi le commissaire, je vous prie.

— ...

— Non, c'est personnel. Veuillez me passer le bureau du commissaire.

— ...

— Bonjour, monsieur le commissaire. Je n'abuserai pas de vos instants. Un de vos chefs de poste retient indûment une de mes équipes sous je ne sais quel prétexte. Ces jeunes gens sont en règle, tous, absolument, j'y veille personnellement. Ils sont mineurs Leur garde à vue dans un poste de police est tout à fait illégale. Comme je suis moralement responsable d'eux, je vous suggère de faire en sorte que ces jeunes gens soient immédiatement remis en liberté.

— ...

— Ils importunaient les passants ? Vous avez des plaintes ? Les commerçants ? Allons, monsieur le commissaire, ce n'est pas sérieux ! Vous savez très bien que c'est la promiscuité du poste de police qui est le pire ferment de démoralisation de la jeunesse ! Ces jeunes gens exercent un métier honnête et pénible, ils seraient à citer en exemple à beaucoup d'autres qui se laissent glisser vers la paresse et la délinquance.

— ...

— C'est entendu, monsieur le commissaire. Nous ferons de sorte qu'ils se montrent un peu moins... fougueux. Mais vos agents devraient être un peu plus compréhensifs envers des jeunes qui veulent gagner leur vie honnêtement. C'est si rare de nos jours !

— ...

— Merci, monsieur le commissaire. Au revoir, monsieur le commissaire.

Quand les gars et les filles sortent du poste de police, la Cadillac blanche, majestueuse comme un porte-avions, les attend le long du trottoir. Le flic de planton les voit s'y entasser avec des hurlements de triomphe, les énormes feux rouges illuminent longtemps la nuit d'hiver, toute la bande fonce vers le petit bureau du boulevard Bonne-Nouvelle comme des oisillons vers la chaleur du nid.

Il arrive que le commissaire soit inaccessible. Ou vraiment peau de vache. Alors les gars restent enfermés aussi longtemps qu'il plaît à un chef de poste ricanant. Mais aucun règlement de police n'oblige un Français à mourir de faim. La grande Cadillac arrive, bourrée de sandwichs, de gâteaux et de bouteilles, que Bernier fait passer à ses poussins dans la cage, à travers les barreaux.

Bernier a un truc à lui pour jauger les nouveaux !

— Le matin, avant de démarrer, j'emmène tout le monde

boire un coup. Je commande des blancs secs. Pour tout le monde. Ceux qui se tapent ça comme des hommes, je sais que j'en ferai quelque chose. Ceux qui disent non, je préfère un lait-fraise, ou un chocolat chaud, ou un Coca, pas la peine d'insister. T'en tireras rien. Terminé !

Ne jamais laisser un vendeur sur un échec. Le minimum une fois atteint (la « moyenne » dit Bernier), on n'en redescend plus. Le gars qui rentre, le soir, fourbu, l'air coupable parce qu'il n'a pas « fait » son score, est aussitôt envoyé finir ses invendus sur le trottoir devant le théâtre du Gymnase, c'est juste à côté, même s'il pleut ou s'il gèle. Surtout s'il pleut ou s'il gèle.

*

Bernier vit seul. Il ne supporte aucune attache, aucune contrainte.

— Moi, je suis l'oiseau sur la branche. Aujourd'hui ici, demain va savoir où. Je pose mon sac pour la nuit. Je change de piaule quand ça me prend. Pas de femme chez moi. Ou juste pour une fois. Au matin, du balai. Je veux pas m'accrocher, je veux pas qu'elles s'accrochent. D'abord, moi, quand j'ai tiré mon coup, elles me débectent. Après, j'ai qu'une envie c'est de me retrouver tout seul dans mon plumard et m'étaler en étoile de mer.

Pourtant il a connu la vie à deux, en Indochine, dans un avant-poste isolé. Il lui arrive d'en parler, quand le champagne le porte à l'attendrissement. Elle l'adorait, le vénérait, femme-esclave, fière de son esclavage. La Tonkiki de la chanson. Lui aussi l'aimait, ça lui sort par tous les trous en dépit de ses airs bravaches. Mais il était l'esclave volontaire d'un autre esclavage. Quand il reçut son ordre de rapatriement, il écrasa la tentation comme on écrase un mégot, il s'était juste donné le plaisir vivifiant d'en savourer le goût, de la tentation, et puis, il avait embarqué, son sac sur l'épaule, et la petite sur le quai qui regardait son dieu s'en aller pour toujours... Autre plaisir sportif : celui d'avoir vaincu en soi l'appel de la tendresse, ce bourbier femelle qui clapote en un coin obscur de tout mâle, et d'avoir tranché pour la solution virile. Bernier est dominé par le besoin d'affirmer, de prouver sa virilité. Résultat de son dressage militaire ? Ou bien s'est-il fait soldat poussé par ça ?

Il y avait une fille parmi les filles, quand une fois on l'avait vue, on ne voyait plus qu'elle. Fraîche comme une pomme, belle comme ses dix-huit ans, pas plus compliquée que le soleil sur la rosée du matin, elle riait toujours, à tout, à rien, parce qu'elle aimait rire. Si l'on parlait d'elle, c'était ce rire qui vous venait d'abord à l'esprit. Elle vouait à Bernier une adoration muette. On en était gêné. On aurait voulu les laisser seuls. Cela devait se faire. Cela se fit. Cela dura. Récit de Bernier :

— Odile, bon, j'avais le béguin, je mentirais si je disais le contraire. Au petit matin, je décarre, je la mets dehors. Tu connais mes principes. Le soir, je rentre à l'hôtel, il devait être vers les deux trois heures du matin, j'avais bu un coup avec les chefs d'équipe, ou j'étais allé jouer au Multicolore, peut-être bien, enfin, bref, ma clef n'était pas au tableau, je monte, je trouve Odile dans mon plumard, ses affaires dans la penderie, des fleurs dans un vase, la calamité. Comment elle s'était démerdée, j'en sais rien. J'étais vanné, je me suis couché, et après, tu sais ce que c'est, t'es coincé. Baisé, enveloppé, possédé. Je la fous dehors, elle reste sur le palier, je cogne dessus, elle pleure, et puis elle revient. Je la balance en bas de l'escalier, elle reste là, elle attend que ça se tasse. Faut que je change d'hôtel, tout le monde se marre. Je peux quand même pas la tuer. Surtout que c'est une bonne vendeuse.

Il a ses pudeurs, le farouche. Et pour bien marquer qu'il ne fait pas de différence, il est plus vache avec elle qu'avec les autres.

*

Zéro, journal de colportage, n'a pas la cote auprès des dessinateurs humoristes. D'abord parce qu'il paie peu, surtout parce qu'il n'est pas de ces « grands » dans les pages desquelles s'amorcent les patientes carrières. *Zéro* ne mène à rien, qu'à *Zéro*. Monde à part, monde fermé, qu'on méprise et qui vous fait un peu peur, comme les romanichels.

Et c'est bien ce que nous sommes : les romanichels de la presse. Je fais mon journal brin à brin, comme on tresse des paniers. Bernier et ses effrontés le collent presque de force aux bonnes pommes sans défense, nous sommes à couteaux tirés avec l'autorité, tout ça nous rejette très à l'écart de la profession, et ça me convient tout à fait, je suis un solitaire, j'aime bosser tranquille dans mon coin.

Si les pros nous boudent, les débutants, par contre, accourent. Notre humilité même les rassure. Je guette les promesses de talent, c'est passionnant. Mais décevant. Les gars se jettent dans le dessin comme j'en ai vu se jeter dans la boxe : pour échapper à l'usine.

Louable ambition, mais ça ne suffit pas. La niaiserie de la presse illustrée fait des ravages. Tout jeunot qui croit avoir un coup de crayon passable imite la façon d'une vedette à la mode, sans le brio, naturellement. Mais le plus affligeant, ce sont les « gags »... J'ai l'impression qu'ils ne se rendent pas compte de la nécessité d'avoir quelque chose à dire. Du moment qu'on arrive à faire tenir debout des bonshommes vaguement humains — cela, déjà, soulève les cris d'admiration des copains et de la famille —, le reste, l'« idée », est secondaire. Un vague prétexte suffit. Comment ne se rendent-ils pas compte que c'est là l'essentiel, et le plus aride ? Il y faut d'abord cette tournure d'esprit qu'on appelle l'humour, mais encore doit-on savoir la cravacher pour la forcer à produire, à cadence régulière, des idées. C'est un travail aride, desséchant, parfois désespérant si l'on n'est pas en train...

Je suis navré devant tant d'inconscience. Je leur dis ce que je pense, j'essaie d'envelopper la chose, mais un « non » avec des rubans autour est toujours un « non », et ça fait mal. Je n'aime pas ça, pas du tout. D'autant que, trouvant pour une fois devant eux un interlocuteur, les petits veulent qu'on leur explique. Et ça débouche toujours, tôt ou tard sur :

— Vous dites que c'est pas bon, mais moi je trouve ça bon. Vous n'êtes pas en prise, quoi, dites plutôt, mais vous n'avez pas le droit de me refuser ça en disant que c'est pas bon. C'est pas bon pour vous, c'est génial pour un autre, peut-être.

Ben, oui, mais moi je n'ai que mon goût à moi pour juger, et je dois supposer qu'il coïncide avec celui du public — du public que je vise, c'est-à-dire celui dont le goût a suffisamment d'affinités avec le mien...

Mais voilà que des dessins m'ont tiré l'œil. L'auteur est un inconnu. Il signe « Giem ». Il a laissé plusieurs fois la chemise, j'ai publié quelques dessins dans *Zéro*, je sens, là derrière, « quelqu'un ». Un après-midi, je tombe sur ce Giem. C'est un tout jeune tout jeune. Petit, blond, joli comme un page, l'air d'un moineau méfiant — intimidé. Plus méfiant qu'intimidé.

On cause. Il a seize ans. Seize ans ! « Giem » est le concentré phonétique de ses initiales : J.M. Il s'appelle Jean-Marc. Jean-Marc Reiser. Il travaille à Ivry, chez les « Vins du Postillon », à je ne sais quel boulot obscur. Un enfant de purotins, comme de juste. Sa mère l'a élevé seule, en faisant des ménages. Celui-là, je lui dis de continuer, d'en mettre un sacré coup.

— T'es pas au point, mais tu as ce qu'il faut. Dans la tête, dans la main. Tu dois sortir ça de toi tout seul. Personne ne peut t'aider. Moi, je peux juste te dire « C'est bon », « C'est pas bon ». A toi de sentir pourquoi, encore une fois tu as tout ce qu'il faut pour ça. Tu vas en chier, c'est un métier très dur, très décevant, il y faut un moral d'éléphant. N'aie pas peur de travailler pour des prunes : il faut noircir des kilomètres de papier avant d'être au point, et de toute façon on ne l'est jamais, on évolue toujours. Sème tes dessins partout, inonde-les, ces cons-là. Et dès que tu le pourras laisse tomber le « Postillon », dessine à plein-temps.

Ce que me disait Liliane. Ce que me dit Tita. Autant que ça profite à quelqu'un.

Je m'écoute bonimenter, sentencieux comme un pape, et

je me dis que j'ai pas la trouille ! Moi, le besogneux du dessin, le gagne-petit de l'humour, avoir le culot de parler du haut de ma riche expérience à un jeunot qui, peut-être, me vaut cent fois. Et lui qui m'écoute, bien respectueux bien humble, et qui me dit « vous » et « monsieur »...

C'est là que je mesure que je suis en train de me perdre dans les grands bois. J'étais parti pour dessiner, moi, hé ! Pas pour choisir les dessins des autres, pas pour donner des conseils, pas pour mettre en pages, corriger, écrire... Il se trouve que j'aime ça, bon, mais si je me laisse détourner à chaque bifur de la route, où je vais me retrouver, moi ? Trente ans sonnés, et je joue toujours les bricolos. Je place encore des dessins, je cavale à droite à gauche pour des trucs pittoresques et nutritifs, mais il me faut bien prendre conscience que *Zéro* accapare de plus en plus de mon temps. Et *Zéro* n'est pas, ne peut pas être le « grand chouette journal » féroce, dingue, et, surtout, libre dont nous rêvions, Fred, moi et les autres. Je me cogne au boy-scoutisme de Novi, à son sens du « ce qui ne se fait pas », à son goût pour le style noble...

Pour mes étrennes, Novi me fait la surprise de me bombarder rédacteur en chef à part entière. Ce qui ne change rien à mon travail, mais s'accompagne d'un salaire. Pas l'Amérique, mais un salaire. Vingt-cinq mille balles par numéro, c'est-à-dire, pratiquement, par mois, sécurité sociale et tout ! c'est une base. J'annonce ça à Tita, tout fier.

— Ça tombe bien, dit Tita*. Laurent va en avoir besoin.
Laurent ?
Eh oui. Laurent est en route. Il naîtra en mai.

*

Je suis content que *Zéro* se trouve sur les Grands Boulevards. Je les aime depuis toujours. Depuis que, tout môme, avec Roger et Pierrot, sur nos clous rafistolés, nous

---

* Tita, oui. Patience, j'explique plus loin.

nous faufilions entre les bagnoles pour venir traîner à Paname. Paname, pour nous, ça commençait à la Bastille, ça s'étirait jusqu'à l'Opéra. Le carrefour Strasbourg-Saint-Denis était notre Broadway. Ça n'a guère changé. Le père La Souris est toujours là, et il m'épate toujours autant, même si, maintenant, je vois la ficelle. Vêtu de gris perle, très gentleman de champ de courses, melon assorti, cravate blanche, il fait courir sa petite souris de plastique sur son gilet, sur ses mains, sur sa figure, les femmes s'écrient « Quelle horreur ! » les enfants rient, la souris court, grimpe, se faufile, la voix mêlé-cass du père La Souris scande son imperturbable baratin, ne jamais s'arrêter, surtout, ne jamais s'arrêter, tant que tu causes tu les tiens, tu t'arrêtes ils se secouent et salut bonjour.

— Rien de sorcier, rien de difficile, mesdames et messieurs, ce petit jouet instructif, éducatif et intéressant pour tous les âges est à la portée d'un enfant de cinq ans. Voyez, je lui dis de monter, elle monte : « Montez, Rosette ! » — Vous voyez, elle monte. « Arrêtez-vous ! » — Elle s'arrête. Rien de sorcier, rien de difficile, elle court, elle court, la petite souris, mais oui, mon petit ami, elle t'obéira, elle fera tout ce que tu lui diras, tiens, commande-lui quelque chose... Ah ! ah ! on est timide, la petite souris aussi est très timide, vous vous entendrez bien ensemble, tiens, dis-lui bonjour... Voi...là. Eh bien, Rosette, vous ne saluez pas ce jeune homme qui vous a dit bonjour ? Voi...là. Allons, madame, vous n'allez pas refuser ce plaisir à ce charmant enfant, c'est cinq francs seulement, cinq francs la petite souris avec sa notice explicative, merci madame, c'est ça tout juste.

René la Boulange déroule son tapis, le même qu'autrefois, avec ses mêmes poids et son même compère à la gueule de vieux catcheur. Un peu plus enveloppés, les deux gros pères, un rien de flottement dans les paquets de muscles, mais de toute façon leurs muscles sont là pour la parade, pour arrêter le péquenot, pas pour se coltiner la fonte, ça comptez pas là-dessus. Pour risquer la hernie, ils ont toujours un jeunot, un tout flambard qu'ils sont allés cueillir dans une salle où s'entraînent les haltérophiles et à qui ils refilent un pourcentage sur la recette. De loin en loin, il soulève un truc, mais tout le boulot, c'est René et son pote qui se le tapent, le vrai boulot : le baratin. Ces deux-là, je ne m'en lasse pas. C'est toujours le même boniment éculé, les mêmes dialogues de clowns hurlés à la cantonade, j'ai tété ça avec le lait de ma mère, je m'y sens chez moi.

— Dis donc, Jojo !

— Ouais ?

— Tu sens pas comme une odeur ?

— T'as raison, René, je sens une odeur.

— Tu sais une odeur de quoi ?

— Nan. De quoi ?

— Une odeur de radins. Voilà ce que ça sent : une odeur de radins.

— Maintenant que tu me le dis, ouais, t'as raison, y'a comme une odeur de radins.

— Y'a pas que l'odeur, Jojo. Les radins, y sont pas loin. T'as vu ce qu'ils ont osé donner ? Y z'ont des pièges à rats au fond des poches, ma parole ! Ils se figurent p't'être qu'on va leur montrer le travail pour des clopinettes. Qu'est-ce que t'en penses ?

— Si ils croient ça, alors ils se gourrent, René.

— Non, Jojo. Ils ne se gourrent pas. Ils savent qu'on est des consciencieux, nous autres, des sportifs, des artistes. Ils savent qu'on a notre honneur et notre dignité. Ils se disent : « Pourquoi se fendre de vingt ronds puisque de toute façon ils vont le faire, le travail ? » voilà ce qu'ils se disent. Et nous, tu sais quoi, Jojo ?

— Nan, René. Quoi ?

— Eh bien, nous, le travail, on va le faire. Voilà. Et tout de suite. Je suis écœuré, Jojo. Écœuré. Tel que tu me vois, j'ai envie de chialer. Mais ça fait rien. Allez, on y va.

Il attrape un chiffon, le passe sur la barre d'un gros haltère. Ses épais dorsaux font encore bonne figure sous le maillot de corps. Le public, voyant qu'on ne s'occupe plus de lui, quitte ses mines hypocrites et s'installe pour bien voir. René se redresse.

— Dis donc, Jojo !

— Ouais, René ?

— C'est pas possible qu'ils soient aussi dégueulasses ! Dis-moi que c'est pas possible.

— ...

— Écoute, Jojo.

— Ouais.

— Tu m'écoutes ?

— Je t'écoute, René.

— Tiens, on va leur montrer comment qu'on est, nous. On va leur faire honte. On va leur faire, tiens, tu sais quoi ? Allez, on se dégonfle pas. On va leur faire le double épaulé-jeté par la diagonale. Exécution !

— Oh, René !

— Quoi, Jojo ?

— Tu sais ce que c'est ce que tu causes ?

— Ouais, Jojo, je le sais. C'est du suicide, voilà ce que c'est. Un exercice tellement dangereux que plus dangereux que ça y'en a pas au monde, même les Romains ils osaient pas le faire faire aux chrétiens dans l'arène. C'est pour leur faire voir, à tous ces rapiats. Parce qu'ils me dégoûtent. Je suis tellement dégoûté que je ne sais plus ce que je fais.

— Oh, René !

— Ouais ?

— J'ai une idée.

— Une idée, tu dis, Jojo ?

— Ouais, René, j'ai une idée.

— C'est quoi, ton idée, Jojo ?

— J'ai idée que si on leur demandait un tout petit effort, ils nous laisseraient pas tomber. Tiens, cent francs à droite, cent francs à gauche.

— D'accord, Jojo. Allons, les sportifs, un bon mouvement ! Encouragez l'artiste qui va risquer la mort pour vous satisfaire. Je demande cent francs sur ma droite, cent francs sur ma gauche, et on commence. Dépêchez-vous, on commence tout de suite ! Vous allez assister à un exercice que les organisateurs des championnats du monde de poids et haltères ainsi que le comité olympique ont refusé d'inscrire au programme des épreuves en raison du danger formidable qu'il représente pour la vie de l'athlète. En effet, pendant plusieurs secondes il aura les veines du cœur

150

tendues à éclater, et s'il y en a une qui lâche, je dis bien une seule, mesdames et messieurs, crac, il tombe raide mort dans d'atroces souffrances. C'est pourquoi, mesdames et messieurs, je prie instamment l'assistance de garder le plus profond silence pendant la démonstration et surtout de ne pas pousser des cris de frayeur. Danger de mort !

Allons, encore vingt francs à droite, trente francs à gauche, et on commence...

Sur le boulevard il y a la petite dame qui, soudain, s'accroupit, ouvre une petite valise, en tire un couple de minuscules boxeurs articulés découpés dans du carton, un blanc un noir, et la petite dame, debout, donne des ordres à ses boxeurs de dix centimètres, et les boxeurs de carton se battent, dociles, se couchent, se lèvent, sans aucun mécanisme, sous l'œil blasé des badauds à qui on ne la fait pas, qui savent très bien qu'il y a un fil, même s'ils ne le voient pas. Moi non plus, je ne le vois pas, pourtant il est là, sur le trottoir, couleur de trottoir, et il remonte dans la jambe du pantalon du gars à chapeau qui garde la main dans sa poche... Bien sûr, qu'il y a un fil, et c'est bien là la merveille ! Essayez donc de faire gigoter deux petits boxeurs de carton à l'aide d'un fil caché dans votre poche ! Moi, j'ai essayé...

Il y a le fakir Azan dans sa baraque, un homme terrible en turban. Il y a Madame Destina dans sa vitrine, si belle, si mystérieuse, si orientale... Adolescent, elle me bouleversait. Elle est restée très belle, fanée avec délicatesse, un peu jaunie, son regard toujours perdu vers les inaccessibles horizons.

Il y a Aimable et son accordéon, dans le bistrot au coin du boulevard et de la rue Saint-Martin, quasiment en vitrine, et la foule massée sur le trottoir qui dodeline au rythme d'« Aubade d'Oiseaux ».

Il y a les grands cafés à musique, le Madrid et son orchestre de femmes en uniformes rouges, le Globe, ses chœurs russes, son immense salle de billard au sous-sol; il y a la librairie Gibert Jeune, son formidable étalage de vieux bouquins sur le trottoir, ses rayonnages poussiéreux où, perché sur une échelle, depuis quinze ans je traque le livre pas cher; il y a les soldeurs de parfums, un, surtout, qui arbore une grosse dégueulasse fascinante tache de vin sur la joue; il y a les vendeurs de mouchoirs à la valise; les chanteurs, et même, parfois, des équipes de malfrats qui pratiquent le bonneteau sur un parapluie ouvert, comme à Clignancourt.

Je n'ai guère le temps de profiter de tout ça mais, de le sentir grouiller autour de moi, ça me fait du bien, ça me rend tout content.

*

Et les années passent. Guy Mollet reçoit des tomates sur la gueule, l'Algérie se met à flamber, on la quittera comme on a quitté l'Indochine mais en attendant on s'accroche, on tue, on se fait tuer, de Gaulle sauve la République en Mai 58 après lui avoir fait le croche-pied, il la change de numéro, la prend sous sa protection personnelle et invente les nouveaux francs pour dévaluer sans en avoir l'air... La dévaluation, on l'aurait avalée, ce n'était pas la première, mais les nouveaux francs, vingt-cinq ans après on ne les a pas encore digérés... Enfin, bon, c'est l'Histoire.

1953-1954
Néo

*

Maman me dit :

— Je sais pas ce qu'a ton père, depuis quelques jours je le trouve pas très en train. Il me couverait quelque chose que ça m'étonnerait pas.

C'est vrai. Papa n'est pas dans son assiette. Je le trouve sombre, renfrogné, lui, l'insouciance même. Ses traits tannés vieux cuir ont quelque chose de brouillé. Il boude sa soupe, lui, le broyeur d'os.

Maman a l'inquiétude harcelante :

— Tu vois bien que t'es pas dans ton état normal, tout ce que tu voudras ! Tu te sens pas bien ? T'as mal quelque part ? Dis-le-moi donc où que t'as mal ! Tu m'auras attrapé un coup de chaleur sur la tête. T'es en train de me faire une congexion célébrale, qu'il y a rien de plus mauvais. Je vais te préparer un bain de pieds bien chaud avec de la farine de moutarde, ça va te dégager.

Nous sommes en août. Nous serions en décembre, maman proposerait un cataplasme à la farine de moutarde. La farine de moutarde, ça brûle mais c'est souverain. Sur la poitrine contre le mal du froid, aux pieds contre le mal du chaud. Plus ça brûle, plus c'est souverain. Papa grogne « Va la la ! » et prend la porte.

— Et voilà ! dit maman. Saignez-vous donc aux quatre veines pour les soigner ! Le v'là parti au travail quasiment sans rien dans le ventre. Un de ces quatre, on va me le ramener sur une civière, et qui c'est qu'aura toute la misère ?

Ça n'a pas l'air de s'arranger. Papa se traîne. A force de questions, il finit par avouer, rageant de honte, qu'il est constipé. Depuis longtemps ?

— Mah... Sara au mvoins trvas semaines qué z'ai rien fait. Rien dou tout. Ma ça faisait dézà longtemps qué ze faisais pas boucoup, zouste oun pétit po, à peine à peine.

Maman prend les choses en main.

— Tu vas m'avaler un grand bol de tisane bien chaude et deux grains de Vals avec. Ça va te dégager comme avec la main. Tu crois que ça a du bon sens de se laisser boucher comme ça ? Tu sais donc pas qu'il y a rien de plus malsain pour la santé ? Ça peut te remonter à la tête, et te faire une belle congexion, et t'étendre raide mort, et si t'en réchappes tu deviens fou, comme la fille aux Castignola qui se prenait pour la Sainte Vierge, même qu'ils ont dû la mettre à Ville-Evrard, si c'est pas des malheurs, une fille belle comme ça, et travailleuse ! J'ai connu une personne, ça lui a fait exactement comme à toi, ses matières ne pouvaient plus sortir par là, eh bien, elles ont fini par lui sortir par la bouche. Un joli cadeau pour la famille, ma foi ! Pourtant, c'était pas n'importe qui, une dame très distinguée, qui avait été aux écoles et qui avait tous ses brevets. Je comprends pas qu'on puisse être aussi négligent avec soi-même ! La santé, qu'est-ce qu'il y a au-dessus de ça, tu peux me le dire ? Tant qu'on a la santé et qu'on est pas feignant, on peut gagner son pain et marcher la tête haute, v'là ce que je dis, moi. Quand on l'a plus, on n'est rien du tout, on n'est qu'un vieux chien galeux inutile qui peut bien crever sur place, personne lui donnera une écuelle.

Papa grogne, avale tisane et grains de Vals en faisant une grimace épouvantable.

Le lendemain, il est livide, moite d'une vilaine sueur.

— Les tes saloupéries, i m'ont dounné la coulique, ecco. Adesso si qué j'choum malade !

— C'est rien, ça ! C'est la purge qui fait effet. Tu t'écoutes trop, voilà ce que t'as. On voit que t'as pas l'habitude d'être malade. Ça t'a dégagé, au moins ?

— Dégazé rien dou tout ! Il est sourti rien ! I me fa l'envie, oh, l'envie, si qu'i me la fa ! I me la fa forte coumme toutes les diables, l'envie, et rien. Rien qui sorte. C't'envie-là, i me reste dans les bvayaux, i tourne, i se cougne partout, et alors quouante qu'i se cougne i me fa mal, oïmé qu'i me fa

154

mal ! Ça se voit bien que quéque çoje i voudrait sortir, ma i po pas. C'est bien pourquoi qu'i po pas sourtir, c't'envie-là, qu'i me fa tante mal.

— C'est parce que la dose n'était pas assez forte, dit maman. Pensez, depuis le temps, tu dois avoir des bouchons durs comme l'Obélixe, là-dedans, et gros pareil. Je vais aller t'acheter de l'huile de ricin. Tu vas m'en prendre quatre bonnes cuillerées, tu m'en diras des nouvelles.

— Oh, ma no ! Mva, ze prende plous rien de sta saloupéries ! No, no ! Bvas-la tva, la ta l'hvile !

Et il se sauve vers son chantier.

Quelque chose qui ressemble à la trouille me rampe dans les entrailles. Je dis à maman qu'il faut que papa voie un médecin, le plus tôt possible, aujourd'hui même. Je parle, prudemment, d'occlusion.

— Essaie donc de l'y mener, toi, chez le médecin ! Le faire venir ? Tu crois que les médecins se dérangent à domicile après huit heures du soir ?

✱

Le lendemain, le grand Dominique ramène papa à la maison dans son auto. Il a eu un vertige, il n'est pas bien du tout. Vivi✱ décide de l'emmener en voiture à la consultation de l'hôpital Saint-Camille, à Bry. Puisque c'est Vivi, papa se laisse faire.

A Saint-Camille, on décide de le garder « en observation ». J'ai maintenant vraiment peur.

— Qu'est-ce qu'il a ?

— On ne peut encore rien dire.

— Occlusion ?

— Ça, de toute façon.

— De quelle nature ?

— Au palper, on ne sent rien, c'est trop encombré, tout ça.

✱ Voir *Les Ritals*, eh oui.

— Vous avez fait une rectoscopie ?

Voilà l'homme en blanc soudain fermé comme une huître. Ces ploucs qui lisent *Science et Vie* dans les chiottes, quelle plaie !

— Tout est normal de ce côté. Nous ferons ce qui doit être fait.

Je le regarde bien en face. Les mots ont du mal à passer.

— C'est-à-dire l'anus artificiel ?

Il me regarde aussi, bien en face, mais ses yeux ne tiennent pas le coup, ils filent par la tangente.

— S'il n'y a pas moyen de faire autrement, comme solution provisoire... Vous comprenez, avant tout, il faut qu'on nettoie tout ça... Mais ne vous en faites pas tout un monde ! Ça se pratique très couramment, vous savez. Et ça ne laisse pratiquement aucune trace.

Aucune trace... Et dans la tête ? Elle ne laisse pas de traces, l'horreur ? Et se réveiller pour s'apercevoir qu'on vous a fait ÇA, qu'on en est LÀ, ça vous laisse intact ?

Il faut pourtant bien que je me contente de ça.

✱

Voilà donc papa malade pour la première fois de sa vie. A soixante-treize ans, pour la première fois, il est au lit à une heure où il devrait être sur le chantier. Il en est tout gêné. Sa belle grosse tête de vieux lion débonnaire aux riches couleurs de terre cuite creuse sur le blanc éclatant de l'oreiller une étoile de profonds plis bleus. Les yeux, lacs de montagne incongrus dans cet aride paysage d'ocres brûlés, reflètent un ciel plus pervenche que jamais. Ses cheveux de soie floche lui font une auréole légère. Il est confus de susciter tant d'embarras. Il a confiance. Il est entre les mains des docteurs, de ceux qui savent. Ils vont régler son affaire en moins de deux. Il regarde les autres malades, ses voisins, avec pitié. Il me désigne discrètement celui qui occupe le lit à sa gauche, un squelette blême ombré de vert-de-gris qui cherche désespérément l'air, bouche béante, déjà cadavre plus qu'à moitié.

156

— Çvi-là, vi, qu'il est bien malade, paur'diable.

Il n'est pas un vrai malade, lui. On va lui ramoner sta saloupérie qui lui encombre la tuyauterie, et basta, demain il remuera sa gâchée de mortier sous le ciel du bon dieu en bourdonnant sa petite chanson.

Il est bien poli bien humble avec tout le monde. Pour lui, docteurs, infirmiers ou femmes de charge, tout ce qui porte blouse blanche est un savant. Il leur répond bien poliment :

— Vi, messieur dottore.

Il faut partir.

Je l'embrasse très fort, maman pleure, elle ne se décide pas à le quitter, à le laisser tout seul dans cette grande salle qui pue l'éther et la mort...

Et c'est là, au moment où je m'en vais, que je reçois le choc. J'avise, au pied du lit, la pancarte avec la feuille de température. Toujours curieux de lecture, je me baisse pour la regarder en détail. Dans un coin, je lis, tracé d'un crayon léger, comme furtif, « NÉO ».

L'épouvante explose en moi. Néo... Pas besoin d'avoir fait sa médecine pour deviner que « néo » ne peut s'appliquer qu'à ces tissus perpétuellement « nouveaux », perpétuellement « jeunes », qui prolifèrent sans contrôle, envahissent tout, perturbent, écrasent, et tuent. « Néo », ça ne peut être qu'un euphémisme pour « cancer ». Papa aurait un cancer... Et un cancer capable de boucher complètement le gros intestin, pourtant si souple, si complaisant, ce doit être un cancer énorme... Tout ça me passe par la tête à toute vitesse. Que maman ne se doute de rien. Rester souriant, houspiller ses lamentations trop prévues... Je sais. Je suis seul à savoir. Qui me ménagera, moi ? Drôle de charge à porter...

Je reviens à l'hôpital dans l'après-midi, seul. Je demande à voir le patron, le chef de service, l'interne, je ne sais pas, moi, enfin le médecin responsable de papa. On m'éconduit. Je m'accroche. La terrible nuit de Tenon m'a blindé contre les dérobades hospitalières. Je suis enfin devant une blouse blanche, qui ne peut rien me dire, adressez-vous au patron du service. D'accord, j'y vais. Il n'est pas là. Où est-il ? Chez lui. C'est où ? Au Perreux, telle rue, tel numéro. Un quart d'heure après, j'étais pendu à la sonnette de son pavillon.

— Eh bien, oui, monsieur, il aurait bien fallu vous le dire tôt ou tard, c'est malheureusement exact, votre père a un cancer du rectum. Nous étions décidés à opérer ce que nous espérions n'être qu'une banale occlusion due à un volvulus ou à une autre cause mécanique, mais une rectoscopie préalable nous a immédiatement mis sous les yeux la réalité. La cavité rectale est totalement envahie par la tumeur. A ce stade, il serait illusoire de vouloir intervenir. Cela donnerait un coup de fouet au développement des tissus malades qui proliféreraient de plus belle, et je ne parle pas des métastases, qui sont dès maintenant en place, n'en doutez pas.

J'avais beau y être préparé, j'avais voulu de toutes mes forces croire que ce « NÉO » pouvait vouloir dire tout autre chose, et même rien du tout, griffonnage, aide-mémoire... Plus moyen. J'étais devant la bête. L'abomination qui n'arrive qu'aux autres. Depuis des mois — des années ? —, papa nourrissait ça dans un repli de son ventre. Il travaillait, chantonnait, blaguait avec les copains, riait de son incroyable rire, se faisait engueuler par maman, se tourmentait pour moi, le quotidien, l'insouciant quotidien, et la saloperie grossissait, grossissait, doublait d'un jour sur l'autre, et un jour elle a tout rempli, elle a fermé le passage. La veille, elle était moitié moins grosse, tant qu'elle laissait un goulet elle restait insoupçonnée, le lendemain elle double, et ça y est, verrouillé, comme le nénuphar du problème amusant qui double de surface en un jour... Mais, bon dieu, toute tumeur n'est pas cancer !

— Vous avez fait une biopsie ?

— Vous voulez absolument espérer, je vous comprends. Faire les prélèvements serait le tourmenter pour rien et cela précipiterait l'évolution. Tous les signes cliniques sont malheureusement irréfutables.

— Il est... très avancé ?

— Très.

— Il n'y a aucun espoir ?

— Il n'y a jamais « aucun » espoir. C'est une maladie mal connue, on a vu se produire spontanément des guérisons stupéfiantes, qui contredisaient tous les pronostics. Priez. L'hôpital Saint-Camille appartient aux prêtres.

— Oui. On ne peut plus compter que sur un miracle, quoi. Et que comptez-vous faire ?

— Rien. Tant que ça n'est pas douloureux, laissons-le tranquille. Nous allons pratiquer une ouverture sur le côté gauche, pour permettre l'évacuation des matières. Cela va le soulager instantanément car c'est uniquement cet encombrement qui provoque ses malaises actuels. Dès qu'il sera remis de cette petite intervention, il pourra rentrer chez lui.

— Où la chose continuera à grossir...

Silence.

— Mais il n'existe donc pas un traitement, du moins un essai de traitement, même empirique, même expérimental ? Même si ça coûte très cher ? A Villejuif, vous ne croyez pas...

— Croyez que s'il y avait la moindre chance... Inutile de le tourmenter, on ne pourrait agir, chirurgicalement ou par radioactivité, qu'en détruisant une quantité de tissus énorme, ce serait incompatible avec sa survie, et nous n'aurions pas pour autant réglé le problème des métastases. Ce cancer est pratiquement déjà au stade de la généralisation.

— En somme, s'il n'avait pas, accessoirement, provoqué cette occlusion intestinale, on ne se serait aperçu de rien ?

— Plus pour longtemps.

Voilà maintenant le plus dur. Allons-y.

— Docteur, combien de temps ?

Il me regarde, bien emmerdé. Mais il en a déjà trop dit, et c'est bien là la question suivante, elle vient exactement à son heure.

— Allons, docteur, je vous en prie. Je ne vais pas faire une crise de nerfs sur votre tapis.

— Six mois. Peut-être un an, mais c'est un maximum.

Ce n'est pas fini. Il y a encore ça :

— Et... Ce sera dur ?

— Il est robuste. Le cœur est en parfait état. Ce sera long... Et, oui, ce sera dur. Probablement très dur.

Cette fois, je crois que c'est tout. J'ai mon sac. Je cherche quelque question à poser encore, retarder le moment où je me retrouverai dans la rue, sous le joyeux soleil, avec ça dans la tête en train de me bouffer tout vivant.

— Docteur, je vous en prie, je préférerais que ma mère ne sache pas. Pas tout de suite.

— Cela va de soi. Comptez sur moi.

Eh bien, voilà. Merci, docteur. Au revoir, docteur. Il me pose la main sur l'épaule.

— Courage !

Ben oui.

*

Six mois, un an... Jusqu'ici, les drames me tombaient dessus sans prévenir. Cette fois, j'aurai le temps de bien déguster. Et il faudra jouer au con, faire celui qui y croit, se coller une bonne tête d'optimiste, aussi longtemps, du moins, qu'on pourra mentir sans trop d'invraisemblance.

Je regarde papa, je me dis que, bientôt, il ne sera plus là, j'essaie d'imaginer ça, je n'y arrive pas, il a toujours été là, dans ma vie, quelque part, et voilà, il n'y sera plus, il est déjà parti. Je ne peux plus le voir, ni penser à lui, sans en même temps le voir mort... Pas un instant... L'image de papa, ce réconfort, ce coin-refuge au fond de moi, cette grosse patte calleuse qui me prenait par la main, l'image de papa est désormais une image pourrie, une image d'épouvante, de nuit, de froid, de solitude.

Non. Plutôt n'importe quoi, mais agir. J'insiste tant qu'on finit par emmener papa à Villejuif. Les cancérologues de là-bas ne peuvent que confirmer, prescrire des médicaments anodins.

Papa rentre à la maison, rue Sainte-Anne. En convalescence, croit-il. Il se sent mieux, il est content, un peu humilié par cette poche de caoutchouc qu'il porte à son flanc, collée à lui comme une grosse sangsue, mais qu'on lui ôtera dès que la voie naturelle aura repris sa fonction, c'est-à-dire très bientôt, promis juré. Il guette en lui les signes du renouveau, demande dans combien de temps il pourra retourner au travail. Les deux Dominique le blaguent.

— Bientôt, Vidgeon, bientôt ! T'es bien pressé ! T'en as de la chance de pouvoir rester à rien faire ! Tu ferais mieux d'en profiter sans te faire de bile. En ce moment, le travail, c'est plutôt calme, mais le mois prochain on met en route trois gros chantiers, et alors, là, oui, qu'on aura besoin de toi ! Tu ferais bien de te dépêcher de finir de reprendre des forces.

Papa écoute, papa rit. Ses patrons ont été ses dieux vivants depuis qu'il a eu l'âge de tenir une pelle. Il se lève, tournaille dans la cuisine à pas flageolants. Je le prends sous le bras, je l'emmène jusqu'au bistrot de la rue Brillet où de vieux Ritals de sa génération passent le temps autour du poêle à jouer aux cartes. Ils fument des cigares tordus qui puent les trente-six diables et abattent les cartes aux figures étranges à formidables coups de poing sur la table.

— Eh, ma, l'est l'nout' Vidgeon qu'il est là ! Alours, Vidgeon ? M'hann' dett' qu't'étais malade, qué t'poutèv' mia caga' ! Ma ze le vas que t'es tout à fait guouari, adesso. Ça fa plaigir te var, Vidgeon. Tiens, seye-tva là couté de mva, couté le fo, qué dihiors fa pas çou, dihiors*.

Papa s'assoit dans la bonne chaleur des copains. Tous du valle Nure, tous vieux galopins qui se connaissent depuis l'enfance, tous venus en France adolescents avec une marmitée de polenta froide dans la musette, tous maçons, trop vieux maintenant pour grimper « sou l'çaffoud** ».

On se relaie pour promener papa. Des fois moi, des fois Vivi, des fois Arthur, Arthur Draghi, qui habite depuis toujours sur le même palier que nous et qui aime tendrement papa.

------

* Depuis *Les Ritals*, vous avez peut-être perdu l'habitude du sabir dialetto-français, alors je vais vous aider :
— Eh, mais, c'est notre Petit-Louis qui est là ! Alors, Petit-Louis ? On m'a dit que tu étais malade, que tu ne pouvais pas chier ! Mais je vois que tu es tout à fait guéri, maintenant. Ça fait plaisir de te voir, Petit-Louis. Tiens, assieds-toi là à côté de moi, à côté du feu. C'est que dehors, il ne fait pas chaud, dehors.
** « Sur l'échafaud ». L'« échafaud » : l'échafaudage.

Papa s'impatiente, s'étonne de cette guérison si lente à venir, commence à broyer du noir.

— Ze le vas bien qu'il est touzours la même. Sta roba-là — à travers son chandail, il frappe sur l'humiliante poche —, ze l'avrai touzours, ze le sais, mva.

Et voilà que ses forces, qui semblaient, peu à peu, revenir, de nouveau déclinent. Une lourdeur le prend aux jambes. Il n'a plus goût à sortir. Il secoue la tête.

— Françva, ze vais te le dire qu'est-ce que ze crvas, mva. Je crvas coumme ça qué guouarir, ze guouarirai pas. Zamais. Ze le sente bien qué sara quoualcose qué vous me le voulez pas dire.

— Mais non, papa ! Qu'est-ce que tu vas chercher ! On te cache rien, voyons. Tu perds courage parce que tu peux pas du jour au lendemain trotter comme un lapin. Tu viens d'être malade, mon vieux, sérieusement malade. Tu voudrais être guéri en un jour, toi ! On voit que t'as pas l'habitude d'être malade. Pense à Arthur, qui reste des fois des semaines au lit parce qu'il a mal aux reins. Pas vrai, Arthur ?

Arthur le fait au bourru cordial.

— Eh, Vidgeon, tu nous emmerdes ! Un peu de patience, quoi. Mon vieux, je voudrais bien être à ta place et me dorloter un peu, moi je te le dis.

Arthur parle français tout à fait bien, juste une pointe d'accent.

Je sais qu'il existe des gens qui prétendent avoir trouvé le remède contre le cancer. J'ai même écrit naguère un article dans *Zéro* contre ces charlatans exploiteurs de détresse. Les charlatans exploiteurs de détresse se foutent de ce qu'on peut écrire sur eux. Ils se foutent même de ce que l'Ordre des médecins les traîne devant les tribunaux. Ils savent que, tant qu'il y aura des malheureux condamnés à la mort sans recours assaisonnée de souffrances abominables, il y aura aussi des gens qui aimeront assez ces malheureux pour acheter à n'importe quel prix leurs fioles d'espoir. Quand on n'a plus rien à perdre, on quémanderait au diable lui-même l'illusion d'un espoir, l'illusion de « faire quelque chose ».

J'ai eu la combine je ne me souviens plus par quelle filière.

162

Les journaux en avaient parlé, les uns pour dénoncer l'imposture, les autres — les plus nombreux — pour déplorer qu'« on n'ait plus le droit de sauver des vies ». Campagnes, procès, condamnation, le scénario habituel. Avec pour résultat une publicité énorme au bénéfice du « bienfaiteur de l'humanité persécuté », de l'« humble et obscur savant autodidacte » inventeur du produit miracle.

Encore une fois, quand il n'y a plus rien à faire, on n'a pas le choix. Je ne l'avais pas. Je serais allé chercher un guérisseur s'il s'en était trouvé un pour se vanter de guérir le cancer... Pas si bêtes ! Je suis donc allé trouver ce marchand de perlimpinpin.

C'était dans un hôtel, sur les Champs-Elysées, très bon genre. Je m'attendais à ce que le docteur — il se donnait pour médecin — m'interroge sur l'état de papa, j'avais sur moi tout un dossier. J'ai commencé à en parler, mais il m'a interrompu, ça ne l'intéressait pas. Son produit délogeait le cancer où qu'il se trouve, allait le débusquer, se fixait électivement sur les cellules en pleine prolifération anarchique, les attaquait vigoureusement, les éliminait à tout jamais. M'expliqua-t-il brièvement.

Il avait quelque chose de traqué dans l'allure. Me prenait-il pour un possible flic ? Il me tendit un coffret de carton. Un de ces noms chimiques invraisemblables était imprimé dessus, avec, dans un cartouche rouge vif, la mention « Usage vétérinaire exclusivement ». Il m'expliqua :

— Ne vous inquiétez pas, c'est pour la police, on ne sait jamais.

Je lui payai ce qu'il me demanda — cher, très très cher —, il m'ouvrit la porte, vérifia que personne ne m'attendait sur le palier, me poussa dehors. Les verrous claquèrent.

C'étaient de grosses ampoules pleines d'une espèce de sérum un peu trouble. Il fallait en administrer une par jour, en intramusculaire. Pas question d'en parler au docteur Walter, j'avais promis le silence. Je tâtai prudemment Mme Rousseau, l'infirmière. Elle ne voulut rien faire sans une ordonnance du médecin. Je n'avais jamais fait de piqûres. Et que dire à maman, qui ne comprendrait pas que

163

je fasse le travail de l'infirmière ? Il aurait fallu que je lui raconte tout, à commencer par le cancer.

*

Papa décline maintenant très vite. Il ne quitte plus le lit. Le lit-cage où j'ai grandi, dans la petite chambre fourre-tout. Il maigrit comme à vue d'œil. Son beau teint de brique s'est dissous, un jaunasse terne lui plombe les joues, il se plaint de douleurs vagues dans le ventre. Je lui annonce que j'ai acheté le terrain pour construire la maison. Il est content. Et flatté. Il le dit à Arthur, à tous ceux qui viennent le voir :

— L'me Françva, i se fa la maijon !

Je passe rue Sainte-Anne presque chaque jour, j'ai un travail énorme, c'est l'époque où *Zéro*, sous l'impulsion de Bernier, a pris la cadence mensuelle, et il faut bien aussi que je participe avec Tita à la vie du ménage : elle part très tôt pour son bureau, j'emmène Jérôme à la crèche, des trucs comme ça. Je sais que papa est entouré, Vivi s'occupe de lui, lui apporte des gâteries, le rase quand je n'en ai pas eu le temps...

Je me suis entraîné à faire les intramusculaires, sur ma propre cuisse. Passé la sale petite appréhension du début, c'est vraiment une rigolade. Tu lances la seringue comme une fléchette, pas chercher à pousser, juste lancer, l'aiguille se plante comme dans le beurre, au ras de la seringue. Je me risque à tenter le coup sur papa. Je lui dis que c'est un fortifiant, ça va le remettre sur pied, on ne va pas déranger l'infirmière pour si peu, surtout qu'elle coûte cher, l'infirmière. Papa approuve. L'argent, faut pas le gaspiller. Il se laisse faire. Il a confiance. Il a toujours confiance, papa. Qui pourrait lui vouloir du mal ?

Je prépare mon petit bazar, éther, ouate, seringue et aiguille longuement bouillies, ampoule magique. Je soulève la chemise de nuit de coton blanc. J'ai un choc. Les cuisses ont fondu. Littéralement. Ses formidables musculeuses cuisses trapues, glorieux piliers vivants. Un lambeau de peau flasque pend à l'os. Ça a été terriblement vite. La peau est jaune grisâtre. La gorge me serre, les yeux me piquent. Je tourne le dos, pas qu'il me voie. Tendu dans l'appréhension de la piqûre, il s'impatiente.

— Cos' tou fas ?

— Ça vient, papa, je cherche le bon endroit.

Je cherche surtout un endroit où piquer sans me planter dans l'os.

Je m'en tire presque à tâtons, les larmes me brouillent la vue.

— Ça y est. Je t'ai pas fait trop mal ?

— Z'ai senti rien dou tout.

— Ça te fera du bien.

Papa opine avec chaleur. Je pense qu'il veut me faire plaisir. A ceux qui viennent le voir, il raconte fièrement que je sais faire les piqûres, comme un docteur.

— L'me Françva, l'a me fa la piqûre, z'ai eu même pas mal, rien dou tout. Lvi, l'sa tout fare. Pas bisoin qu'a va l'école, l'apprende toute cos' qu'i veule. L'ne sa plous dans la sa tête coumme oun dottore.

— Et cos' qui fa, coumme travail, l'vot' Françva, messieur Louvi ?

— Oh, lvi, l'fa des guignols per mette dans le zournal, ecco cos' qui fa, lvi. L'est oun mestière qué fout n'avar dans la tête, en plous qué les dvoigts i fout qui va coumme i fout. Mva, ze le poutrais même pas tinir il crayon, ze le sentirais même pas dans les mes dvoigts, tante qu'il est pitite. Ma lvi, tout cos' qu'a veut fare, la fa, lvi.

Papa montre les journaux où je dessine, il les a en pile sur une chaise, près du lit, de temps en temps il en prend un, il regarde mon dessin, attentivement, il ne sait pas lire mais je lui ai expliqué la blague, il hoche la tête, admiratif, à son tour il explique au visiteur :

— L'est l'me Françva qu'il a fait ça.

Maman, maintenant, sait. Elle a pressé de questions le docteur Walter, notre docteur. Le docteur Walter ne sait pas mentir. Elle a reçu le coup comme elle les reçoit : sans flancher, mais en clamant sa peine aux quatre vents. Entre un ménage et une lessive à l'autre bout de Nogent, elle accourt, gravit les trois étages à grands coups de pied, nettoie papa, lui épluche un bouillon de légumes, retape le lit, tout ça en bougonnant, houspillant, commentant par le détail ce qu'elle fait et le mérite qu'elle y a. Le docteur Walter vient presque chaque jour, il fait coïncider ses arrivées avec celles de maman, il la connaît bien, elle travaille pour sa femme.

Souvent, je viens passer la nuit, je couche dans le « grand » lit, avec maman. Et je l'écoute, comme autrefois, pleurer sa vie, raconter son naufrage à la nuit. Je la prends dans mes bras, je ne dis rien. Que dire ?

— J'ai eu rien que de la misère, moi, rien que de la misère. Depuis que je suis au monde, j'ai été bonne qu'à travailler comme une pauv' vieille bête, et mon pauv' vieux aussi. Et voilà, maintenant qu'on allait être un peu heureux, que je lui disais tous les jours mais arrête donc, t'as bien assez travaillé, t'es bien assez vieux, reste un peu tranquille, profite de la vie, je peux travailler pour deux, et notre François ne nous laissera pas dans le besoin, mais lui : « Va la la ! », c'est tout ce qu'il savait dire, ses chantiers, ses patrons, ça comptait pour lui plus que père et mère, plus que femme et enfant, et voilà, voilà... Oh, c'est trop dur, c'est trop dur... Le bon dieu n'est pas juste.

Elle tient papa propre comme un bébé. Lui, muet, se laisse faire, ravalant sa honte. La maison resplendit. C'est que maman a sa fierté, son sacré orgueil qui toujours lui a maintenu le nez au-dessus de l'eau.

*

Voilà maintenant huit mois que papa est malade. J'ai arrêté les piqûres de perlimpinpin, elles n'ont manifestement aucun effet, et il est décharné au point qu'il m'est impossible de trouver une place où enfoncer l'aiguille. J'avais fini par en parler au docteur Walter, qui avait haussé les épaules.

— C'est surtout à vous que vous vouliez faire du bien. Vous soulager la conscience, pouvoir vous dire que vous aviez tout tenté, même l'impossible, même l'absurde. Laissez-le donc tranquille. Et vous, essayez d'accepter l'idée de l'irrémédiable. Les jours qui viennent vont être très durs pour lui. Il va commencer à souffrir. Je l'aiderai autant que je le pourrai. N'hésitez pas à m'appeler. Votre père est un ange.

✳

En août 1950, pour la première fois de sa vie, papa avait pris des vacances. Ça lui faisait soixante-dix ans tout ronds. Avec le cousin Cisti, il était monté dans le train à la gare de Lyon, et il était allé passer quinze jours à Bettola, dans ses montagnes natales. Tout seul, il n'aurait pas pu : pour prendre le train, il faut savoir lire.

Maman, pas question qu'elle aille dépenser ses sous dans ce pays de sauvages. « Que je sais seulement pas dire bonjour ni bonsoir dans leur charabia, de quoi j'aurais l'air, je vous demande un peu ? J'aime mieux mettre mes sous de côté pour m'acheter une cuisinière neuve, que voilà la mienne qu'est toute percée de partout. »

Et moi, je faisais la route à vélo, je rejoignais papa là-bas, ça me faisait ma grande virée sauvage de cette année-là.

Il faudra un jour que je raconte mes grandes virées à vélo. J'avais bricolé mon vélo — pas celui de mes seize ans, le fabuleux, celui de l'exode de juin 40, non, celui-là un malfaisant me l'avait volé sur un chantier, en 41, j'en avais été malade, j'en suis pas encore remis —, je l'avais bricolé à ma façon pour le cyclotourisme ou appelez ça comme vous voudrez, c'était à l'origine un vélo de course, quoi de plus beau qu'un vélo de course avec ses roues rapprochées rapprochées, si tu n'as jamais roulé, cale-pieds bloqués, sur un vélo de course juste à tes mesures tu peux pas savoir, son cadre léger comme une bouffée de mimosa, sonore comme un cristal, tout gris métallisé à discrets filets vert et or (les filets, je m'en serais bien passé, mais ça aurait fait tant de peine au peintre spécialisé dans ces trucs…), j'avais fait renforcer les entretoises qui écartaient ses fourches arrière afin que puissent y passer les roues de soixante-cinq à pneus demi-ballon, ça passait quart de poil, un rien de voile ça passait plus, j'avais acheté des porte-bagages en tube léger, je les avais sciés en morceaux puis je les avais fait souder autrement, à ma manière, et ma manière, très étudiée très scientifique, c'était que les sacoches devaient pendre le plus bas possible, au ras de la chaussée quasiment, avec tout le plus lourd au fond, pour faire ballast et assurer l'équilibre. La charge posée haut sur le porte-bagages ballotte aux cahots, contrarie l'effort, surtout quand tu grimpes en danseuse, et tord peu à peu les tubes et les rayons. J'avais taillé les sacoches dans de la bâche américaine achetée aux surplus, je les avais cousues à la main, point sellier, coutures protégées par des bandes de cuir découpées sur un vieux cartable, des petites poches à ceci à cela un peu partout, très safari grande brousse tout ça. Ma guitoune « Tour du Monde » arrimée sur le porte-bagages arrière (pas plus grosse qu'un saucisson, monomât, deux kilos tout compris, achetée d'occase au revendeur de la place des Vosges), dans les sacoches de la bouffe pour huit jours, le duvet, le linge, la marmite, le réchaud à essence des surplus (les surplus de l'armée américaine, le vrai grenier de grand-mère, l'armoire aux merveilles ! Les guerres ont au moins ça de bon : les surplus), vu de dos j'avais plutôt l'air d'un bourricot arabe coincé entre deux énormes couffins. J'étais paré pour l'aventure.

✳

J'avais dégringolé vers le Sud par les vallées du Loing et de l'Allier, histoire de changer. J'avais enjambé les Cévennes, traversé le Rhône, la Crau et l'Esterel, rejoint la côte, m'étais faufilé en Italie par le bord de mer, là où l'Alpe plonge droit dans l'eau, une maigre corniche accrochée à son flanc pour que s'y engouffre la grande ruée des congés payés, train, cars, bagnoles, et dans tout ça moi sur mon petit vélo entre mes grosses sacoches.

Ventimiglia ! C'était mon premier passage de frontière depuis celui de février 43, mon premier passage en touriste, sans « Lôss ! » et sans coups de pied au cul. Et c'était l'Italie.

Enfin, elle était là ! Elle existait. Mes roues roulaient dessus, mes pieds pesaient dessus. Les Italiens parlaient italien. Et je les comprenais ! A condition, il est vrai, de faire très très attention. J'avais repassé ma vieille méthode Assimil avant de partir, et voilà, c'était tout à fait ça, les Italiens mettaient l'accent juste comme dans le livre, ils ressemblaient aux dessins de Pierre Soymier, le pauvre vieux increvable Soymier qui faisait encore à ce moment même la tournée des hebdomadaires, son carton à dessins sous le bras, sur la tête un bitos, le nez dans un cache-nez. Mon petit père Soymier, comme humoriste tu vaux pas tripette, je voudrais sûrement pas de toi dans le canard qui serait selon mon cœur, mais tes dessins des méthodes Assimil, de petites merveilles ! Anglais, Allemands, Popoffs, Ritals, qu'ils m'ont donc aidé, tes bonshommes ! Qu'ils étaient donc vrais, et drôles, et copains, et comme ils nous mettaient dans l'ambiance !

Camper dans la campagne française, déjà, ça demande du cœur au ventre*. Les paysans n'aiment guère. Surtout, ils ne comprennent pas. Un qui couche dehors, c'est un va-nu-pieds, un traîne-misère, un cagnagnoux**. Mais en Italie... En Italie, c'est tout simplement impensable. Tandis que j'ahanais sur la route serpentine aux raidillons casse-pattes qui se tortille tout le long de la Riviera, les gens se figeaient, médusés, bouche ouverte, les jeunes gars se payaient ma fiole, venaient me gueuler sous le nez « Evviva Bartali, mochieu ! » en se frappant le poing gauche de la paume droite, ce qui partout, et surtout en Italie, veut dire « Dans le cul ! », les petits enfants me jetaient des cailloux et braillaient « Tour dé Franche, va a fan' culo ! » Je connaissais le chauvinisme italien mais je le croyais réservé à l'exportation, réflexe de minorité méprisée. Je les retrouvais tellement pur jus, mes Ritals, j'en aurais chialé de plaisir !

Ce qui les choquait le plus, c'étaient les formidables sacoches. Ils ne concevaient la bicyclette que de course,

---

* C'était en 1950 ! Depuis...
** Un cagnagnoux, c'est un romanichel, en parler morvandiau. Féminin : une cagnagnouse.

noble bête, boyautée de soie, chevauchée par un super-champion au maillot flamboyant cerclé d'arc-en-ciel. Mon humiliant barda, ma vêture dans les tons kaki grisâtre, les faisaient hurler à la chienlit. De temps en temps, un petit peloton de jeunes gars déguisés en coureurs me doublait à fond de train, nez sur la roue avant, chacun me décochant au passage, par-dessus l'épaule, un rictus de profond mépris.

Gênes. Je fais mon plein de pain rital, je me paie des olives ritales, du fromage rital, je me laisse tenter par une de ces grosses tranches de pastèque, roses comme des intérieurs de femme, qu'un vieux propose, sur un lit de fougères, calées par de la glace pilée. Ce rose sur ce vert, c'est beau comme tout. Et c'est bon ! Ma première pastèque. Je crache les pépins en mitraillade, comme j'ai vu faire dans les dessins animés.

Je laisse derrière moi Gênes et la mer d'encre bleue, cap droit au Nord. Une interminable banlieue gris poussière, des taudis ocre poussière, des herbasses vert poussière. Des hommes mâchouilleurs de brins d'herbe, chapeau sur la nuque, fond de pantalon aux mollets. Des femmes en noir, sur le fichu de tête un gros ballot de linge mouillé qui tient debout tout seul là-haut. Des morveux ricanants « Fan' culo ! ». C'est la rue Sainte-Anne !

Je tâte de l'orteil les premiers lacets de l'Apennin. Mon idée est de grimper jusqu'à la source de la Trebbia, et puis d'enfiler la vallée et de me laisser glisser le long du torrent. Entre Bobbio et Rivergaro, la carte indique un chemin traversier qui me fera enjamber la crête pour atterrir dans la vallée parallèle du torrent Nure, en plein sur Bettola. Seulement, voilà la nuit, dans la montagne elle tombe comme un rideau, vite trouver un coin propice pour le bivouac. Un village s'annonce, j'avise un petit pré jouxtant la première maison, il y coule un ruisseau, je vais dormir là comme un Enfant-Jésus. Par prudence et politesse, je frappe à la maisonnette pour demander l'autorisation.

L'homme qui m'ouvre a la quarantaine sèche et nerveuse. Coucher dans son pré ? Cosi, fuori, all' aria aperta ? Comme ça, dehors, à la belle étoile ? Euh, ma no ! Pourquoi non ? Je ne dérangerai rien. Alla punta della matina, saro via. C'est pas ça. C'est pas le dérangement. Il ne sera pas dit qu'un être humain lui aura demandé le gîte et qu'il l'aura laissé dormir dehors, ecco. Mais... Niente ma ! J'ai beau discuter, lui expliquer que c'est par plaisir, par sport, que j'ai tout ce qu'il me faut, rien à faire, il me tire, il me happe, me voilà dans la maison. Une grande pièce paysanne toute nue, autour de la table une femme dans les vingt-cinq, bien jolie, et trois beaux enfants par rang de taille. Il me présente, grand seigneur comme tout. Il a, ils ont, de bien gracieuses manières.

— E un signor francese.

— Ah, si ?

L'admiration écarquille les yeux. Où sont les huées des galopins de la côte ? Nous sommes ici en pays d'émigration, la France est le paradis lointain, et j'en viens.

Je fais encore une tentative pour reconquérir ma chère indépendance :

— Je voudrais me laver. Je pourrais faire ça très bien dans le ruisseau, si j'étais dans le pré...

— Fare la toiletta ? Subito !

Il dit deux mots à sa femme, elle me fait un grand sourire, une petite révérence, et sort, emmenant ses enfants qui ne peuvent détacher les yeux de ma prestigieuse personne. Je ne comprends pas.

— Mettez-vous nu, monsieur.

Ah ? Bon. Je me mets nu.

— Montez là.

Je monte là. C'est sur l'évier, un majestueux bloc de marbre creusé sculpté, beau comme des fonts baptismaux.

— E marmo, je dis. C'est du marbre.

— Si. E marmo. La montagna qui e tutta di marmo. S'accomodi.

Asseyez-vous. Je m'assieds, le cul dans le marbre. C'est froid. Il a prélevé de l'eau chaude dans une marmite sur le feu, l'a mêlée d'eau froide, et le voilà, debout sur le bord de l'évier, qui plonge une louche dans l'eau juste bien tiède et qui, d'un geste superbe et tendre, m'arrose la tête, le dos, les épaules, attentif à mon agrément. Je me savonne. Il me frotte le dos, m'engage à ne pas me gêner pour lui, à me laver bien partout.

Il m'explique qu'il est cantonnier, il a de la chance, lui, parce que du travail, par ici, y'en a pas beaucoup, du travail. La maison est à lui, elle lui vient de son père, avec un peu de terre autour, un privilégié, quoi, alors il a pu épouser la belle fille, la mère de ses enfants. Et puis il me rince, à grandes louchées, m'enveloppe d'un drap de lit d'enfant qu'il a tiré de l'armoire. Je me rhabille, un peu éberlué, j'ai pas l'habitude. L'hospitalité italienne.

Ce n'est pas tout. Il fait rentrer femme et enfants, tient absolument à me faire partager la soupe du soir, la minestra. Que dis-je, partager ? Eux, m'apprend-il, ils ont déjà mangé. Ils s'alignent, debout, autour de la table et me servent, souriants, empressés, et avec ces jolies manières. Moi, je n'ai qu'à me laisser dorloter et à leur parler de Paris. Comment est la vie, là-bas ? Il y a beaucoup d'Italiens, n'est-ce pas ? On les voit, par ici, ils viennent en vacances, ils ont des sous, beaucoup. Je leur dis que je vais rejoindre mon papa, qui m'attend, là-bas, dans le Nord, à Bettola, un village un peu avant Piacenza. J'aime les fruits ? Oui ? Devant moi surgit un panier de poires, de raisins, de figues. Je n'ai jamais encore mangé de figues fraîches. Celles-ci sont petites, molles, blondes, à reflets verts. Le goût n'est pas ce que j'attendais. Il est mille fois meilleur. Je m'empiffre. Ils rient.

— Mangi, mangi pure !

L'homme débouche la bouteille de grappa, nous trinquons, la femme et les gosses nous contemplent. Je manque étouffer. Ils rient.

Et m'accompagnent en cérémonie jusqu'à la chambre où je dormirai dans le lit du garçon, inutile de protester, lui ira dormir je ne sais où.

Je me suis éveillé de bon matin, le café me fut servi dehors, sous la treille, où m'attendaient, en rond, deux douzaines de visages curieux et souriants. Je fis ami-ami avec tout le monde, racontai la France, et pus enfin m'arracher à ces braves gens, mon barda augmenté d'un sac à patates plein de poires, de figues et d'un petit morceau de parmesan. J'avais, avec prudence, abordé la question d'une rémunération, mais le cantonnier m'avait fait comprendre qu'insister eût été de la dernière goujaterie. Et bon, quoi.

— Arrivederci !

*

Ottone, Farini d'Olmo, des villages accrochés à l'Apennin, des noms que j'ai tant entendus dans les conversations de papa et des autres, des noms qui ont fasciné mon enfance, ils sont là, en grosses lettres noires, sur les panneaux de la route, les maisons jaunes, roses ou vertes se hissent l'une sur l'autre, se bousculent au-dessus du torrent, les gosses qui jaillissent des porches pour me voir passer ont les museaux familiers des Taravella, des Bocciarelli, des Toni... Je suis en plein rêve, j'ai des ailes, la côte est avalée, voilà la faille étroite et la Trebbia au fond, la Trebbia bondissante qui court vers la plaine du Pô.

Passé Bobbio, je change de vallée: Un chemin montant, sablonneux, malaisé, se faufile par un col, et je plonge vers le valle Nure, vers Bettola. En plein sur la ligne de crête, un orage me tombe dessus. Comme dans les livres ! Orage dans la montagne. Terrible. Je me recroqueville sous un arbre. Le chemin de terre est devenu torrent. La boue crémeuse sursaute et bouillonne, dégringole à ma droite vers le Nure, à ma gauche vers la Trebbia, déménageant pierres et arbustes. L'impression que la montagne fond comme un pain de sucre sous l'eau tiède. Et tout soudain ça s'arrête. Soleil. Oiseaux. Il ne s'est rien passé. Merci pour la leçon de choses sur l'érosion.

*

A Bettola — alla Bett'la — la vallée s'élargit un peu, ce qui permet à une belle grande place carrée de s'étaler à l'aise. Les Italiens adorent les belles grandes places bien carrées, si possible avec des colonnades autour. Ici, pas de colonnade,

173

mais une église. L'église de Bettola, « la glige » de papa, peut-être celle dont le curé a un chien qui parle et qui raconte partout que son maître couche avec la bonne ? Elle est toute simple, très église italienne, découpée en tranches horizontales comme une cassate, une tranche ocre jaune une tranche ocre brun, avec son clocher semblablement rayé parti se balader tout seul une vingtaine de mètres plus loin.

Le bourg s'ordonne autour de sa grand-place. Maisons dans tous les tons de l'ocre et du rose fané, plus de surface de murs que de surface de fenêtres, persiennes d'un vert presque noir, toits presque plats, aux tuiles bousculées aussi pâles que le ciel. Des demeures cossues, austères, avec cette allure grand seigneur dans la débine mais ne perdant rien de sa superbe qui est l'allure de toute l'Italie.

Une statue marque le centre de la place. Je vais y regarder de plus près. Un homme de bronze, fièrement campé sur son jarret gauche, désigne quelque chose de son bras droit tendu, index pointé, quelque chose de lointain et, à coup sûr, d'historique. Il a le menton impérieux, le sourcil froncé, la chevelure à frange sur le front fin Moyen Age-début Renaissance, les grosses cuicuisses musclées jaillissant d'un haut-de-chausses bouffant ras des fesses, le chef sommé d'une de ces galettes plates avec une plume. Une cape aux plis gonflés de toutes les tempêtes drape ses épaules de cette intrépide résolution que sont censées conférer les capes dans la statuaire exaltée pour places publiques. Un soleil sauvage plaque au sol l'ombre du bras tendu en une barre d'encre de Chine. Bettola a donc son grand homme ? Et on ne m'en a rien dit ? Je veux connaître le nom de cet humble génie local autour duquel mon papa a galopiné, nez morveux et cul à l'air.

Je lis sur le socle :

QUI
NELLA CITTA DI BETTOLA
E NATO
NELL' ANNO 1450
CRISTOFORO COLOMBO
NAVIGATORE ITALIANO
IL QUALE

PRIMO DI TUTTI
SCOPRI
L'AMERICA

Rien que ça !

Christophe Colomb. Je plonge mes racines dans la ville où est né Christophe Colomb... Et qu'est-ce que vous dites de ça ? Curieux, quand même, que je n'en aie jamais entendu parler, alors que j'ai grandi parmi les transplantés du valle Nure qui avaient laissé leur cœur ici et passaient leur temps à évoquer le pays.

Autour de la place, des groupes chuchotants concentrent sur moi leur attention passionnée. Des bas de persiennes s'entrebâillent. Et voilà le curé. Il vient à moi, sa barrette bien droite sur sa tête, une barrette comme en portaient encore chez nous les curés de campagne quand j'étais petit, à quatre oreilles de Mickey en croix avec le gros pompon noir au milieu. Le curé de l'histoire du chien ? Il me salue, affable.

— Buongiorno.

— Buongiorno, padre.

Je lui dis qui je suis et qui je cherche. Il me renseigne. C'est tout près. Je lui demande alors si Christophe Colomb est vraiment né à Bettola. Il me dit si, si, e scritto qui. C'est écrit là. Je lui dis c'est étonnant, je n'ai lu ça dans aucun livre. Ça devrait se savoir, non ? Beh... Le curé voit que je suis un de ces emmerdeurs qui ont besoin que deux et deux fassent quatre pour pouvoir s'endormir et qui vérifient ça sur leurs doigts chaque soir avant de souffler la bougie. Il se racle la gorge et m'explique posément que, si on se promène un peu dans la province, on trouve dans à peu près chaque bourgade de plus de mille âmes une statue de Christophe Colomb, plus ou moins réussie, du point de vue de l'art et de la richesse du matériau — la nôtre est une des plus belles, peut-être la plus belle de toutes, dit-il, modeste — mais toujours accompagnée d'une inscription sans équivoque. Où est la vérité, Dieu seul le sait. (Il se signe.) En tout cas, il est né ici, chez nous (geste large), ne chicanons pas pour quelques kilomètres.

— Et vous savez, toutes les statues ont le bras tendu vers

l'Ouest, vers l'Amérique. Exactement vers l'Ouest. (Très fier.)

J'exprime ma profonde admiration pour ce tour de force technique, puis je prends congé du curé, mais il tient à m'accompagner jusqu'à la maison de ma tante, la sœur de papa.

Il faut se faufiler dans des venelles d'ombre, descendre des escaliers brèche-dents à peine assez larges pour un seul pied, se baisser pour entrer, nous y voilà, c'est ici, un trou à rats au bord de la rivière, plus bas que le niveau de l'eau, ça pue la vase et le poisson crevé, après le soleil assassin mes yeux tout d'abord ne voient que du noir.

Devant mon nez se matérialisent, surgis de ce noir, deux bras de squelette avec de la vieille peau de reptile qui pend. Les mains au bout des longs os jaunes me happent, crochues. Une tache pâle peu à peu se précise, comme « monte » une photo dans le bain de révélateur, c'est une pelote de rides serrées serrées autour d'une bouche hilare, au contour sinueux, aux gencives roses, totalement privée de dents sauf une unique terrible canine jaune en haut à droite. Ma tante, à n'en pas douter. La sœur aînée de papa. Elle émet de petits cris de joie, dit des choses que je ne comprends pas, à cause du patois et à cause des lèvres molles qui pataugent dans la bouillie, des choses de bienvenue et d'allégresse, je suppose.

Je la prends à pleins bras, je lui fais sonner deux grosses bises sur les joues, c'est sec comme du carton et ondulé pareil, je dis :

— Buongiorno, zia !

Elle se blottit contre moi, vieille petite fille câline, me passe les mains sur la figure, pépie, patoise, ravie. Je demande :

— Il babbo, dov' é ?

Mon papa ? Elle me fait signe qu'il est parti se promener, un grand signe, il est parti loin, et elle rit, de toute sa dent.

Je commence à distinguer des choses. Les carreaux râpés du sol, la chaux des murs tombée par plaques laissant voir la caillasse liée à la terre jaune, la table en bois de caisse, les chaises crevées... Le galetas des Thénardier dans *Les*

Misérables. Je ne savais pas qu'une telle pauvreté existait encore « en vrai ». Le mot « dénuement » colle exactement. Je me dis que c'est là que papa est né, sur ce carrelage qu'il s'est traîné à quatre pattes, ou sur un carrelage tout pareil. Ça sent la cave, et le pauvre, et le vieux. Ça sent aussi toutes les herbes de l'Italie, et ce qui me prend à la gorge, et me la serre, et me fait monter les larmes, ce n'est pas de la pitié, pas du tout, c'est du bonheur, du gros bonheur de ménage, j'aime tout et tout le monde, tout le monde est ma tante, tout le monde est mon oncle, et tiens, le voilà justement, mon oncle.

L'ombre dans un coin vaguement s'anime, un sommier couine, un vieillard cassé en deux émerge dans la clarté de la porte ouverte. C'est l'oncle. Effusions.

Je soulage mon vélo, je case mon barda dans un coin. On cause. Pas sans mal. Et voilà papa. La nouvelle d'un escogriffe arrivé à bicyclette chargé comme une bourrique court le pays, elle a rattrapé papa sous la treille où il était à boire le coup avec des copains d'enfance perdus de vue il y a soixante ans.

Joie de papa. Il me voyait déjà au fond d'un précipice, ou aplati sous un camion. Il porte son complet noir, celui des mariages et des enterrements, son chapeau noir à bord roulé. Il serre sur son cœur une fiasque de deux litres, habillée de paille, au col embué.

On boit le coup de la bienvenue. C'est un vin rouge transparent, pétillant à peine à peine, léger, un peu sucré, qui fait friser la langue. Le vin d'ici, me dit papa, fièrement. Dans l'autre vallée, ils font du vin blanc. C'est comme ça.

Il est plus de midi. Je propose d'aller acheter de quoi manger. No, dit papa, il est la ma sœur qu'elle y va. Ze lui donne l'arzent, et les coummissions les fa elle.

Je dis qu'aujourd'hui c'est moi qui invite. Tou veux la viande ? papa demande. Ici, la viande, la manzent solement quouante qu'il est la fête. Aujourd'hui, c'est la fête, je dis. Quelle viande on mange, par ici ? La tante nous écoute passionnément. Elle intervient.

— La bistecca ! E una carne buona, la bistecca !

Quelle fougue ! Ses yeux brillent, sa bouche rit jusqu'aux oreilles. D'accord, du bifteck.

Je dis à papa :

— Mais elle a pas de dents ! Comment qu'elle fera pour mâcher du bifteck sans dents ?

— Oh, si, qué la manzera ! Fatt'pas de bile pour ça !

Et en effet, elle l'a mangé, fallait voir ! Tout le problème était de faire défiler la bouchée de bifteck à toute vitesse entre la gencive inférieure et la canine, la terrible unique canine. La canine fonctionnait de haut en bas, comme l'aiguille d'une machine à coudre, tellement vite qu'on ne voyait qu'une brume trépidante. L'enjeu étant de parvenir, malgré ce handicap, à finir avant tout le monde pour sauter sur le bifteck supplémentaire qui attendait au milieu de la table. Et elle gagna, talonnée par l'oncle qui avait encore un certain nombre de dents mais une vigueur moindre. Le désespoir du vaincu faisait peine à voir, sa dignité dans le malheur inspirait le respect. Je lui donnai la moitié de ma portion. Il se jeta dessus.

Moi, je préférais le salame, la coppa, surtout la pasta. Quand le parmesan entre en contact avec les pâtes fumantes, que la première bouffée de la somptueuse odeur te saute au nez, t'emplit la cervelle... Papa n'est pas d'accord :

— Le parmigean, i se mette pas vec les spaghetti aglia-olio-peperoncini. I va pas ensemble.

— Pourquoi ? Moi je trouve ça vachement bon. J'en mettrais partout, moi, du parmesan.

Papa secoue la tête, pas convaincu. Il y a des choses qui se font pas.

✱

Papa dans la montagne, gambadant comme un chiot fou. Papa chantant sous la treille « E bada bene che non si bagna... », le verre en main, beau comme un soleil, parmi une demi-douzaine de vieux bougres, et aussi quelques jeunots, casquettes rejetées sur les nuques, gueules déployées jusqu'aux amygdales, attentifs à tomber bien ensemble, à faire très beau, plus beau qu'on n'a jamais fait. Et le soir qui vient.

Papa me montrant le moulin où, enfant, il menait les mules croulant sous les sacs de blé. Papa payant le coup à tout le monde, éparpillant joyeusement les sous de ses corvées du dimanche...

*

Avec le cousin Cisti, on était montés à Groppallo, c'est en haut d'une montagne, tout là-haut, un petit train nous dépose au pied, après il faut grimper.

Il y a des cousins, là. Accrochés au caillou. Secs, brûlés, os et tendons. Je les ai vus labourer : l'un se cramponne aux mancherons de la charrue, l'autre, à la pioche, dégage les trop grosses pierres devant les pieds des bœufs. Le champ penche à quarante-cinq degrés, la terre n'est qu'une mince croûte racornie. Ils ont trente ans, en paraissent soixante-dix. Et eux, ce sont des heureux : ils ont la maison, et la terre. Ils élèvent un cochon. Les saucissons mûrissent lentement dans le séchoir à claire-voie orienté dans le lit du vent favorable, celui qui donne juste le vrai bon goût.

A peine sommes-nous assis devant le vin et le fromage en tranches minces du bon accueil, arrivent les voisins. Ils savent que les « Français » sont là, ils le savaient avant que nous arrivions. Quiconque a une fois immigré en France est un « Français », c'est-à-dire un qui a des sous, un « signoure ».

Ces grands paysans patauds ont des requêtes précises. Voilà. Ils ont entendu dire que j'ai été dans les écoles — j'ai mon brevet élémentaire ! — et que je suis une personne instruite. Alors, voilà, est-ce que je voudrais bien écrire pour eux des lettres au gouvernement ?

En italien ? Cela va de soi. Mais... Mon italien de méthode Assimil... Enfin, voyons, je sais lire et écrire, oui ou non ? Oui, certes, mais en français. Seulement, je leur dis ça en italien, en italien hésitant mais classique, et c'est justement ça qu'ils ne savent pas faire, eux. Eux ne parlent

179

que le « dialetto », encore le dialetto change-t-il d'une vallée à l'autre, d'un village à l'autre. Quant à écrire... Tous illettrés. Je croyais pourtant que Mussolini les avait envoyés à l'école.

Et bon, me voilà écrivain public.

Me furent apportés une plume et du papier écolier. Je savais vaguement que les formules protocolaires italiennes pour s'adresser à de grands personnages sont aussi strictes que fleuries, mais j'étais bien incapable de savoir quand il fallait donner de la « Très Illustrissime Seigneurie » ou de la « Très Révérée Excellence », alors je balançais ça au petit bonheur. Un père harassé voulait faire revenir son fils du service militaire pour l'aider aux champs, une mère assurait sa fille, émigrée aux Amériques, qu'elle allait tout à fait bien, le pépère aussi, le cochon de même et qu'il était né douze petits lapins. Des choses comme ça... Je soignais l'écriture, à défaut de la grammaire. C'était d'ailleurs l'essentiel, ils ne savaient pas la déchiffrer mais étaient sensibles à son élégance, cela me valut beaucoup de prestige.

Papa, tout fier. On le félicitait d'avoir un fils aussi intelligent bien que ne portant point de lunettes, ce qui les troublait. Papa, depuis qu'il m'entendait parler le « vero 'talian' », me regardait avec admiration et perplexité, comme si sa femme avait couvé un œuf de coucou.

J'avais dit que j'aimais les figues. Ce n'était pas tombé par terre. Chaque matin, une femme descendait de je ne sais où, pieds nus, sur la tête un couffin plein de figues sur un lit de feuilles de vigne. Au moins dix kilos. Fraîches cueillies, blanches et roses, une goutte de lait à la queue, lourdes du cul, tu en poses une elle s'affaisse sur soi, s'éclate mollement, se répand en miel... Il m'en coûtait quelques francs, et je recevais en prime un beau sourire. Bon dieu, une pauvreté pareille !

*

J'avais repris la route, laissant papa cavaler par la montagne avec Vivi et la tribu Taravella, arrivés en auto, eux étaient de Ferriere, plus haut dans la vallée.

C'était... Ma foi, c'était il y a quatre ans.

Papa a mal. Parfois, il s'oublie à geindre. Un jour, il me dit :

— 'Coute oun po, Françva.

Je me penche tout près.

— Dis m'oun po.

— Quoi, papa ?

— Sta maladie-là, l'n'è mia il... cosa...

Il approche sa bouche tout contre mon oreille.

— L'n'è mia il... il cancro, no ? L'n'è mia quello li* ?

— Ça va pas, non ? Le cancer ! Où que tu vas chercher ça ! Si tu commences à te fourrer des idées pareilles dans la tête, là, oui, que tu vas te rendre malade pour de bon !

Il m'écoute attentivement, soupèse ma sincérité.

— Si ça serait sta çoje-là, tou me le dirais, hein ?

— Si c'était ça, tu me poserais même pas la question, tu t'en serais bien rendu compte tout seul, je te jure !

Il me demande, grave :

— Tou g'l'as pas bisoin l'arzent ?

— Mais non, papa, ça va, je travaille, Tita aussi, j'ai même beaucoup de boulot, en ce moment, alors, question argent, ça va.

En fait, c'est drôlement dur, mais jamais je n'avouerai à papa ou à maman que j'ai du mal à boucler, autant par cet orgueil con que j'ai et que j'ai hérité d'eux que parce que je les sens tellement contents de savoir que je réussis dans la vie. Papa insiste :

— Ma per fare sta maijon, te fout l'arzent. 'Coute oun' po, 'coute.

Je me penche vers lui, tout contre.

— Z'ai des sous que ta mère alle sait pas qué ze les ai. C'est quouante que ze travaille le dimance. Gouarde dans la ma poce della zaquette, sont coujus dans le fond, c'est pour tva.

— D'accord, papa, si j'ai besoin, je te le dirai. Mais pour

---

* — C'est pas le... le cancer, non ? C'est pas ça ?

l'instant, ça va. Tu ferais mieux de penser à toi, te payer un petit voyage à Bettola quand t'iras tout à fait bien, non ? On ira ensemble. Quand les figues seront mûres.

Il me regarde, sans un sourire dans les yeux, l'air de dire « Je veux bien faire semblant, mais me prends pas trop pour un con ».

Un jour, en le nettoyant, je vois une rougeur autour de son nombril. Le lendemain, un abcès se forme, grossit, crève. Papa me regarde, la panique est dans ses yeux. Moi aussi, je panique. Je hurlerais. La bête a traversé tous les viscères, tout le paquet, patiemment, sournoisement, a tout dévoré, et la voici qui ressort de l'autre côté... Le poil me dresse sur le dos.

— Ah, ça, c'est bien, papa ! Tu vois, c'est le mal qui sort. Tu dois te sentir soulagé ? Je suis bien content. Maintenant, oui, tu vas aller mieux !

Papa m'écoute. Il veut me croire. Il me croit. Il est toute confiance. Il sourit.

— Sarait temps. Pourquoi mva, ze poutrai plus tinir longtemps coumme ça, mva. J'choum' bien fatigué.

Dans le peuple, les abcès sont considérés comme des soupapes de sûreté, des issues bénéfiques par où s'écoule la saleté, l'« humeur », cause des maladies. Dès que l'abcès a crevé, ça ne peut qu'aller mieux.

✳

Le monstre maintenant dévore en ogre, le sale gros goinfre dégueulasse. Papa n'est plus qu'un squelette léger léger sur qui flotte une peau de vieux papier très mince et très fragile. Son visage n'est que saillants aigus et puits d'ombre. Les yeux de ciel courent en tout sens, rats affolés de douleur. Le docteur Walter me prend à part. Il me tend une bouteille d'un demi-litre.

— Le plus dur est commencé. Je lui ai fait une piqûre de morphine. Cela va le calmer pendant deux ou trois heures. S'il se réveille plus tôt, s'il a mal, donnez-lui de cela, une cuillerée à soupe. C'est du sirop de morphine. A demain matin. Courage.

Papa dort, tranquille comme un bébé. Maman le regarde.

— Comme il est beau, ton père !

Elle aurait dû le lui dire, de temps en temps, et aussi un peu de tout ce bien qu'elle va dire de lui, après.

Ça ne dure pas. Il s'agite dans son sommeil, geint, de plus en plus fort, hurle, soudain réveillé, les yeux fous.

— Papa ! Mon petit papa !

J'attrape la bouteille, la cuillère, maman lui maintient la tête, tant bien que mal je réussis à lui verser une cuillerée de sirop entre les dents, et une autre, et une autre.

Il s'apaise, peu à peu, se rendort.

Je pleure comme une bête. Maman me dit :

— Tu crois que...

Je fais oui de la tête.

Peu après, il commence à râler. Maman accourt de sa cuisine, elle a reconnu l'épouvantable bruit qui ne se laisse pas oublier quand une fois on l'a entendu. Je la prends aux épaules, je la pousse hors de la petite chambre. Elle se laisse faire, je suis l'homme. Je l'entends qui pleure, doucement, doucement, dans la cuisine. J'entends bientôt la voix de Marie Draghi et celle d'Arthur. J'entrebâille la porte, je dis à Arthur de s'occuper d'elle, de ne pas la laisser seule. Arthur me dit :

— Et toi ?

— Moi, je reste avec lui.

— C'est la fin ?

Je fais oui de la tête, je peux pas parler.

Il s'est débattu toute la nuit. Dès que la bête de nouveau le mordait, à ses premiers cris je saisissais la bouteille du docteur Walter, je lui fourrais le goulot entre les lèvres et je versais, je versais. Il s'écroulait presque instantanément, assommé. Sa mâchoire tombait, le râle s'installait, montait, gargouillait. Le râle.

Des frénésies d'amour me prenaient. Je disais « Papa. Mon papa. » Je prenais sa tête dans mes mains, j'embrassais son gros crâne aux cheveux de duvet, son crâne qui sentait si bon. J'étais un tout petit garçon et mon papa était en train de mourir, et son crâne ne sentait pas bon du tout, son crâne sentait la sale sueur aigre de la mort. Après, il souffrait si fort que je n'attendais plus les paroxysmes pour verser la morphine. Aux premiers signes d'agitation, je me précipitais, à plein goulot... Et quand la bouteille sera vide ?

Et je me suis dit « Tant pis ! », et j'ai versé, versé, et j'ai vidé la bouteille. Le râle s'est réinstallé, a baissé, doucement, s'est fait murmure, et puis rien.

Et puis rien.

Je me suis couché près de lui, tout du long, comme quand j'étais petit et que je me collais à lui, la nuit, pour réchauffer mes pieds glacés, et j'ai pleuré, à en crever.

Maman a frappé à la porte. Je suis allé lui ouvrir. Dehors, c'était le matin, un beau matin de juin.

✳

Nogent était en liesse. Ils venaient d'inventer la fête du Petit Vin Blanc, une connerie de commerçants roublards, fête pseudo-folklorique en préfabriqué, toute la journée les flonflons emplirent la chambre, et les graillonnements des haut-parleurs, et les hoquets des soûlographes, et les glapissements des femmes chatouillées, et les bagarres, et, par-dessus tout ça, obsédant, triomphal de connerie, gluant de fausse bonhomie, ce hideux refrain du « Petit Vin Blanc », que j'avais entendu pour la première fois dans la nuit du retour, alors qu'avec les autres j'étais parqué au Gaumont, aujourd'hui même consacré hymne national des Nogentais par le dynamisme de leurs boutiquiers et le bon goût de leurs édiles.

1960
La grande aventure

*

Et voilà. Ça y est. On l'a, notre journal. Notre grand chouette génial marrant journal, notre plus beau que tous les autres, notre inaccessible, notre incroyable, notre impensable, notre rêve fou... Notre journal à nous, quoi. On l'a. *Hara-Kiri*, « journal bête et méchant », c'est nous.

Le journal fabuleux qu'on se faisait miroiter, yeux noyés, devant un demi panaché, pour nous consoler nous venger nous exciter la glande, aux heures de déprime, après avoir bien fait nos putes dans ces hebdos de merde pour qui on n'est jamais assez lourdingue, jamais assez rampant, jamais assez amant-en-caleçon-dans-l'armoire-à-glace, jamais assez con, jamais, en un mot, assez parisien... On l'a, notre journal, il est à nous, on y fait ce qu'on veut, absolument ce qu'on veut, pourvu que ce soit bon.

Bon pour nous. C'est nous les juges. Ce qui est bon pour nous est bon pour tous ceux que l'« humour » merdique imposé par les marchands de papier sale fait bâiller ou rend fous de rage. C'est-à-dire tout le monde. Sauf, évidemment, les bons cons abrutis broute-paille goinfre-merde, c'est-à-dire, eh oui, presque tout le monde. Mais ceux-là, les goinfre-merde je veux dire, ne sont pas à plaindre. Pour eux la table est mise, l'auge est pleine ras le groin, risquent pas de manquer, tout est fait pour eux, fait, calculé, rétréci, aplati, pré-mâché, merdifié pour eux, dans tous les domaines. Tout, partout, toujours. Nivellement par le bas. C'est la loi sacrée du Plus Grand Profit en se Cassant le Moins la Tête et en Prenant le Moins de Risques Possible. Tout pour les cons, ils sont le Nombre. Rien pour les autres, ils ne sont personne, sta-tis-ti-que-ment. Si t'aimes pas le rata, change de planète.

Elitisme ? Prétention ? Qu'est-ce que je me crois ?... Non, vous ne m'aurez pas avec votre morale de curés ! (Toute morale est morale de curés.) Ce n'est pas délirer mégalo que de prendre conscience qu'on s'emmerde quatre-vingt-dix-neuf fois sur cent à ce qui vous est proposé-imposé (contre votre bel argent durement gagné), d'estimer « bon » ce qui vous met en joie, de constater que ce « bon » est rarissime et qu'il procède, comme par hasard, d'une démarche mentale « qui va plus loin », « qui touche plus juste », d'avoir très fort envie de faire soi-même de telles « bonnes » choses et de désespérer de l'espèce humaine quand on se les voit obstinément, systématiquement refuser avec mépris comme « absurdes », « difficiles », « intellec-tuelles » (suprême injure !), « esthètes », « marginales », « d'avant-garde », « anarchistes », ou bien comme « gros-sières », « brutales », « vulgaires », « bêtes », « mé-chantes »... Il est sans fissure, le mur dont les briques sont de connerie et le ciment de fric.

— Mais, dit Cabu en repoussant vers le haut de son nez ses lunettes en fil de fer, existe-t-il une clientèle potentielle suffisante pour faire vivre un mensuel d'humour qui prétend se vouer strictement à la qualité ?

— Je vais te donner un chiffre, au pif, je dis. Sur quarante millions de Français en âge de lire, combien, à ton avis, achètent un journal d'humour ou un magazine pour ses pages d'humour ?

— Beuh... Si on met bout à bout les lecteurs du *Canard Enchaîné*, d'*Ici-Paris*, de *France-Dimanche*, de *Marius*, du *Hérisson*, de *La Presse*, de *Samedi-Soir* et ceux de tous les petits fascicules à rigolades, je dirai deux millions ?... Trois ?

— Par là, oui, c'est ce que je vois. Soyons modestes. Disons deux millions. Sur ces deux millions, disons que la plus grande part sont tout à fait ou à peu près satisfaits, sinon ils n'achèteraient pas. Mégotons pas, mettons quatre-vingt-dix pour cent de satisfaits. Restent dix pour cent qui achètent ça parce qu'il n'y a rien d'autre et parce qu'ils aiment tellement qu'on les fasse rire qu'ils espèrent toujours trouver un petit quelque chose d'un peu moins lamentable par-ci par-là, ce qui ne manque d'ailleurs pas de se produire. Il est aussi difficile à un imbécile d'être tout le temps à cent pour cent mauvais qu'à un génie d'être tout le temps à cent pour cent bon.

— Je connais des gens, dit Fred, qui achètent *Paris-Match* uniquement pour la page de dessins de Sempé, de Bosc ou de Chaval.

— Voilà. Les lecteurs exigeants sur la qualité sont une minorité, disons même une infime minorité, mais ils existent. La preuve : nous existons. Nous ne sommes pas beaucoup, d'accord. Nous ne sommes quand même pas uniques. Dix pour cent de deux millions, ça fait deux cent mille. Deux cent mille lecteurs possibles en France, tel qu'est actuellement le public, habitudes, éducation, culture, inertie, tout ça, c'est pas mal du tout, vous savez. D'autant que, quand nous nous serons imposés, nous grignoterons peu à peu ceux de la frange, les résignés éducables. Nous pouvons donc sans excès d'optimisme espérer atteindre un jour un tirage de deux cent cinquante mille (pour en vendre deux cents), tels que nous sommes, sans avoir à faire de concessions sur la qualité, sans baisser notre froc devant un bailleur de fric, publicitaire ou autre. Je trouve ça formidable.

Wolinski siffle, songeur.

— Deux cent cinquante mille ! J'aurais jamais osé espérer tant* !

— Oui, mais, dit Cabu, on est quand même voués à la marginalité.

— La qualité sera toujours marginale.

Ça, c'est moi qui ai dit ça. J'ai tendance à causer sentencieux, ces temps-ci. Faudra que je me surveille.

— Il faut choisir : la qualité ou la quantité.

Ça, c'est Choron. Tiens, lui aussi !

---

* Le tirage de deux cent cinquante mille exemplaires fut atteint et tenu entre 1962 et 1966.

— Et puis, on peut très bien crever le plafond, dit Gébé. Ça arrive. Voyez Boris Vian. Dans le genre déconcertant, hein... Eh bien, n'empêche, depuis deux-trois ans, il fait un malheur.

— Oui, dit Fred. Dommage qu'il soit mort juste avant que ça démarre. Réussir après ma mort, ça me tente pas tellement.

— A propos de Chaval, dit Cabu, justement, ça donne à penser. Il est peut-être le plus fin et le plus fort des dessinateurs actuels, en tout cas, pour moi, un des plus grands. Eh bien, il ne passe que dans des trucs très snobs, très chics, et il a bien du mal à s'en sortir. Tout le monde dit « Ah, Chaval ! Quelle classe ! Quelle patte ! Et ça va loin, ça creuse profond ! ». On salue avec respect, et puis on va s'acheter *Marius*.

Fred intervient :

— C'est parce que les supports suffisamment « grand public » correspondant à la catégorie de Chaval n'existent pas. A part une page dans *Paris-Match* de temps en temps...

— Pourquoi il ne vient pas chez nous, Chaval ? s'étonne Cabu.

Au fait, oui, pourquoi ?... Mais je suis mon idée dans ma tête, et je voudrais la dire, je ne pense bien qu'à haute voix.

— Les types qui décident de lancer un journal, qu'est-ce qu'ils visent ? Le grand public. Les quatre-vingt-dix pour cent qu'on disait tout à l'heure. Ils réussiront ou ils se casseront la gueule, au début ils ont des tirages modestes, mais leur objectif c'est la masse, la réussite monstre. Bien forcés. Lancer un journal « normal » coûte un fric dingue. Des milliards. Ceux qui investissent là-dedans veulent que leur pognon fasse des petits le plus vite possible, et ça, c'est la publicité qui doit s'en charger. Vous savez très bien que la vente au numéro ne paie même pas les frais de fabrication, à cause des prix anormalement bas des journaux, dont les véritables ressources sont assurées par les rentrées publicitaires. Mais la manne publicitaire n'afflue que si le journal a beaucoup de lecteurs. Il faut donc qu'un journal nouveau-né commence par trouver tout seul son public, en perdant de l'argent, jusqu'à ce qu'il ait atteint le plancher à partir duquel les budgets publicitaires rappliquent. Ça peut prendre longtemps. Mais si, au bout d'un temps donné, six mois, un an, ils n'ont pas réussi à atteindre ce minimum de lecteurs, les financiers qui ont investi prennent peur et arrêtent les frais. Personne ne mettra d'argent dans un journal à objectifs modestes, sauf les partis politiques en période pré-électorale, mais ça, c'est une autre histoire... Et donc, dès le départ, ils pensent « grand public ». Se mettent à la portée. C'est-à-dire à genoux. Plus à la portée que ceux déjà en place, même, puisqu'ils veulent leur faucher leurs clients. La surenchère dans le flatte-cons. A plat ventre, ils se mettent. Et en avant les ragots de vedettes, les faits divers à cul et à sang, le sensass pour mémères, les bandes dessinées américaines, l'humour Marius-et-Olive... Ils réduisent la place du texte, rewritent les articles... Enfin, la soupe, quoi.

— Ils font de plus en plus commercial, dit Choron.

— Commercial, commercial... Ça dépend à quelle clientèle tu t'adresses. Pour un client comme toi ou moi, c'est pas commercial, leur lavasse, puisque ça nous emmerde et que nous n'achetons pas. Si tu essaies de vendre de la tête de veau à des cochons d'Inde, tu auras beau mettre dans les narines plus de persil que la concurrence, tu vas te ramasser.

Cabu est pris d'un rire hoquetant. Wolinski dit :

— Je vois pas très bien... T'as des comparaisons un peu abruptes, des fois.

— Enfin, bon, personne n'a jamais essayé de lancer un journal d'humour de bonne tenue, comparable à, par exemple, *Mad* aux Etats-Unis*...

— Si. Il y a eu *Haute Société*, dit Cabu.

— Crevée la gueule ouverte au numéro deux ! triomphe Choron.

— *Haute Société* se voulait de haut niveau, mais d'un haut niveau tel que le conçoivent les intellectuels imbus d'eux-mêmes qui le faisaient : snob, contemplateur de nombril,

---

* *Mad*, dans les années cinquante, fascina plus d'un jeune humoriste ! Il était la preuve vivante que le grand rêve était possible. Il a bien évolué, depuis, hélas.

austère, gris perle et chapeau melon, distillant cet humour très chic très distingué qui laisse juste entrevoir le bord des dents de lapin, impossible à décrypter si t'as pas cinq ans de faculté sciences humaines derrière le cul et les œuvres complètes de Marx, Freud et Trotski par cœur dans la tête, en un mot un truc entre élites, en deux mots un machin prétentieux et chiant.

Il me semble que les gourmands de bon humour sont tout simplement des gens pas trop cons, bien individualisés, qu'ils ne sont pas concentrés dans un milieu social ou culturel quel qu'il soit mais qu'on les trouve éparpillés un peu partout, aussi bien chez les purotins que chez les intellos. Encore une fois, la preuve : nous.

Il faut savoir ce qu'on veut : ou faire fortune, ou gagner notre vie en faisant ce qui nous plaît. Pour la direction « fortune », on s'est trompés de train, il fallait faire *Ici-Paris*.

— De toute façon, il était déjà fait, dit Gébé. On nous a pas attendus.

— Et les milliards pour lancer un *Ici-Paris*, on les a pas, coupe Choron. Et sur notre bonne mine, pas une banque ne nous prêterait de quoi s'acheter une pointe bic au Prisunic.

— Oh, et puis, bon, dit Cabu, on va pas se mettre à regretter, non ? Avant, je faisais la pige*, comme les copains, à *Ici-Paris*, *Le Hérisson* et toute la merde. J'aimais pas ça. Je revenais du service, j'avais jamais rien vu en dehors de Châlons-sur-Marne, j'ai toujours su que je ferais du dessin et rien d'autre, je suis venu à Paris, j'ai tout fait, même des caricatures-minute place du Tertre avec les faux rapins à touristes — faut pas croire, ils se font du fric, là, un vrai racket, ils ont des places attitrées, il y a des fois des bagarres —, même la tournée des plages en juillet-août j'ai

---

* La « pige », c'est le lignomètre, une règle en bois portant des gradations spéciales qui permettent de connaître immédiatement le nombre de lignes que contient un texte d'une longueur donnée suivant le corps des caractères dont il est composé. Les journalistes payés « à la pige » — les « pigistes » —, c'est-à-dire au nombre de lignes publiées, sont généralement des volants n'appartenant pas à l'équipe permanente du journal. Par extension, être payé « à la pige » s'applique aux dessinateurs, aux photographes, à tous les collaborateurs occasionnels rémunérés à l'unité ou à la surface couverte. « Faire la pige », c'est promener son carton à dessins d'une rédaction à l'autre.

fait, les mères de famille et leurs lardons, deux francs le crobard, ils faisaient la queue, et si c'est pas ressemblant mais en plus beau les morveux font la gueule et maman ne veut pas payer... Je me plains pas, j'aime ça, moi, dessiner, j'arrêterais pas, et puis j'aime bien me balader, mais ça marche seulement deux mois par an, et le reste du temps la place du Tertre, ça, non, à dégueuler, et *Ici-Paris* et les autres, ouh là là, je broyais du noir, je me voyais, au mieux au mieux, si j'étais bien patient bien sage, devenir un bon petit fonctionnaire de l'humour cucul, châtré, conifé, comme ces pauvres vieux que nous connaissons tous et qu'on voit, à quatre-vingts berges, continuer à traîner leur prostate dans les escaliers pour proposer toujours les mêmes éternelles merdouilles... Et si t'es bien vu de la direction, tu auras un jour, récompense suprême, ton coin de page attitré avec ton nom imprimé en gros dans un petit rectangle pour draguer la serveuse de la crêperie... Horrible.

Un jour, je rencontre Fred, il me dit : « Ecoute, on est en train de fonder un journal, rien qu'entre nous, rien que du bon, rien que des gars qui en ont dans le ventre. Viens avec nous, tu es un des rares qu'on a envie d'avoir. »

Quand Fred m'a eu dit ça, je suis venu, plutôt méfiant, je vous le dis maintenant, j'y croyais pas, et puis quand j'ai vu que c'était franc du collier je me suis dit c'est pas possible, on va se casser la gueule, un journal sans fric, sans pub, sans appuis politiques, ça n'existe pas, et voilà qu'on a tenu le coup, et même qu'on commence à être connus, alors pour moi c'est fabuleux, c'est le paradis, j'ai laissé tomber toutes les piges merdeuses, c'est vachement dur, matériellement, mais je suis tellement content, tellement content, vous pouvez pas savoir !

Odile écoute Cabu en sirotant son café. Elle demande :

— Combien de gosses vous avez, déjà ?

Cabu se tortille, rougit, repousse vers le haut ses lunettes de séminariste et dit :

— Cinq.

Sifflement général d'admiration. On sait tout ça, mais on ne manque jamais de rendre hommage à l'organe puissant du géniteur. Cabu rougit encore plus, et puis rit à pleines mâchoires. Une heureuse nature, Cabu. Son rire est toujours là, pas bien loin, prêt à fuser dans des effarements de pucelle chatouillée. Ses yeux de faïence à décor bleu, ses yeux de petit enfant à fossettes. Ils ne guettent que ça : l'occasion d'un fou rire. Il a vingt-trois ans, en paraît quinze, n'en aura jamais davantage, il a jeté l'ancre une fois pour toutes. Il trimbale une dégaine d'escogriffe qui use les fringues du grand frère, superpose les pull-overs tricotés par la tante restée demoiselle. Une tignasse de chien briard taillée au bol lui tombe aussi épais sur les yeux que sur la nuque, va savoir où est le côté de la queue, où est celui de la truffe. Cabu est resté le même qui traîne son cartable sur le chemin de la communale, n'évitant aucune flaque, fendu jusqu'aux oreilles aux cochonneries que lui débite un copain. Cabu raffole des obscénités, bien énormes et bien grasses. Nous aussi, tiens donc, mais Cabu s'en ferait mourir.

Je dis :

— Odile, si vous aviez vu ses couilles ! Cabu, fais voir tes couilles à Odile !

Entre deux hoquets, Cabu parvient à rectifier, modeste comme la pâquerette :

— Oh, il n'y en a qu'un de moi, sur les cinq. Les autres, elle les a apportés en dot.

— C'est des filles, non ? dit Choron, qui le sait fort bien.

— Ouais. Sauf le mien. Heureusement qu'elle m'a trouvé. Sans moi, elle pondait des filles jusqu'à la ménopause.

— La ménopause-café, dit Fred. Qui fait un bide. Il n'insiste pas, étire en un sourire pas vexé ses terribles moustaches de Turc et fait « Hm ! »

— Quatre filles ! C'est l'épouvante, dit Choron. Moi, j'en ai qu'une. Je fous des coups de pied tous les soirs dans le ventre à Odile, pas qu'elle aille m'en pondre une autre.

Je me crois tenu d'intervenir, en tant qu'expert.

— Les filles, ça a du bon. Ça lange les petits frères.

— Toi, les tiennes, à l'âge qu'elles ont, elles te font des pipes, dit Choron. Ça rafraîchit le papa, ça soulage la maman.

— Changement d'avoine réjouit le baudet, dit Josette.

Cabu pisse de joie. Tout ça est à sa seule intention, il en profite comme il se bourrerait d'éclairs au chocolat. Il est très porté aussi sur les pâtisseries. « Il a le bec sucré », dit Choron, qui n'éprouve que mépris pour ces nourritures efféminées.

— N'empêche, dit Cabu, qui suit son idée, mes premiers dessins, c'est ici qu'ils ont été publiés. Je cavalais toutes les rédactions de Paris, toutes, et ces cons-là, rien. A *Ici-Paris*, régulièrement, on me les rendait avec, au dos, au crayon...

Nous, bien en chœur :

— « Non » ! Signé : « H. de M. » » !

— Parfaitement. Alors, moi, je fais pas la fine bouche. Tel qu'il est, *Hara-Kiki* est plein de défauts, surtout côté mise en pages, mais c'est des défauts de jeunesse, c'est plutôt sympa, en tout cas c'est le seul journal qui ne nous prend pas pour des petits cons, le seul pour lequel on n'a pas honte de travailler, où l'on peut se donner à fond, où l'on vous fout la paix. On sent qu'on est compris, qu'on est suivis, le lecteur est un gars comme nous, un copain, et... Et bon, quoi, pour moi, ça va. Tant qu'on sera tous ensemble, on n'a rien à craindre. Ouais, ouais, vous pouvez ricaner, je suis peut-être boy-scout et cucul, mais je sais que vous le pensez aussi.

— Rien que des champions, rien que des vedettes, je dis, comme un con, histoire de couper les pattes au sentiment avant qu'il nous pousse des ailes dans le dos et une lyre entre les doigts.

Wolinski, cependant, à son bout de table, gribouille, la tête penchée de côté, bouche serrée, un bout de langue sortant par un coin. Il a devant lui une pile de feuilles de papier dactylo, une grosse pile, il prend une feuille sur la pile et il gribouille. N'importe quoi. De ces choses qu'on gribouille. Par exemple quand on téléphone. Des dames à poil. Surtout des dames à poil. Qui courent, souvent. De la droite vers la gauche, toujours. Elles tendent les bras en courant, elles tendent le cul, elles rient. Elles ressemblent à Maria, mais ça je ne le dirai pas à Wolinski. (Qui se soucie de Maria, ici ? Ai-je connu une Maria ? Ai-je vraiment vécu tout ça ? Et Liliane ? Berlin, la Poméranie en flammes, la rue Saint-Fargeau... C'est pas ma vie, c'est celle d'un autre, un vieux film en noir et blanc que j'ai vu il y a longtemps, longtemps...)

Wolinski. Un jour, le facteur nous apporte un petit colis de dessins, c'était un poème de Victor Hugo, « Après la bataille », illustré à la blague par un jeune d'entre tous ces jeunes qui vous envoient leurs dessins. Celui-là était nettement marqué par Dubout. Très fouillé, bourré de détails dont chacun était une trouvaille, débordant d'une vie gigotante et cocasse, irradiant la tendresse, la sensualité. Surtout s'y pressentait un talent sous pression, brouillon et tâtonnant, qui ne savait pas encore sous quelle forme il s'épanouirait. Des dessins, on commençait à en recevoir vraiment beaucoup. A peu près tous pis que navrants : sans espoir. Ceux-là rayonnaient de ce je ne sais quoi qu'il faut bien appeler la grâce. Il y avait là « quelqu'un ». Les défauts mêmes s'y montraient riches de promesses. Le gars était soldat, il accomplissait son temps à Reggane, en plein Sahara, au diable.

Le talent se reconnaît à cela que, confronté à lui, on n'hésite pas une seconde. Son évidence éblouit. J'ai mis en pages « Après la bataille », poème de Hugo (Victor), images de Wolinski, dans le premier numéro à paraître. C'était le numéro cinq. Qui fut bien surpris ? Wolinski le bidasse, là-bas sur son tas de sable. Il nous envoya aussitôt une autre petite chose du grand Victor, « La Conscience ». Ça tenait le coup. Et l'on vit un jour débarquer rue Choron un Pied-Noir à la bouille ronde, au poil aile-de-corbeau, aux yeux de faon quêtant une maman, une maman de préférence avec un cul ample et crémeux, des cuisses à s'y perdre et des odeurs puissantes.

Wolinski est un tourmenté. Il ne fait pas confiance à sa main. Elle veut gribouiller, il veut qu'elle s'applique. Pour lui faire plaisir, il lui lâche la bride, lui permet de faire la fofolle quand ça n'est pas pour le travail. Alors, la pile de papier descend, la main, à toute vitesse, tortille du bout de la plume des trous du cul roses, des oiseaux de paradis, des fleurs très compliquées, quand il n'y a plus de place sur la feuille l'autre main la jette sous la table et revient en cueillir une neuve. Pendant des heures. S'agit-il de travail, Wolinski ne laisse pas sa main courir la prétentaine. Il l'a à l'œil, il faut qu'elle marche droit. Le travail, c'est sérieux. C'est pourquoi ce que nous publions de Wolinski est si « construit ». Wolinski est un perfectionniste. Il dessine comme on ressemelle des chaussures, soigneusement, méticuleusement, prenant garde de n'oublier aucun détail, aucun pli, aucune ombre... J'ai dans l'idée que le vrai Wolinski n'est peut-être pas ce que lui-même croit être. Qu'il est peut-être bien là, sous la table, dans ces petites bonnes femmes à la six-quatre-deux qui s'enfilent des queues par tous les trous avec de beaux grands rires féroces, dans ces fleurs tarabiscotées jusqu'au délire, dans ces bêtas au gros pif (les bonshommes de Wolinski ont toujours des têtes d'imbéciles heureux, ses petites dames ont l'air d'en connaître le mode d'emploi).

Il y a encore Gébé, il y a encore Reiser, Topor, Melvin, Lob... Ils sont arrivés dans un mouchoir, comme on dit à Longchamp. A peine *Hara-Kiri* avait-il pour la première fois montré timidement son nez aux étalages, ils rappliquaient.

Gébé, il était tombé sur Choron. Qui lui avait dit :

— Écoutez — Choron, alors, ne disait pas encore facilement « tu » —, écoutez, on fait un numéro sur les snobs. Si ça vous inspire...

Ça l'avait inspiré. Trois jours plus tard, une double page était là, qui me laissa pantois. Ce que ce gars-là était capable de dire à travers un dessin impassible, dépouillé, presque réduit à un schéma... L'implacable logique de ses sinueuses histoires... J'avais devant moi quelque chose de très grand. Des gens comme ce Gébé existent donc ! Qui œuvrent dans leur coin, tout seuls, loin des courants, et inventent des langages, et font passer dans leurs dessins une pensée plus subtile, plus claire, plus directe que tout ce que l'on cherche péniblement à dire avec des mots ! Et quel délirant, quel imperturbable humour ! Il existe donc, ignorées, des flopées de têtes bouillonnantes qui n'attendent que l'occasion ?... J'étais transporté de joie et pénétré d'humilité. Que n'allions-nous pas pouvoir construire si des cerveaux de ce calibre continuaient à nous arriver à la même cadence !

Gébé avait commencé par le fonctionnariat qui rassure les mères : dessinateur-projeteur au chemin de fer. Et puis s'était aperçu que la vie galope, qu'on ne la joue qu'une fois, et que le mieux qu'on puisse en faire c'est de rendre vrais ses rêves d'enfant. Il avait dit adieu à la carrière, avait presque du premier coup dégotté une commande mirifique : *Zazie dans le métro* en bandes dessinées, une bande chaque jour dans *Paris-Presse*, le pactole, la consécration. Il s'y était attelé, les yeux pleins d'étoiles, avait peaufiné ses quatre-vingt-dix planches à livrer d'avance — c'est un minutieux —... et s'était retrouvé tout con, son tas de papier sur les bras, la direction du journal ayant entre-temps changé d'idée, ou peut-être était-ce Queneau, les humoristes ne goûtent pas volontiers leur propre humour à travers les lunettes d'un autre humoriste. Enfin, bon, Gébé était disponible, prêt à se donner tout, salement meurtri toutefois du côté de la confiance par son aventure encore saignante. La trentaine, marié, deux enfants, une H.L.M. bon genre du côté de Chelles. Une gueule sculptée au couteau, plein chêne, un rire qui la fend en deux, trente-six mille grandes dents blanches.

Topor est venu je ne sais plus comment. Dès ses premiers dessins, il visait haut, pour lui et aussi pour le dessin d'humour, pour le genre même. Il le veut aristocratique. D'aussi bon aloi que la peinture à l'huile ou la musique de chambre. Il apportait un plein carton de gueules malmenées avec une délectation dans la méchanceté profanatrice qui te coupait le souffle. On lui retint tout le lot pour en faire des affichettes. Nous venions juste d'incorporer les mots « Journal bête et méchant » au titre, les gueules suppliciées de Topor tombaient à pic.

Encore un solitaire, mûri dans son coin, ayant tâté de toutes les influences et les ayant recrachées, sadique jusqu'à l'insoutenable, mieux que méchant : inquiétant. Le maître de l'inquiétance, si j'ose dire. Hugo parle quelque part des « fulgurances du génie ». Tout à fait Topor. Topor a tous les droits. Et il les prend.

Topor me fascine parce qu'il est tout ce que je voudrais

être, et me fait peur parce que je ne le suis pas. Ce formidable culot — peut-être feint, mais justement — qu'il a… Il sait dire non, il sait envoyer chier l'emmerdeur, il sait où il va, et il y va tout droit. Ses dessins sont invendables dans ce pays de cons, et il les vendra, dans ce pays de cons.

*

On est donc là, tous, autour du billard. Le billard, il faut le savoir que c'est un billard. Tel qu'il est là, on dirait une table, une grande table, et justement il nous sert de table. Un billard, tu poses dessus un panneau de roufipan, ça te fait une table. Pourquoi Choron a-t-il été acheter un billard au lieu d'une vraie table, ça, c'est tout Choron, ça. Peut-être parce qu'il pèse deux tonnes ? C'est un beau vieux billard d'avant-guerre, au moins deux guerres, de ces billards avec six grosses pattes trapues tortillonnées de moulures, du travail comme ça, t'iras le chercher, aujourd'hui. Il ne sert pas souvent en tant que billard, pourtant les boules on les a, trois, une rouge et deux blanches, et aussi les queues, pendues au mur dans leur râtelier de bois noir à tortillons riches. Juste une fois Melvin a fait une partie, avec Gébé, je crois. Melvin c'était parce que le billard ça permet des poses, ça met l'homme en valeur, surtout s'il est mince et arrogant du cul comme justement Melvin. Melvin, son cinéma, c'est le négro américain dessalé cigare au coin du bec j'emmerde les gros cons de blancs je méprise les négros qui sont que des négros. Tout Harlem dans votre verre, Melvin. C'est parce qu'il se donne du mal pour ça. Je sais pas si ça marcherait à Harlem, mais ici, à l'angle de la rue de Maubeuge et de la rue Choron, neuvième arrondissement, c'est bien comme ça qu'on voit Harlem. Gébé s'est fait piler. Il était bourré. Bourré et heureux de l'être. Tant qu'à faire.

*

« De la gare du Nord au carrefour de Châteaudun, il y a la rue de Maubeuge.

De la rue des Martyrs à la rue de Maubeuge, il y a la rue Choron.

Au confluent de la rue Choron et de la rue de Maubeuge, il y a :

six platanes en triangle,
un banc public,
un urinoir en tôle,
le bistrot à Thésée,
le bistrot à Jacky,
le bistrot d'Emile,
le bistrot où qu'on va jamais

et il y a

« Hara-Kiri ».

4, rue Choron, premier à gauche au-dessus de l'entresol, c'est *Hara-Kiri*.

Attention. Premier à gauche. Pas à droite. A droite, c'est la Choucrouterie française, S.A.R.L.

On se cause pas. On n'a rien contre, mais c'est pas le même monde.

Remarquez, à nous aussi il nous arrive de nous tromper de porte. En remontant de chez Thésée, par exemple. C'est toujours regrettable.* »

4, donc, rue Choron, neuvième arrondissement. Lieu fertile en miracles. C'est là que naquit *Hara-Kiri*, père de *Charlie-Hebdo*. C'est là que Bernier devint Choron. Le professeur Choron.

Comme la rue ? Oui. Il avait déjà sa rue ? Oui. La rue était là, qui l'attendait. De toute éternité. Elle s'appelait « rue Choron », il ne lui manquait qu'un Choron illustre pour justifier son nom, Bernier était ce Choron. De toute éternité. Mais il ne le savait pas encore. Nous non plus.

La révélation nous en fut faite un soir de 1962, lorsque l'irruption parmi nous d'une grande belle fille de la campagne, un peu con mais si désireuse de bien faire, venue

---

* Ce passage est extrait de l'avant-propos de *4, rue Choron*, par Cavanna, paru aux éditions *Hara-Kiri* en 1965. Actuellement en livre de poche chez *Folio*...

chercher gloire et fortune à Paris et tombée chez nous par l'effet d'une étrange erreur du destin, nous inspira l'idée du premier épisode de ce qui devait par la suite s'imposer à la vénération des foules et à l'approbation des connaisseurs comme la série immortelle des consultations scientifiques et photographiées du professeur Choron.

Nous avions la belle fille, nous avions l'idée, il nous fallait le professeur. Le choix fut tendu. Une émulation aux motivations troubles où dominaient l'excitation sexuelle et la frustration mal assimilée nous animait. Bernier enfin fut désigné après d'âpres débats. Il fallait maintenant donner au professeur un nom. Un nom bien français, sonnant bien rond. Nous émîmes plusieurs propositions, qui ne nous enthousiasmèrent point. Quelqu'un — qui ? — lut machinalement, à voix haute, le nom inscrit en blanc sur la plaque d'émail bleu au coin de la rue, nom forcément promis à la légende puisque lié à celui de *Hara-Kiri*. La lumière soudain nous éblouit. Nous n'hésitâmes plus.

Professeur Choron.

L'évidence même. Comment imaginer qu'il pût avoir existé un temps où ces deux mots n'étaient pas associés ? Nous fûmes très émus. Nous avions créé de l'impérissable.

Et donc la chrysalide devint papillon, Bernier enfin fut Choron. Professeur Choron.

*

L'aventure *Zéro* avait duré six ans. Pendant que j'apprenais à écrire et à fabriquer un journal, Bernier apprenait à le vendre.

Il apprenait surtout à manier les hommes, science pour laquelle il avait des dispositions innées. Entre-temps, Novi avait cru bon de changer le titre *Zéro* pour *Cordées*, à mon grand dépit. Il m'avait expliqué que les colporteurs se plaignaient de ce que *Zéro* ne faisait pas sérieux auprès des flics, ça avait trop l'air d'un défi, d'une dérision, alors que *Cordées* suggérait des idées de solidarité et de boy-scoutisme bien léché. Il ne me l'avait pas dit dans ces termes-là. Enfin, bon, c'était lui le patron.

Là-dessus, Novi était mort. Un soir, comme ça, sans prévenir, à trente-huit ans. L'infarctus avait couru plus vite que lui. Le choc fut rude.

Je demandai à Denise Novi ce qu'elle comptait faire. Elle continuait.

Elle continua, mais quelque chose s'était défait. En moi. Je prenais soudain conscience que j'avais vécu toutes ces années avec le secret espoir que le colportage déboucherait un jour sur autre chose et que, tout mon temps pris par les tâches multiples de la confection du journal et par la course à la pige pour assurer le minimum vital, j'avais enfilé les jours aux jours, les années aux années, et que rien ne bougeait, et qu'il n'y avait aucune raison pour que ça bouge un jour. J'ai tendance à me laisser bercer par le ronron du quotidien. Que l'imprévu me tombe dessus, je m'en accommode tout comme un autre, mais je ne le provoque pas. On doit être sur terre un bon paquet de nouillards dans le même cas... Et puis, c'était l'époque où je construisais la maison, au fin fond des banlieues, là où le mâchefer se mêle aux premières bouses, trois années bien chargées.

Denise Novi avait succédé à son mari sans à-coups, elle connaissait l'affaire mieux que lui, avait l'autorité qu'il fallait pour mener à l'assaut sa petite armée de colporteurs. Libérée — malgré elle mais libérée — de l'emprise despotique de Novi, elle se défripait peu à peu, osait vivre.

Elle me demanda d'animer des soirées-débats sur des thèmes d'avant-garde — d'avant-garde bien sage —, ouvertes aux lecteurs de la revue, une espèce de Club du Faubourg en plus petit. Ainsi fut fait. On y discuta avortement, contrôle des naissances, féminisme, guérisseurs, immigrés, et aussi écologie mais ça ne s'appelait pas encore comme ça... Y vinrent des gens prestigieux que je fus stupéfait de voir accepter aussi facilement : Mességué, Marcel Boll, le père de Lestapit, le professeur Chauchard, Philippe de Coninck, ces dames du Planning Familial, un prix littéraire, Goncourt peut-être bien, mais j'ai oublié son nom...

Ces mondanités ne pouvaient empêcher que *Cordées* m'apparaissait de jour en jour davantage comme un cul-de-sac. Trop exclusivement fait pour faciliter la tâche du vendeur à l'arraché et lui servir d'alibi en cas d'ennuis policiers, *Cordées* était irrémédiablement voué à l'anodin, au bien convenable. C'était mieux qu'*Ici-Paris*. Ce n'était pas assez. L'humour ne supporte pas de corset. Ça me craquait aux entournures. J'aurais dû m'en ouvrir à Denise. Elle me glaçait. Je suppose aujourd'hui qu'elle était elle-même figée dans une timidité sauvage. Enfin, bon, on n'a pas trouvé le contact, quoi.

La vie est brève, elle cavale implacablement de la gauche vers la droite, j'en avais déjà parcouru trente-cinq ans, plus de la moitié, la meilleure moitié... Je piétinais, je me perdais. Se faire péter une bonne fois la gueule jusqu'aux étoiles !

Le jour où Bernier me dit : « Le grand chouette journal dont tu parles toujours, si je te proposais de le faire ? Tout de suite ! », ce jour-là, il me trouva mûr pour le plongeon.

*

Avec Bernier, les choses ne traînent pas. Le lendemain, nous étions installés rue Choron, dans un local de bureaux trouvé par les petites annonces, et nous mettions au point le numéro un du « grand chouette journal ». Il y avait là Fred, Pellotsch, Brasier et, je crois, Lob.

Capital : néant. Les premiers numéros seraient donc vendus au colportage, seul moyen d'obtenir du crédit chez Guichard, l'imprimeur. Guichard connaissait les capacités de vendeur de Bernier, il marchait avec nous. Mais il était bien entendu qu'on attaquerait la vente « normale », par les marchands de journaux, aussitôt qu'on le pourrait, tout en s'appuyant sur un secteur colportage pour assurer les rentrées. En somme, le colportage était notre mécène. Et le colportage, c'était Bernier.

Avant tout, le titre. Chacun dressa ses listes, et puis on confronta tout ça. J'en avais un en tête, il me paraissait que rien au monde ne pourrait exprimer aussi bien ce que nous voulions faire : *Hara-Kiri*. Je me suis battu comme un grand. Fred était d'emblée convaincu. Bernier se laissa convaincre. Brasier trouvait ça trop violent, il aurait préféré *Don Quichotte* ou *Cyrano*. *Hara-Kiri* gagna.

Hara-Kiri paraîtrait chaque mois. Et vogue la galère.

Dès le numéro trois, nous attaquions les kiosques. Dix mille exemplaires, tous mis en vente à Paris, prudemment. Quinze cents de vendus, je crois. Ce n'était pas une entrée fracassante.

Peu à peu, nous apprenions le métier. Josette, la sœur de Bernier, et son mari, Garnotel, faisaient la tournée des kiosques, veillaient à ce que le journal soit bien exposé. Nous découvrîmes l'utilité des affichettes. La première était d'une naïveté touchante. Les adjectifs s'y enfilaient comme des perles : « Ahurissant ! », « Rafraîchissant ! », « Déconcertant ! », « Anticonformiste ! », et une demi-douzaine d'autres, avec points d'exclamation. La deuxième fut le résultat d'un coup de cœur que nous avions eu pour un dessin sans queue ni tête que nous avait apporté un certain Mouminoux, dessinateur à *Spirou* saisi par un besoin de défoulement. S'y voyait essentiellement une gueule large ouverte avec dans le fond un gésier de poulet, oui, l'absurde ne se décrit pas, il faut voir la chose, enfin, bon, nous commencions à nous dégager, à être vraiment aussi débridés que nous rêvions de l'être.

✳

Et alors il s'est passé quelque chose. Le bébé *Hara-Kiri*, comme Gargantua au berceau, s'est mis à faire péter ses langes, à faire péter le berceau, à faire péter les murs. L'enfant-colosse né de nous, à peine né courait plus vite que nous.

Sans que nous y prissions garde, il nous avait changés, et vite fait. Ou peut-être nous avait-il révélés à nous-mêmes ? En tout cas, nous évoluions à toute allure. Cette liberté totale que nous revendiquions sans trop savoir où ça nous mènerait, nous y brûlions comme dans l'oxygène pur. Nous osions nous en servir, nous prenions conscience de nos brides et de nos entraves en les voyant tomber. L'audace nous venait, de numéro en numéro, une allégresse féroce nous donnait des ailes, c'est peu dire que nous découvrions l'humour : nous l'inventions.

Nous avions pris le départ pour faire de l'humour, du très bon humour, un point c'est tout. C'est tout, croyions-nous. Pauvres de nous ! Notre modeste ambition d'honnêtes artisans était de déclencher le rire par les moyens qui nous faisaient rire nous-mêmes. Et voilà qu'il s'avérait qu'on ne peut faire rire qu'avec du vrai, du « qui existe ». L'humour ne saurait être anodin. L'humour est féroce, toujours. L'humour met à nu. L'humour juge, critique, condamne et tue. L'humour ne connaît pas la pitié. Ni les demi-mesures. Même le « nonsense » anglo-saxon, qui nous avait tant épatés, dont nous aimions l'impavide rectitude et la logique absurde, n'est pas neutre. Il dépèce et ricane sauvagement, simplement ça se passe « en dedans », dans le tréfonds secret du gentleman.

Très vite, *Hara-Kiri* fut brutal, teigneux, ravageur. C'est qu'on ne se penche pas sur le « réel » sans y piquer le coup de sang ! Affaire de tempérament, peut-être ? Alors nos tempéraments étaient miraculeusement semblables. Même le doux Cabu devenait enragé, et le contraste entre l'élégance de ses croquis et la violence de ce qu'ils disaient se faisait chaque mois plus saisissant.

L'humour est un coup de poing dans la gueule. L'allusion, l'ironie, la rosserie bien française nous semblaient pipi de chat. Rien n'est tabou, rien n'est respectable. Ceci cadrait à merveille avec mon matérialisme intransigeant. Tout rituel, tout symbole, procède d'une attitude magique. Foutons dehors à coups de pied au cul les vieux interdits, à commencer par le bon goût. A continuer par le sacré.

« Là, vous allez trop loin ! Il y a tout de même des choses auxquelles on n'a pas le droit de toucher ! » Combien de fois nous l'a-t-on sortie, celle-là ! Non. Rien n'est sacré. Principe numéro un. Rien. Pas même ta propre mère, pas même les martyrs juifs, pas même ceux qui crèvent de faim... Rire de tout, de tout, férocement, amèrement, pour exorciser les vieux monstres. C'est leur faire trop d'honneur que de ne les aborder qu'avec la mine compassée. C'est justement du pire qu'il faut rire le plus fort, c'est là où ça te fait le plus mal que tu dois gratter au sang. La faim, la torture, la misère, l'exploitation, la guerre... Et la connerie, l'universelle et sainte connerie, mère de tous ces beaux enfants ! C'est rire jaune ? Eh, tout rire n'est-il pas jaune ? Même le classique gag de la bouche d'égout, s'il fait rire, n'est-ce pas du malheur du type tombé dans le trou ? Cela spontanément, férocement. Tout de suite après, le réflexe moral joue, on se juge ayant ri, on se condamne, on se penche sur le triste sort du malheureux, on se met à sa place, on participe à sa terreur, à ses blessures... A peine émis, voilà le rire qui tourne au jaune.

La satire est le rire de la bonne conscience. Elle traîne l'infâme dans la boue, celui qui l'émet est sans tache. Merde à la satire, merde à la bonne conscience ! Nous sommes tous de bons salauds, des ordures même pas spectaculaires. Les monstres sont en nous AUSSI, et même davantage puisque nous, nous les savons là. Il n'y a pas d'archanges. Rions de nos propres gueules, traînons-nous dans la merde avec tout le tas. Les autres, c'est nous AUSSI.

Il y eut à cette époque une grande campagne internationale pour lutter contre la faim dans le monde. Discours, articles, graphiques, photos de décharnés, gosses au gros ventre, radios, télés, papes... Appels à la charité publique : « Donnez une bouchée de votre quatre-heures pour les affamés ! » Ce genre de conneries. Alors que les Etats engloutissent des budgets colossaux dans les industries de guerre ! Alors qu'il suffirait d'une contribution minime des pays riches pour éviter cela... Tu enrages, non ? Tu penses au cultivateur qui répand son lait dans le caniveau par milliers de tonnes parce qu'on ne le lui paie pas assez cher, tu penses au fils de ce même cultivateur qui se prive d'un caramel pour l'envoyer au petit négro en train de mourir, et alors tu as envie de tuer quelqu'un. Ou peut-être que ça ne te gêne pas, ça te paraît normal, c'est comme ça, quoi, tu donnes ton obole et t'as la conscience tranquille ? Crève !

A l'occasion, donc, de la campagne contre la faim, nous

avions sorti un numéro spécial. On y trouvait des choses comme celle-ci :

« Vous qui mangez à votre faim, vous pouvez, sans vous priver de la moindre de vos calories honnêtement gagnées, sauver la vie d'une famille entière de sous-alimentés ! Il est en effet démontré que la merde des ressortissants des pays à haut niveau de vie contient en proportion notable des particules alimentaires imparfaitement digérées, donc encore douées d'un pouvoir nutritif non négligeable.

« Ne laissez plus perdre la précieuse matière ! Gardez-la pour en faire don aux quêteurs de la faim. Un grand homme d'Etat a dit : "L'épi sauvera le franc !" Proclamons aujourd'hui : "La merde sauvera le tiers-monde !" »

Suivait un tableau de la richesse alimentaire de la merde suivant provenance, avec pourcentage en protides, glucides, lipides...

C'est juste un exemple.

Ça ne plaisait pas à tout le monde. Les lettres d'injures commencèrent à affluer. Ça nous fit plutôt plaisir : c'était la preuve qu'on nous lisait. Un commandant en retraite écrivait : « Vous vous croyez malins, eh bien, vous êtes très bêtes, et non seulement vous êtes bêtes, mais vous êtes bêtes et méchants. »

Choron avait sursauté.

— Comment il a dit ça ? « Bêtes et méchants » ? Mais c'est formidable ! Bêtes et méchants ! *Hara-Kiri*, journal bête et méchant !

C'était si beau que nous hurlâmes d'enthousiasme. De ce jour furent indissociables « Hara-Kiri » et « Journal bête et méchant ».

C'est aussi vers ces temps que nous illumina le slogan impérissable : « Si vous avez deux francs à foutre en l'air, achetez *Hara-Kiri*, journal bête et méchant, sinon, volez-le ! » Les gars des kiosques n'étaient pas tellement d'accord, mais, comme la vente grimpait, Josette n'eut pas trop de mal à le leur faire admettre, aidée par les flacons de rhum qu'elle leur distribuait l'hiver pour qu'ils se fassent des grogs.

Rien n'est stimulant comme de sentir que le public

« mord ». Et il mordait ! Nous étions désormais en vente dans la France entière. Choron avait punaisé au mur un graphique monumental dont la courbe se cambrait vers les infinis vertigineux des progressions géométriques.

*

Une « doctrine » Hara-Kiri se dessinait, non formulée mais parfaitement mise en action. Pour l'essentiel, on peut la résumer ainsi :

Applaudir aux plus beaux exploits de la Bêtise et de la Méchanceté, en en rajoutant, en allant dans le même sens qu'elles mais plus loin qu'elles, le plus loin possible dans leur logique tordue, jusqu'à l'absurde, jusqu'à l'odieux, jusqu'au grandiose. C'est le principe du judo : ne va pas contre, accompagne-le.

Le comique doit être un comique de situation. Aller au fond des choses. Mépriser les tentations de petites rigolades secondaires. Taper là où ça fait le plus mal, taper comme un bœuf.

D'où notre dégoût de l'« esprit », en particulier du jeu de mots, et par-dessus tout du calembour, cette acrobatie stérile, ce tic de petit vieux. Contrairement à ce qu'un vain peuple pense, le calembour est plus difficile à éviter qu'à faire. Il est comme les merdes de chien sur les trottoirs : il faut être vigilant pour ne pas marcher dedans. Glissé en passant, sans insister, entre copains, il se supporte. Nous ne nous en privons pas, mais à notre corps défendant, en nous moquant de nous-mêmes. Imprimé, il n'en reste qu'une lourdasse gymnastique. « La fiente de l'esprit qui vole » disait le père Hugo, ambigu comme pas un.

Autre écueil, la tentation de la rosserie (« A la fin de l'envoi, je touche ! » pérore Machin). Rien à foutre d'égratigner avec grâce pour montrer comme on est fin, et spirituel, et tac-au-tac... Le poing dans la gueule. En voyou.

Ne pas être les esclaves du « gag », mécanique de précision à déclencher le rire qui vous réduit à n'être qu'un horloger. Le gag, d'ailleurs, n'est souvent qu'un calembour graphique. On émet un sifflement d'admiration pour l'acrobate mais on oublie de rire.

Le plus funeste ennemi de l'humour, peut-être : l'allégorie. Ce que j'appellerai le dessus-de-pendule. Très utilisé dans le dessin politique, où il permet de faire comprendre, par analogie, des choses très simples à des gens qu'on estime trop bêtes pour les comprendre sous leur forme directe. Si le calembour est pour nous symbolisé par *Le Canard Enchaîné*, le dessus-de-pendule l'est par *L'Assiette au Beurre*, ce magazine de la fin de l'autre siècle, fort bien dessiné, d'ailleurs, les plus grands noms s'y bousculaient, mais ce graphisme prestigieux illustrait des idées d'une platitude de discours électoral. Forain est un grand artiste mais Forain m'emmerde.

✳

Cette montée en force de l'esprit « bête et méchant », si elle stimula chez presque nous tous une joyeuse excitation créatrice, en déconcerta certains. Jean Brasier ne pouvait se faire à ces brutalités de soudards. Il concevait la polémique comme on la concevait au temps des duels courtois : brillante, allusive, clin d'œil culturel, nous nous cinglons mais nous sommes du même monde. Lob aussi s'essoufflait. Ils nous quittèrent. Bernard Sampré, le plus jeune d'entre nous, authentique étudiant qui, sortant beaucoup, s'était spontanément chargé de la chronique cinéma, fut retrouvé mort dans sa chambre, son cœur en mauvais état l'avait lâché. Notre premier mort.

Reiser était réapparu. On avait démarré sans lui, il faisait alors « son temps ». Deux ans de caserne lui avaient gâté la main et ensablé l'imagination. Il avait eu du mal à s'y remettre, merdait, pataugeait, et puis, d'un seul coup, plof, c'était revenu. La grande forme. Il avait trouvé un personnage d'ivrogne vu par son fils, « Mon papa », et il se montrait soudain le plus teigneux de nous tous.

« Mon papa », pour Reiser, marquait encore une autre étape. Celle du passage du dessin unique, du classique

« dessin-gag », avec ou sans légende, à la suite de dessins racontant une histoire. Pas vraiment la bande dessinée avec ses cases, ses bulles et son découpage-cinéma, mais quelque chose de beaucoup plus leste, de beaucoup plus enlevé, et qui devint vite le genre maison. C'était, si l'on veut, une écriture dessinée, apparemment bâclée comme un croquis — apparemment ! — et terriblement efficace. Gébé y excella, Cabu en fit un outil de reportage où dessins et texte écrit à la main s'entremêlaient. Wolinski devait y trouver le terrain de son épanouissement.

✻

La loi exige qu'une publication ait un domicile fixe, un directeur responsable et un rédacteur en chef. Ces indications doivent figurer bien lisiblement, ainsi que l'adresse de l'imprimeur, dans le « payé administratif ». en argot de métier : « l'ours ». Choron s'était, tout naturellement, nommé directeur et, non moins naturellement, m'avait bombardé rédacteur en chef. Je ne sais pas si ça s'appelle « modestie » — non, ce n'en est pas, je ne suis pas du tout modeste, je sais à peu près ce que je vaux, et dans quels domaines limités je le vaux, ça me fait bien plaisir d'avoir comme ça des petits sujets d'être content de moi, je ne le crie pas sur les toits mais je ne vais pas non plus avoir l'air de m'en excuser, demander pardon à l'honorable compagnie d'oser me permettre, non mais... —, enfin, bon, la modestie n'a rien à voir, simplement je répugne aux titres, hiérarchies, galons, signes extérieurs et marques de respect. Pas par horreur de la notion de chef, il en faut, je veux dire il faut des responsables, mais ça m'emmerde vraiment que ça se traduise par cette symbolique féodale. Novi avait fondamentalement besoin de créer des « rédacteurs en chef », des « directeurs des ventes » et autres amuse-couillon pour gonfler ses hordes, tout comme un Bonaparte fabriquait à la pelle des archi-chanceliers d'Empire et des archi-grands chambellans afin d'en mettre plein la vue à ses épais traîne-sabre. Je rougissais, non de modestie offusquée

208

mais bien de ridicule, enfin, bon, Novi était le patron, et comme personne n'était venu me rire au nez ça ne m'empêchait pas de dormir.

Dans *Hara-Kiri*, ça me gêna. J'aurais voulu qu'aucun titre n'y figurât. Ce journal pas comme les autres qui commence par annoncer, comme les autres : « Directeur : Un Tel, rédacteur en chef : Machin... » et la suite, quelle guignolade ! J'aurais aimé quelque bonne grosse dérision-échappatoire dans le genre : « Directeurs-rédacteurs-en-chef-balayeurs : toute la bande ». Guichard me rappela qu'il existe une institution, que l'on nomme le « dépôt légal », laquelle consiste pour l'imprimeur de toute publication, en l'occurrence, lui, Guichard, à faire porter, à chaque parution, plusieurs exemplaires de la chose imprimée chez Monsieur le Préfet de Police, chez le Conservateur de la Bibliothèque nationale et chez je ne sais qui encore. Que si cette publication ne porte pas les noms des responsables ainsi que l'adresse où l'on peut les joindre il est du devoir de la police de saisir la totalité de la livraison avant qu'elle n'ait quitté les locaux de l'imprimerie, sinon d'en faire rattraper un à un les exemplaires sur les lieux de vente (aux frais de l'éditeur ou de l'imprimeur) puis de procéder à leur destruction, sans préjuger des poursuites pour infraction à l'article numéro tant de la loi du tant. D'accord. Je baisse les bras. Et pour faire bonne mesure, on donne à Fred une grosse médaille en chocolat de Conseiller Artistique, avec majuscules.

Chef ! Moi. T'as vu ça de ta fenêtre ? Comme si ces gars-là avaient besoin d'un chef ! Un animateur, à la rigueur, encore que je ne voie pas trop bien ce que ça recouvre. Ça fait Club Méditerranée, soirée de Noël pour les bons vieux du quartier... Conseiller ? Mais ils n'ont pas davantage besoin de conseils ! Distributeur de boulot, répartiteur, quelque chose comme ça ? Même pas. Rien à répartir... Nous voilà au cœur même du problème. Je vous le dis, à peine né, *Hara-Kiri* prenait les commandes. Ça s'est fait tout seul. En tout cas, nous, on n'a rien vu.

Mon vrai boulot, c'était la détection des gars. Des, si tu veux, collaborateurs, le mot me donne envie de me gratter.

Ça, oui. Très important. Vital. Et ça, c'était mon boulot. Repérer, parmi tout ce grouillement de têtards, ceux qui ont le Signe. Savoir voir la lueur ténue ténue autour de leur tête. L'intelligence et la patte. Et tout le reste : la curiosité, l'insatisfaction, l'ambition — la noble, celle qui veut toujours mieux, toujours plus beau, toujours plus loin... Ne pas les louper, les bénis des dieux. Ne pas se tromper. Ne pas s'emballer sur le tocard à facilités. Le talent n'est que du talent sans l'éperdu besoin de crever le plafond, sans la capacité de se faire souffrir, sans l'inhumaine patience, sans l'acharnement bec et ongles, sans les coups dans la gueule encaissés-oubliés... Oui. Je deviens lyrique quand je parle d'eux. Mère poule couveuse de bébés-cygnes. M'en fous. De ça, oui, je suis fier, merde, et pas qu'un peu ! Au premier malhabile gribouillage reconnaître un futur Reiser, un Wolinski, un Cabu, un Gébé, un Willem, un Fournier*... Je l'ai fait, moi, c'était mon boulot à moi, mon humble et décisif boulot, et croyez que je tremblais, et que je me disais « T'es pas gonflé, Ducon ! Et si tu te fous dedans ? Si ce type ne vaut que dalle ou, pis, s'il est simplement pas trop mal ? Comment t'iras le lui dire, hein ? Tu te vois le virer ? Lui dire pardon, mon pote, ce que tu fais n'est pas dégueulasse, mais c'est pas assez pour nous... Tu te vois lui dire ça ? »

Eh, oui. Je suis pas le Bon Dieu. J'ai que mon pif. Je l'ai toujours eu, aussi loin que je remonte. J'étais môme, je savais même pas lire, maman ramenait des vieux journaux de chez ses patronnes pour allumer le feu, des almanachs Vermot, des *Ric et Rac*, des *Candide*, des *Gringoire*, je regardais tous les dessins, tous, longuement, longuement. J'y comprenais rien, je ne savais même pas qu'il y avait quelque chose à comprendre, je regardais seulement. Je dégustais les dessins comme d'autres savourent des symphonies. Certains, au premier regard, me plaisaient, et tous ceux qui ressemblaient à ceux-là me plaisaient, je devinais

---

* Je ne me console pas qu'on ait raté Claire Brétécher, encore que je n'y sois pour rien : je n'étais pas là, ce jour-là. Tant pis pour nous. Tant pis pour elle ? Hm...

qu'ils étaient sortis de la même main, je le savais, c'était évident, éblouissant d'évidence. D'autres m'emmerdaient, toute la bêtise du monde y clapotait. D'autres me dégoûtaient. Pas par les sujets. Par le trait. Le style, si tu veux. La grâce du poignet, l'agilité des boyaux de la tête, tout ça éclate sur le dessin. Comme y éclatent la bassesse, la vulgarité, la suffisance, le conformisme... Quand j'aimais, c'était avec passion. Quand je détestais aussi. Je n'ai pas changé.

Voilà. Ayant décidé qu'un gars vaut le coup, le lui dire. Et puis le faire bosser, s'il y a lieu jusqu'à ce qu'il soit au point, et puis lui donner sa page et lui foutre la paix. Carte blanche. Tu veux une page, tu veux deux pages, trois, quatre ? Tu les as. Fais ce que tu veux. Ce n'est pas à moi de te dire ce que tu dois faire, tu es plus fort que moi. Tu es à l'eau, nage.

Chacun était le patron dans ses pages. Cela donnait un journal fait d'autant de journaux qu'il y avait d'auteurs. Une espèce de tableau d'affichage. Pas d'instructions, pas même de concertation avant la mise en chantier du numéro. Chacun choisissait ses sujets. On avait bien eu, un temps, le projet de consacrer chaque numéro à un thème, chacun devant traiter un aspect du thème général et tous ensemble, en réunion, devions mettre au point un certain nombre de pages communes. Il y avait eu un numéro sur les snobs, un sur la faim, un sur les « z'occultes »... Ça n'avait pas duré. Individualistes comme des bernard-l'ermite.

✳

Donnez toute liberté à l'imagination, elle sera d'abord éberluée, ne saura trop qu'en faire. Les premiers numéros de *Hara-Kiri* portaient encore la marque de *Zéro* et de *Cordées*. L'espace sans limites nous était donné, nous y restions pelotonnés dans un coin, comme dans une cour de récréation bien trop grande, et puis, ayant enfin compris que tout cet espace était vraiment à nous, nous l'avions rempli de nos galops et de nos stridences. Les vieilles timidités furent bousculées cul par-dessus tête.

Et d'abord par l'effet de la survenue, en force, des « nouveaux ». Chaque dessin de Topor était un électro-choc. Gébé oscillait entre ses délires raisonneurs et ses fantasmagories délirantes, faufilait dans les interstices d'élégantes calligraphies, voulut bientôt tâter de l'écriture toute nue, et ce fut le début des « grands reportages » de Jean-Pierre Choron, illustrés de photos du grand reporter en pleine action, la gueule à la Buster Keaton de Gébé sous tous les angles... Pourquoi « Jean-Pierre Choron » ? Oh, comme ça... On avait déjà un Choron, on lui donnait une famille. Ça nous avait fait rire sur le moment, et bon, quoi.

Je signais moi-même rarement de mon nom. Pas plus d'un papier par numéro. Le reste, je le signais Sépia, ou Tartempion. Pour faire nombre. Avoir l'air d'être beaucoup. Le lecteur se plaît à imaginer, derrière les pages de son journal, une équipe puissante. Malheur aux pauvres.

Fred publia « Tarsinge, l'homme-zan », bande dessinée vengeresse, puis les aventures du « Manu-Manu », puis le « Petit Cirque », et illustra des chansons de ces temps sensibles où tant plus qu'on pleurait tant plus que la chanson était belle. Les couvertures de *Hara-Kiri* étaient toutes conçues et dessinées par lui, jusqu'au jour où l'on passa à la couverture photo.

C'est dans le numéro 9 qu'apparut brièvement un long adolescent monté en graine, qui ressemblait beaucoup à Cabu et qui ne s'appelait pas encore le grand Duduche. « Le journal de Catherine, du pensionnat des Oiseaux », commença bientôt après sa carrière.

Le déséquilibre numérique entre les dessineux et les écriveux se faisait cruellement sentir. J'avais, non sans regrets, abandonné à peu près totalement le dessin pour pondre du texte. Et je pondais !

Pas que du texte. Tout ce qui pouvait s'imprimer. N'étant plus brimé par les contingences sordides, je découvrais qu'on peut faire un tas de choses grisantes avec du papier, une presse et de l'encre grasse. Qu'on peut, par exemple, reproduire des photos, il suffit de les faire graver sur des plaques de zinc, ça coûte assez cher, on peut même combiner des dessins « au trait » avec des photos, ça s'appelle du « trait-simili », là ça coûte vraiment très cher mais on ne se refusait rien, et ça vous faisait venir en tête l'idée passionnante de coller des « bulles » de papier blanc sur les photos pour leur donner la parole*.

Je m'amusais comme un petit fou. Choron aussi aimait ce travail. Quand j'eus inauguré la chronique en photos « Des faits », où l'actualité était traitée comme elle le mérite, Choron vint m'y rejoindre. Des photographes « free-lance » — Folon, Lajoux, Maltête — nous apportaient les instantanés qu'ils prenaient un peu partout, là où ça les inspirait, et alors, nous on étalait le tas de photos devant nous, on s'y plongeait avec gourmandise.

Une photo, elle t'excite la tête ou bien elle te laisse froid. Souvent elle t'excite par je ne sais quoi de furtif et de pourtant évident, que tu subis irrésistiblement mais que tu n'arrives pas à définir, il y a quelque chose à en faire, elle n'attend que ça, elle appelle, tu sens que c'est là, tout près, tu l'as sur le bout de la langue, et macache. Il nous arrivait de sécher des demi-heures sur une photo, ne voulant pas en démordre, incapables d'en tirer rien de bon et encore plus incapables de la rejeter tant nous démangeait la certitude qu'un trésor y était caché. Nous devions former un spectacle charmant, nos deux têtes studieuses penchées sous l'abat-jour, pouffant ou bramant à nos propres conneries.

La présence de Choron me stimulait et m'irritait tout à la fois. M'irritait parce qu'il pense tout haut, il faut qu'il formule le moindre embryon d'idée qui lui vient, il le pose sur la table, et là seulement il se rend compte si ça mène quelque part ou si c'est con sans espoir. Naturellement, c'est, neuf fois sur dix, con sans espoir, alors il le remet dans sa culotte, pas vexé, mais il a d'abord fallu qu'il se l'entende à haute voix, et même qu'il ricane forcé à la fin comme le type qui raconte une bonne blague et qui se dépêche d'en rire tout le premier pour entraîner les autres. Or, moi, c'est

---

* En 1961, apparition de la première photo parlante dans *Hara-Kiri*. La photo « détournée » devait triompher sur les murs en Mai 68, puis tomber dans le domaine public.

juste le contraire. Logique tatillon bouche cousue. Je balaie méthodiquement l'écran des possibles dans le dedans de ma tête, j'essaie des tas de combinaisons, je tâte de l'analogie, de l'assonance, du coq-à-l'âne, de l'absurde, du porno, du scato, du tout ce que tu veux, mais en silence. J'ouvre le bec quand enfin je crois tenir quelque chose, au moins le bout de la queue de quelque chose. Les explosions permanentes de Choron me cassent le fil, m'arrachent douloureux, à chaque fois, à chaque fois ! Je le tuerais... Oui, mais, va savoir comment, ce torrent de n'importe quoi qu'il sécrète à jet continu me colle en même temps autant de coups de pied au cul à l'imagination, la perturbe et l'exaspère, certes, mais aussi lui secoue le poil, l'empêche de s'obstiner dans les directions cul-de-sac, de s'enliser dans les marécages de la rêvasserie stérile... Bien rare si, dans ce défilé grimaçant, un mot ne fera pas « Tilt ! » dans ma tête, et nous voilà tout joyeux, pliés en deux de rire — Choron, quand il rit, les larmes lui viennent, la cigarette lui tombe du fume-cigarette —, et reprenant le truc, le retournant sous toutes les coutures, en rajoutant, le fignolant, le faisant monter comme une mayonnaise jusqu'aux cimes vertigineuses de la méchanceté profanatoire.

Je ne veux pas dire que Choron ne sort que des conneries. Il lui vient des fulgurances à tomber le cul par terre. Une forme d'esprit sidérante. Déconcertante est le mot juste. Et quand il tient la forme, c'est le plus fort de nous tous.

Certains photographes, croyant nous faire plaisir et nous faciliter le boulot, « font » dans l'humour. Ils nous apportent des photos qui, se voulant déjà drôles par elles-mêmes, devraient, semble-t-il, se prêter d'autant mieux au détournement. Et justement, non. Ça, c'est l'expérience qui nous l'apprend. Un document cocasse — volontairement cocasse — ne mène généralement pas au-delà de son comique intrinsèque, lequel, soyons pas vache, ne va pas bien loin. Les supports les plus propices sont les scènes les plus solennelles ou les plus popotes. Plus tu te prends au sérieux, plus ça vaut le coup de t'accrocher un étron au nez.

Autres joujoux merveilleux : les ciseaux et le pot de colle.

Et la collection du « Tour du Monde », du « Journal des Voyages », des catalogues de la Manufacture d'Armes et de Cycles de Saint-Etienne d'avant-guerre (l'autre), et les encyclopédies médicales, et tous ces papiers jaunis où triomphent, méticuleusement gravés sur bois par des artistes anonymes crevés de tuberculose dans des mansardes, les trésors graphiques des âges révolus où le réalisme le plus intransigeant était au service de l'emphase la plus boursouflée et du sentimentalisme le plus humide, ces âges sûrs d'eux-mêmes et de leurs moustaches qu'immortalise l'art pompier.

Mais quel boulot ! A moins de marcher sur les traces de Max Ernst ou de Prévert qui, eux, faisant dans le sublime, pouvaient se permettre de coller n'importe quoi n'importe comment, trouver dans ce fatras les composantes du puzzle qu'on a dans la tête, et les trouver à l'échelle correspondante et dans une perspective à peu près plausible nécessite des heures et des heures de brassage de grimoires puant la crotte de rat... Je courais les librairies d'occasions et les Puces. J'avais fini par tomber, rue Montholon, c'est tout à côté de la rue Choron, sur l'antre du père Gérard, vieux bouquiniste fouineur, retors et dur à la détente, mais bavard et se laissant attendrir quand on l'écoutait, aussi déplacé en ce siècle qu'un brontosaure et qui, n'en revenant pas que ces rossignols invendables trouvassent preneur, mettait de côté pour nous monts et merveilles, entre autres des piles de *Figaro-salon* reliés des années 1880*.

Chaque numéro de *Hara-Kiri* comportait obligatoirement un cadeau au lecteur (Nous avons tout inventé, tout ! Jusqu'au journal-gadget !). Ce cadeau se trouvait sur la dernière page de la couverture, et même consistait en elle, en cette page. Très contraignant : l'objet offert devait être aussi mince qu'une feuille de papier ainsi défini : « couché machine soixante-douze grammes ». Or, nous y tenions absolument, ce cadeau devait être un véritable cadeau, pas

---

* Lesquels constituent encore, après plus de vingt ans, le fonds généreux où puisent Choron et Gébé pour alimenter l'« Art vulgaire ».

un simulacre. La recherche du cadeau du mois était un de nos travaux en commun, et certes pas le moins ardu. Nous lui consacrions des heures harassantes. Le résultat en valait la peine :

Il y eut le « Matoscope », qui permettait de regarder bien à son aise les jambes de la dame assise en face en ayant l'air de lire le journal. (Idée mirifique : faire estamper les deux trous dans la couverture doubla presque le prix de revient !)

Il y eut le « Cosmotron », fabuleuse machine à voyager dans les galaxies. Il suffisait de poser la page par terre, d'appuyer l'index sur l'endroit prévu pour ça et de courir en rond autour de son index immobile jusqu'à ce que soit atteinte la vitesse de libération de l'attraction terrestre, soit, en gros, onze kilomètres à la seconde, à ce moment la force centrifuge, par un effet de fronde, vous projetait dans les espaces infinis.

Il y eut le « Tiercé de la Toussaint ». Il fallait choisir, parmi une douzaine de portraits de personnalités bien connues qui ne passeraient vraisemblablement pas l'hiver, les trois premiers morts et les désigner dans l'ordre. Il y eut la radiographie de poumons bouffés aux mites permettant de se faire réformer. Il y eut le « Cra-cra », élégant jeu de société se jouant avec des crottes de nez. Il y eut le ticket de métro géant. Il y eut le fond de culotte décoratif...

Le journal, peu à peu, se structurait, dirais-je si je parlais comme un beauf... Tiens, « beauf », tu sais d'où ça vient ? Ça vient de Cabu. Cabu m'entendait évoquer les conversations de bistrot du lundi matin : « Hier, j'ai aidé mon beauf à repeindre sa cuisine. Normal : lui, le dimanche d'avant, il m'avait aidé à déménager. » Ça me revenait souvent, pour moi c'est toute l'horreur de la famille et des habitudes, ça suinte le pastis, la pétanque et la connerie morne, alors je ramenais toujours « mon beauf » : « Avec mon beauf, c't'été, on se fait la Yougo... » Cabu, ça l'avait fasciné, cet enfant de bourgeois, alors il en a fait le beauf, et il lui a donné cette effroyable sale gueule du brave mec, du con triomphant tous azimuts, et voilà, le beauf est en train de détrôner le con dans le dictionnaire français tel qu'il se parle. Je me marre bien.

Le journal, donc, prenait forme... Un jour, nous décidâmes de faire des quatre pages centrales une parodie, fidèle d'aspect à s'y tromper, d'un des grands journaux français. Ils y passèrent à peu près tous : *Le Parisien demeuré*, *Plouc-Match*, *Le Chacheur franchais*, *L'Epique*, *L'Express*, *Sombre-Dimanche*... Cela dura quelques années, et puis cela nous amusa moins, alors nous laissâmes tomber.

Le roman-photo nous tentait. Ce genre littéraire, florissant dans les publications de chez Del Duca (*Nous Deux*, *Confidences*, etc.), surtout lues par les femmes au foyer et par les militaires du contingent, nous paraissait valoir mieux que les amours à l'eau de rose où il se confinait.

La première production des « Hara-Kiri Brothers inc. » avait pour titre « Grocula contre Frank Einstein ». Ça méritait tout juste un petit bravo d'encouragement, mais, bon dieu, quel boulot ! Mon ignorance crasse en la matière et la pauvreté de nos moyens techniques m'acculèrent à des enfilades de nuits blanches afin de remplacer par la gouache et le pinceau ce que n'avaient pu me donner l'objectif et les acteurs. Acteurs pris dans l'équipe et dans ma famille. De Carlo faisait le monstre, Pellotsh le vampire et Reiser le jeune premier. Vinrent ensuite *Robinson Crusoë*, avec Topor comme vedette, puis *Les Misérables*, *Les pantoufles du docteur Cordelier*...

*

Nous avons quelques haines en commun, rien de tel pour unir les hommes. L'une d'elles, la plus virulente, peut-être — « Après l'armée ! » me dit Cabu —, a pour objet la publicité, cette pute violeuse. Dès les premiers numéros, nous nous étions jetés en hurlant de joie dans la publicité parodique. C'est presque trop facile ! La démagogie flatte-gogos des spécialistes de la chose flamboie d'une si triomphale connerie organisée, d'un si éclatant mépris pour la « cible » si bien nommée, qu'il semble impossible de faire plus énorme. Notre enthousiasme trouva bientôt comment. Les pages de publicité-bidon de *Hara-Kiri* s'élaboraient en commun. Elles furent vite célèbres et concoururent beaucoup au succès du journal. Au début, nous travestissions légèrement les noms des marques, par prudence, et puis, l'audace nous venant, nous y allâmes carrément. Beaucoup crurent que nous agissions avec l'accord des marques, que nos vacheries n'étaient qu'astuces de margoulins. Les margoulins eux-mêmes, après nous avoir répondu par quelques procès, finirent par comprendre qu'insulter leurs produits pouvait être une nouvelle façon d'attirer l'attention sur eux, une nouvelle et efficace façon, et l'on vit peu à peu fleurir des affiches, des annonces, des films où les marques se moquaient d'elles-mêmes. Oh, bien timidement, et bien platement. Cela suffit néanmoins pour qu'on parle de pub' « à la Hara-Kiri ». Et pour que nous connaissions le goût amer du mot « récupération ». Dans ce monde de snobs et de veaux, il est vraiment difficile d'y échapper.

✱

Les textes commençaient à arriver. Topor, outre ses dessins, nous donnait des contes, toujours très courts, terriblement efficaces dans l'atroce. Romain Bouteille passait nous dire bonjour, la gueule croûteuse de plâtre, il était en train d'aménager avec ses copains un hangar derrière Montparnasse pour en faire le Café de la Gare✱ et déposait des manuscrits de sketches qui me font regretter que ce gars-là ne se soit pas voué à l'écriture. Guy Thomas, de sa province, nous envoyait des poèmes enragés sur des rythmes de java vache.

Melvin van Peebles, une étonnante silhouette de Noir américain sortie tout droit d'une comédie musicale, qui était venu nous proposer une adaptation de *La Reine des Pommes*, de Chester Himes, dont il voulait tirer une bande dessinée pour Wolinski, nous avait ensuite donné régulièrement des récits surprenants, comparables à rien de connu, écrits en un

---

✱ Le premier Café de la Gare, rue d'Odessa. Celui de maintenant se trouve rue du Temple.

français curieux avec un sens de la maladresse efficace et de la naïveté roublarde qui en faisaient de petits chefs-d'œuvre*.

Un jour, Choron, tout gêné, me glissa un papier dans la main. « Tu liras ça. Je ne sais pas ce que ça vaut. » C'était un récit, de lui, et c'était... surprenant. Toutes les promesses. Toutes les maladresses. Par-dessus tout : un tempérament. Il écrivait hors de toute règle, hors de toute habitude reçue, plutôt. L'instituteur chargé de corriger sa rédaction aurait grincé des dents, l'amateur de talents étranges se serait pourléché. Derrière le rythme dur et sec qui sous-tendait les phrases frustes, on sentait une force redoutable. Curieusement, Choron se révélait là plus désespéré que cynique. Il nous donna une douzaine de courts récits, puis, accaparé par les emmerdes — surtout la chasse au fric —, il n'eut plus le loisir, ou l'envie, d'écrire. Dommage**.

Choron avait commencé à perdre ses cheveux. Il était bien sûr le premier à en rire, n'empêche qu'il ramenait brin à brin ce qui en restait pour couvrir tant bien que mal la zone en voie de désertification. De plus en plus vaste, la zone. Je n'aime pas que Choron fasse pitié. Je lui dis :

— Ou chevelu ou chauve, mais pas entre les deux. Rase-toi le crâne rasibus une bonne fois, tu seras beau.

Il le fit, et fut Choron.

Enfin ! Il ne manquait plus que ça à la panoplie. Le fume-cigarette était déjà là, purement utilitaire quoi qu'on pense, un machin qui se dévisse, avec un filtre dedans, pour exorciser les cinq paquets de Pall-Mall grillés chaque jour. Le pardessus noir aussi était là, et le polo. Prêt pour la postérité.

✱

---

* Réunis sous le titre *Le Chinois du* XIVe. Martineau, édit.
** Il s'y remit quand même, beaucoup plus tard, avec *Les jeux de con du professeur Choron*, mais ce n'étaient que des énoncés d'idées, pas de l'« écriture ». Peut-être, un jour...

Choron aura été ma chance. Et moi la sienne ? Hm... Je voudrais le croire. Pour la symétrie ornementale. En fait, j'aurai surtout été pour Choron la fausse chance, je le crains.

A ce conquérant, le colportage offrait la plate-forme d'où prendre le départ vers des entreprises de plus en plus ambitieuses. Choron aurait été un Boussac, un fondateur d'empire. Mais voilà : il m'a rencontré... Et son formidable dynamisme s'est engouffré dans ce cul-de-sac : la presse « pas comme les autres ».

Il est entré de plain-pied dans mon rêve, l'a fait sien, s'est battu comme un chien enragé, a dissipé des trésors d'acharnement, de roublardise et, tout simplement, d'intelligence, pour tout juste tout juste éviter le naufrage, le naufrage sans cesse recommencé. *Hara-Kiri*, à de rares moments près, aura été tout du long une terrible lutte contre la mort.

Bien sûr, il a ce que n'ont pas les autres, il a nous, l'équipe. De qui d'autre aurait-il pu exiger la connivence qui nous lie au journal ?

Pourtant, nous n'avons pas l'âme militante. Aucun idéal transcendant ne nous unit dans ce sacrifice consenti, rien que le goût du boulot bien fait et la possibilité de nous donner à fond.

Sans Choron, pas de *Hara-Kiri*. Sans la bande, pas de *Hara-Kiri*. L'un et l'autre indispensables. Complémentaires. Mais la bande accomplissait sa vocation, et avait imposé cette vocation à Choron. La bande condamnait Choron à faire *Hara-Kiri*, à ne faire que ça.

L'aspect financier, la bande ne s'en foutait pas absolument, il faut bien que notre travail nous fasse vivre, mais son ambition n'était pas là, il ne s'agissait pas pour elle de réussite éblouissante, mais de survivre en faisant de belles choses, en refusant toute facilité comme toute compromission, et cette innocence, qui maintenait envers et contre tous la qualité du journal et son indépendance, le confinait en même temps dans les marécages des budgets impossibles, avec, au mieux, la perspective d'une réussite médiocre, financièrement parlant.

220

Et ça, cette effroyable merde, c'était pour Choron, pour Choron tout seul.

Choron. Le genre de type qui porte le monde sur ses épaules. Et qui ne veut pas qu'on l'aide à le porter.

Le colportage l'avait révélé meneur d'hommes. La gestion le révéla manipulateur de banquiers, retourneur de créanciers enragés, arracheur de conditions extraordinaires, sauveur de situations désespérées, empaumeur d'huissiers, dur comme l'enclume, agile comme l'anguille. Où avait-il donc appris ça ? A manipuler le monde ?

C'est ça. Il manipule. Il ne convainc pas, il charme souvent, mais surtout il manipule. Il prend les commandes de la discussion, c'est lui qui conduit. On n'est plus chez soi dans sa propre tête. Il ne raisonne pas, ne polémique pas, ne cherche pas à démontrer. Il a d'entrée de jeu annoncé la couleur, voilà ce qu'il veut, c'est simple, qu'on le lui donne. Et on le lui donne. Content pas content, s'en fout. Tu peux ergoter logique tant que tu veux, avoir raison et plus que raison, il te laisse parler. Il t'aura à la fatigue.

Après trois heures, tu t'aperçois qu'il n'a pas bougé d'un poil. Granitique. Et bon, tu te le traites de foutu con et de tête en bois dans ton for intérieur si tu as marché, ou de gros roublard paysan madré si tu as vu la coupure, mais tu baisses les bras, et tu dis d'accord. Il ne t'en demande pas plus.

N'importe qui d'autre, on le verrait venir, on se dirait attends, mon bonhomme, si tu crois que tu me possèdes tu vas avoir une surprise. Lui, on le voit venir, il ne cherche même pas à donner le change, et on lui donne. Tout ce qu'il veut et ta vieille maman en prime.

Moi tout spécialement. Ma rhétorique, devant Choron, ne fait pas le poids. Cette putain de gentillesse femelle que j'ai, à quoi on ne s'attend pas vu ma gueule de casseur d'assiettes, ce gluant besoin de faire plaisir à l'interlocuteur, de me mettre à sa portée, voire à sa place, de le comprendre, de le singer... Dans mon inconscient désir de leur faciliter les choses, je me calque sur eux. Ai-je affaire à un Marseillais, je me mets à parler avec l'accent du Midi... Ce que j'ai pu m'énerver, semer au vent ma salive et mes forces, pour finalement, à bout de souffle, la gorge en feu, fou de rage et vaguement admiratif, me laisser empapaouter par un Choron increvable, au crâne aussi dur que luisant !

*

Il est rare que je boucle un numéro sans piquer la grosse colère. Les autres se marrent sous cape, pas trop rassurés quand même, éloignent sournoisement de moi les objets précieux, glissent à portée de ma main les babioles qu'ils aimeraient me voir envoyer péter contre les murs. C'est le surmenage. Le forcing du bouclage. Il m'arrive d'avoir deux nuits blanches consécutives sur les paupières, cinquante ou soixante heures sans dételer, sandwichs et cafés, et justement je supporte mal le manque de sommeil. Et ces cons-là tout autour qui ricanent, déconnent et chahutent, de vrais irresponsables, des ouistitis, eux ils ont fini leur boulot, conscience tranquille, picolent... Va bosser dans ce bordel* !

Il arrive quand même un moment où tout est bouclé, calibré, photogravé, corrigé, mis en pages, le bon à tirer signé. Il ne reste plus qu'à aller jeter le coup d'œil à l'« ozalid », l'ultime épreuve avant les rotatives, et puis à cueillir les premiers exemplaires à leur sortie de machine, mais tout ça c'est du traintrain, de la plomberie. Des problèmes, certes, et même des prises de gueule, mais pas d'angoisse. Deux ou trois jours sans angoisse du, comme dit le poète, créateur.

Alors on est là, autour du billard, bien vannés bien soulagés, on s'affale, on se regarde, on boit du bourbon — Choron a une combine de bourbon pas cher, tout le monde

---

* Par la suite, j'aurai droit à un metteur en pages. Ce sera d'abord Cartry, jusqu'à la débâcle de 66. Cet extraordinaire bricoleur se spécialisera ensuite dans la confection d'objets hurluberlus pour nos publicités-bidon ou nos romans-photos (entre autres, la copie exacte du trône de Bokassa Ier). Après la résurrection de 67, Daniel Tallet, frais émoulu d'Estienne, prit la mise en pages à son compte. Il est toujours là, avec aussi Blandine, Jean-Marie, Christophe. Nous avons même fini par nous payer une correctrice : Michèle Collibert, dite Colibri, et ça, vraiment, ça soulage bien.

hume ça en connaisseur, moi qui serais incapable de reconnaître, au goût, si c'est du bourbon, de la Marie Brizart ou de l'huile de foie de morue, je suis quand même très impressionné : du bourbon, comme dans les bouquins de la « Série noire », dis donc… —, la moisson est rentrée, on est les plus beaux, on est les plus forts. On déconne nos conneries. On ricane. On est bien.

L'amitié peut-elle exister ailleurs que dans le boulot ? Et d'abord, sommes-nous des amis ? Et d'abord, l'amitié, c'est quoi ? Des amis, c'est comme des amoureux. Ça ne peut pas se passer l'un de l'autre, ça sort ensemble, ça bouffe un jour chez toi un jour chez moi, ça s'aide à déménager, ça sait tout l'un de l'autre, c'est transparent. Ça s'aime, quoi.

Est-ce qu'on s'aime, nous ? Est-ce que je les aime ? J'aime bien les retrouver, ça oui. L'un, ou l'autre, ou tous ensemble. Surtout tous ensemble. En tant que bande. Une bande, voilà. De copains d'atelier, mais aussi plus que ça. D'abord parce qu'un boulot qui consiste essentiellement à faire rire, et donc à faire rire les copains avant tout, test préliminaire, un tel boulot engendre un climat spécial. Aucun sujet ne peut nous garder sérieux plus de deux répliques, même la mort de l'un de nous. La troisième réplique sera une vanne, et nous poufferons, et voilà la machine lancée, le mort va en prendre plein la gueule, ça s'est vu plusieurs fois déjà. Non, on ne se force pas. Ça vient naturellement, on glisse tout seuls dans le cocasse et la dérision, c'est plutôt pour s'en empêcher qu'on doit faire effort. De sales mômes ricanant de tout, caca-boudin et bite au cul, exaspérants pour le visiteur, ça je veux bien le croire.

Ça me va tout à fait. C'est tonique et pas contraignant. Ça ressemble beaucoup aux relations que j'ai avec Roger, mon pote d'enfance. De six à vingt ans, on ne s'était pas quittés. Les « événements » nous ont projetés aux quatre bouts de l'Europe, nous nous sommes retrouvés, par hasard, dans le métro, sept ans plus tard, je venais d'enterrer Liliane. On s'est dit « Tiens, c'est toi », comme si on s'était quittés le matin, on s'est résumé nos petites odyssées, je lui ai raconté Maria, et puis Liliane, ce con-là ça le faisait rigoler, l'air de dire « Cette tête en l'air de François, tout ce qu'il fait ça tourne en couille, tu parles d'un phénomène ! », c'est exactement ce qu'il attendait de moi, que je le fasse marrer, il n'était pas déçu, il se marrait. Et puis on s'est dit salut au revoir, je le reverrai peut-être dans dix ans, ou demain matin, mais de toute façon ce sera sans plus d'exclamations.

Tu parles d'une amitié ! Deux beaux égoïstes, vous êtes, oui. Voilà, tu l'as dit, c'est ça tout juste. Et alors ? Nous, la bande, nous n'entretenons entre nous aucun lien en dehors du journal. Nous ne nous rencontrons que là, n'avons qu'une vague idée du domicile et de la vie de famille des uns et des autres.

Nous nous interpellons par nos noms de famille ou par nos pseudonymes de métier, jamais par nos prénoms. Ceci est un indice révélateur : la marque de l'école communale. Ailleurs, les gens, sur les lieux de travail, affectent de se donner leur prénom, chefs et patrons compris, ça fait jeune cadre dans le vent, très américain très libéral. Pour nous, Wolinski est Wolinski, Reiser est Reiser, Gébé est Gébé, et moi je suis Cavanna. Ces rudesses me conviennent.

Une bande ? Plutôt un équipage. Tous sur le même bateau, payé pas payé, t'occupe, rame !

∗

Le lundi midi, il y a table ouverte à *Hara-kiri*. Ça commence à se savoir. On vient voir les fauves. Quand nous ne sommes pas harcelés par l'imminence du bouclage, le déjeuner s'étire sur l'après-midi, l'ambiance s'échauffe, ça tourne noce de campagne dans les assiettes sales. Gébé a le vin sournois, et à retardement. Il continue à se soûler des heures après avoir cessé de boire. Très curieux. Et profite de ce qu'il est bourré pour se livrer à des méchancetés contre ceux que, dans le secret de son inconscient, il ne peut pas piffer, hommes ou choses. Une fois, c'est l'œil de Laclos qui a pris, et la même fois le lustre qui nous venait de la vieille tante à Wolinski, on avait hérité du lustre quand Wolinski avait hérité de l'appartement, la tante il l'avait mise à l'hospice mais il n'y a pas d'hospice pour les lustres, alors il nous l'avait donné, il ruisselait de pendeloques, de perles et de tortillons, somptueusement hideux, on le haïssait, d'accord, mais on s'attache, et voilà, Gébé était monté sur le billard et il bigornait le lustre à coups de poing, les ampoules l'une après l'autre, ça faisait plof, et quand la dernière eut fait plof c'était tout noir et Gébé en a profité pour redescendre s'occuper des fesses de la fiancée à Laclos, soûl perdu comme il était avoir une pareille suite dans les idées ça vous montre quel genre de cerveau il a, Gébé.

Un jour, Averty s'est amené. Jean-Christophe, oui, celui-là, avec sa petite cour. Pensant faire plaisir au réalisateur des « Raisins verts », on avait commandé des têtes de mouton chez un traiteur pied-noir. Eh bien, Averty n'a pas apprécié. Il a fallu lui faire monter des saucisses pendant que nous nous tapions nos demi-têtes de mouton, bien grillées bien délicates, ma foi, malgré cet œil qui vous regarde, vitreux, chargé d'un doux reproche.

Averty découvre *Hara-Kiri*, Averty aime, il vient d'inaugurer les « Raisins verts » à la télé, il nous demande si ça nous dirait d'y faire quelque chose, on lui répond « Tu parles ! », on se met là-dessus. Huit jours plus tard, le professeur Choron fait sur les petits écrans sa première inoubliable apparition. Elle est dans toutes les mémoires : « Vous prenez un lapin. Un beau lapin. Vous prenez votre poste de télé. Vous enlevez tout ce qu'il y a à l'intérieur. Vous clouez un grillage devant. Vous avez une superbe cage à lapins. » Une audace folle.

Il y a des habitués, des fidèles. Jacques Sternberg, entre autres. Il demande une rubrique. Je lui donne une rubrique. Il en fait une, il en fait deux, et après il me refile des rossignols qu'il avait publiés, voilà longtemps, dans *Le petit silence illustré*, fanzine écrit, imprimé et édité par lui et dont, manque de pot pour lui, j'avais acheté la collection, un jour de folie, au « Minotaure ». Sternberg est comme ça, à prendre ou à laisser, on ne peut pas lui en vouloir. Lui, en tout cas, ne se trouble pas pour si peu.

*

Choron attire, Choron fascine. Des êtres errants, captivés, viennent à lui comme le papillon à la lampe, et ne s'en vont plus. Il les satellise, les voilà sur orbite à tout jamais. Le plus charmant est Fuchs, Jean Fuchs. La nature l'a doté d'une panse monumentale, qu'il pousse devant lui d'un air important. Puisque la nature en avait décidé ainsi, il abonda dans son sens, se fignolant une tête de bon vivant belle époque pour publicité de marchand de choucroute. La moustache avantageuse souligne un teint fleuri qu'il entretient au pastis, mais sans sectarisme. Fuchs nous est arrivé par le canal des papeteries Navarre, dont il était le représentant. Maintenant, il ne l'est plus. Choron utilise sa prestance rassurante pour lubrifier certains contacts mal engagés. Il en a même fait un gérant dans une période difficile. Choron pousse Fuchs en avant, Fuchs proteste, Fuchs se laisse faire. La nuit, le passant tardif entend une voix tout à la fois puissante et suave s'échapper de quelque estaminet du quartier. C'est Fuchs, le coude solidement calé au comptoir, qui proclame avec âme que les mains des femmes sont des bijoux qui le rendent fou. Que de rapprochements auront été facilités par l'organe charmeur de Fuchs, que de chutes hâtées, que de pas fatals franchis, dans les petits bistrots à rendez-vous d'après le bureau et d'avant le métro du neuvième arrondissement !

Certains soirs, nous n'arrivons pas à nous quitter. Alors nous traversons la rue La Fayette, nous allons manger des turqueries et boire du vin noir chez Mano, « Aux Diamantaires ». Mano nous accueille comme des frères tendrement aimés jadis enlevés au berceau par des bohémiens et qu'il revoit pour la première fois depuis si longtemps. Il officie derrière son interminable comptoir, rond comme une bille depuis l'ouverture, encadré d'un bouquet de filles aux cuisses longues longues piquées sur ces tabourets de bar faits exprès pour ce genre de cuisses. On va à la cuisine renifler les casseroles, on se bourre de trucs où triomphent l'ail et le yaourt bouillant, et puis on rote ça en déconnant le restant de la nuit, et des fois Bobby Lapointe arrive avec sa Janine, et des fois Moustaki avec sa barbe, et des fois Madame Saba, la belle-mère de Wolinski, royale, ensevelie sous ses filles, elle a fait tellement de filles qu'elle s'y perd.

Par la suite, on a découvert une de ces tavernes munichoises comme il s'en est monté un peu partout à une époque. Celle-là se niche rue Danielle-Casanova, l'ancien bout de la rue des Petits-Champs qui était quand même un nom plus joli à prononcer, c'est tout petit, on y mange de la vraie choucroute allemande, bien acide, pas comme cette saloperie de choucroute prétendue alsacienne, archi délavée parce que les Parisiens n'aiment pas que ça soit aigre, alors elle a le goût d'eau de vaisselle, et en plus ils la font bouillir avec les charcutailles dedans, les veaux ! Non, là, juste le chou tout croquant, frais sorti du tonneau, et à côté les vraies saucisses bavaroises grillées sur la braise, un Français ne peut pas comprendre. Et le grès de spaten, un litre, bien fraîche mais pas glacée, le paradis*. Et là, vous savez quoi ? Le vieux père Ivan nous voit arriver, il pleure de joie, il arrête net l'« Otchi tchornïa » qu'il était en train de déverser à la guitare comme avec une louche dans la soupe de pois d'un cadre gélatineux offrant une soirée exotique et pas chère à la dactylo avant de l'emmener voir de près ses caleçons à fleurs, Ivan gueule « Madame Irène ! Madame Irène ! », Madame Irène lâche l'archet qu'elle promenait sur les frisettes du cou de la sentimentale petite salope, un sourire la fend en deux, ils accourent, il n'y en aura que pour nous. Avec nous, ils rigolent, au moins. Ivan est russe, il a même fait la révolution comme mataf, à Odessa, après il a dû changer d'avis puisque le voilà là, grattant sa guitare et roucoulant des tziganeries et des viennoiseries pour faire descendre le jarret de porc, tandis que Madame Irène, qui est hongroise, n'a pas fait la révolution mais aurait pu, fait pleurer l'âme du violon, l'âme du violon pleure comme une vache.

Nous serions des Russes, ou des Ritals, nous bramerions en chœur des choses qui font pleurer de bonheur, la bière

---

* Ne vous emballez pas, j'y suis retourné l'autre jour, j'ai été bien déçu. Tout passe...

porte au sentiment, mais nous sommes français, alors nous disons des cochonneries pour faire rire Cabu. Choron méprise la bière, il ne supporte que le champagne, qui rend cartésien, certes, mais aussi développe l'agressivité, autre spécialité gauloise. Quand il juge le moment venu de nous admettre à recevoir quelque bribe précieuse de son immense sagesse, il monte sur la table, ouvre sa braguette et, à partir de cet exemple pris tout à fait au hasard, improvise une de ces éblouissantes démonstrations qu'il réunira quelque jour, j'espère, en un précieux recueil, pour le plus grand profit de l'humanité avide de s'instruire.

1961
Il n'y a pas de censure en France

*

C'est au dixième numéro de *Hara-Kiri* que la bombe nous tombe dessus. Je fignole un montage en tirant la langue, Odile me dit « Pour vous ! », je prends le téléphone, c'est Régine Deforges. Elle me dit mon pauvre vieux, mon pauvre vieux, c'est dégueulasse, je suis de tout cœur avec vous !

J'ai l'angoisse lente à se mettre en marche. Quelle catastrophe m'est donc échue, qu'apparemment tout le monde connaît et que j'ignore encore ?

— Ecoutez, Régine, dites-moi tout, comme si je n'étais au courant de rien, et avec beaucoup de précautions, je suis si sensible.

— Vous n'êtes pas au courant ? Pas possible ! Oh, mon Dieu ! Oh, si j'avais su !

Elle n'avait pas l'air de plaisanter, pas du tout. Au profond de moi, ça se durcissait tout dur, ça attendait le choc.

— Bon. Quoi que ce puisse être, de toute façon, je l'apprendrai. J'aime autant que ce soit par vous.

Joindre l'horrible à l'agréable... J'imagine Régine, emmerdée éperdue, prenant son élan pour lâcher le sale morceau. Régine est une bien jolie chose à imaginer.

— Oh, et puis, merde, lisez donc l'*Officiel*. C'est paru ce matin.

— Mais quoi donc, bon dieu ?

— *Hara-Kiri* est interdit.

— Interdit ? Interdit de quoi ?

— Mais d'où tombez-vous, mon vieux ? Interdit, complètement interdit. Ça s'appelle « interdiction à l'affichage », ça veut dire que vous ne pouvez plus être exposé nulle part, que vous ne pouvez même pas être distribué, que *Hara-Kiri* est foutu, quoi.

Régine Deforges en connaît un bout sur la question. Je me raccroche à des branches pourries :

— Mais on ne nous a rien envoyé, ici ! On devrait avoir reçu un bout de papier timbré, porté par un huissier, un truc comme ça, non ?

— Eh bien, vous voyez, l'*Officiel* est arrivé avant l'huissier... Je ne peux même pas vous souhaiter que ce soit une erreur, il s'agit d'un arrêté du ministre de l'Intérieur, il n'y a malheureusement pas le moindre doute.

Pas le moindre. Tandis que, Choron et moi, on épluche ligne à ligne, dans le *Journal officiel,* le faire-part de notre mort, un pneumatique arrive. Ce sont les N.M.P.P., les messageries de presse, qui nous annoncent leur décision de ne plus distribuer notre journal dans ses points de vente, conformément à la loi qui leur en fait obligation pour toute publication frappée d'une interdiction à l'affichage.

Enfin arrive le papier officiel, porté par un flic. Nous voilà bien obligés d'y croire.

Le numéro vient juste d'être tiré. Plié, agrafé, ficelé en liasses, il attend sur le carreau de l'imprimerie, majestueux parallélépipède de papier de cinq mètres cubes et de quelques tonnes, il attend le camion qui l'embarquera vers les messageries. Vers les messageries qui le refouleront... Merde. Décommander le camion.

Un beau chambard dans l'imprimerie. Guichard qui se retrouve avec ce tas de papier sur les bras. Et qui sera payé comment ? Pas demain la veille ! Je vous l'avais bien dit de pas jouer aux cons... Choron le rassure. Choron rassure toujours les gens. Il leur dit n'importe quoi, ils savent que c'est n'importe quoi, ils savent que c'est pour les rassurer, pour qu'ils lui foutent la paix le temps de trouver, ils savent qu'il n'a pas lui-même la moindre idée de ce qu'il va faire, qu'il n'y croit même pas à ce qu'il leur dit, qu'il a la trouille au ventre et de la purée dans la tête, ça ne fait rien, ils le croient. « Demain, tout ça sera parti », qu'il leur dit. Ils le croient. Ils n'attendaient que ça : qu'il dise ça. Ils n'en croient pas un mot, de ce qu'il dit. Ils le croient, lui.

Bon. Voyons un peu. Les N.M.P.P. (Nouvelles Messageries de la Presse Parisienne), entreprise coopérative supervisée par l'État, n'ont pas le droit de distribuer un journal maudit. Qu'à cela ne tienne, il doit bien exister d'autres messageries, des bricoleuses, des artisanales, mais c'est pas le moment de faire la fine bouche, le papier doit être livré, chaque jour perdu pour la vente ne se retrouvera pas. Allons-y.

Et c'est là qu'on découvre le vicieux de la chose. Aucun distributeur n'a le droit de livrer aux marchands de journaux une publication interdite à l'affichage. Ceci n'est pas dit dans l'arrêté, ceci n'est pas non plus spécifié dans le texte de la loi, ça se niche au diable, dans un repli du Code, ça fait que la loi paraît toute bénigne tout anodine et que le public, qui ne cherche pas si loin, croit à une gêne légère, pas punitive pour deux sous... On ne vous verra plus exposés aux étalages ? Eh bien, les acheteurs vous demanderont au marchand. Tu parles ! Nous découvrons, stupéfaits et admiratifs, la minutieuse crapulerie des traqueurs de pauvre monde.

Car cette clause, intentionnellement dévoilée après coup comme une conséquence minime et tout à fait accessoire, est en fait le coup le plus terrible du traquenard. Là réside l'assassinat du journal. Mais ce n'est pas tout.

L'une après l'autre, des scélératesses soigneusement dissimulées surgissent des coins noirs de la législation aussitôt que nous croyons avoir trouvé une voie, même bien précaire, de salut. Nous nous y cognons la tête, à chaque fois. C'est ainsi que non seulement il est interdit de « montrer, d'exposer, de proposer à la vente ou de distribuer gratuitement » tout exemplaire de *Hara-Kiri,* mais encore toute publicité le concernant est-elle interdite, « sous quelque forme que ce soit ». Cela signifie qu'un lecteur tenant innocemment son journal à la main sans songer à en dissimuler le titre peut être interpellé, arrêté et traduit en justice ! Cela signifie que le marchand de journaux est tenu de cacher *Hara-Kiri* sous son comptoir et de le donner à qui le lui demande (à voix basse, naturellement !) en ayant grand soin que le titre n'en soit pas apparent ! Cela signifie qu'aucun confrère ne peut, même à titre d'information, mentionner ce qui nous arrive, ce pourrait être taxé de publicité déguisée ! « Sous quelque forme que ce soit »... Triomphe du flou implacable. Imprécis dans la définition du délit, terrible dans sa répression.

Encore ceci : l'interdiction s'étend à tous les numéros passés et à venir, à tous les exemplaires du journal, même très anciens, puisqu'ils portent le titre interdit ! Voilà les bouquinistes qui exposent sur les quais de vieux *Hara-Kiri* épinglés par des pinces à linge devenus d'un seul coup des délinquants ! Les flics, d'ailleurs, veillent au grain... Nous qui comptions sur les « bouillons » vendus au colportage pour nous aider à survivre... Le mur, partout*.

N'importe qui, arrivé là, se dirait : « Puisque c'est comme ça, d'accord, pouce, on laisse tomber. Faisons un autre journal. » Nous aussi, pardi, on s'est dit ça. *Hara-Kiri* est mort, c'est triste, c'est épouvantable, un titre pareil on le retrouvera jamais, et ce mal qu'on a eu à l'imposer... Allez, tant pis, assez pleuré, on fait une croix dessus, on repart à zéro. Un titre tout neuf (on était bien tentés par « MOI, journal des égoïstes »), on change l'aspect (pas trop, quand même, faut que nos fidèles sachent que c'est nous, coucou) et en avant !... Halte-là, dit le flic : « Toute initiative ayant pour objet de faire reparaître ou de tenter de faire reparaître sous quelque forme que ce soit une publication interdite à l'affichage est passible de poursuites sanctionnées par des peines pouvant aller jusqu'à cinq années d'emprisonnement et entraîner l'interdiction à vie de la profession d'éditeur ou de directeur de journal. »

Cette fois, compris. Echec et mat.

D'ailleurs, dans l'impossibilité absolue où nous sommes de faire savoir aux lecteurs que nous cessons de paraître et

---

* Et nous qui venons tout juste de lancer une collection de bouquins, la « Série bête et méchante », portant fièrement sur leur couverture les mots « Hara-Kiri » et le dessin du petit Japonais hilare ! Tout le stock rendu invendable du jour au lendemain, les quatre titres : *Berck* de Gébé, *Histoires lamentables* de Wolinski, *Dessins paniques* de Topor et *4, rue Choron* de Cavanna...

pourquoi, comment iraient-ils deviner que le nouveau venu serait en fait la continuation de *Hara-Kiri* ? A la longue, par le bouche à oreille ? Bien sûr... En attendant, comment paie-t-on l'imprimeur, le papetier, le proprio, tous ces loups dévorants qui claquent des mâchoires à la porte ?

Et personne à qui s'en prendre, nulle part où se renseigner... Cet arrêt de mort, n'étant pas une sentence judiciaire prononcée par un tribunal mais une pure décision administrative signée « Pour le ministre, son chef de cabinet : Illisible », il n'est contre lui aucun recours, aucune défense. Il a été rendu hors de notre présence, à notre insu, sans même qu'on nous eût avertis que nous étions visés, il nous est signifié avec la méprisante brutalité de la chose policière.

Aucun commentaire, aucun exposé des motifs, rien que la constatation que la décision a été prise « en application de la loi du 16 juillet 1949 concernant les publications dangereuses pour l'enfance et la jeunesse ». Que nous reproche-t-on ? Qu'avons-nous donc publié de « dangereux pour l'enfance et la jeunesse » ? Nous nous sommes toujours tenus à l'écart de la « licence » et de la « place faite au crime »... Ne parlons même pas de la pornographie★ !

A force de tourner en rond, de cogner à toutes les portes et de faire sonner tous les téléphones, je finis — ou peut-être est-ce Choron — par dégoter chez Jean-Jacques Pauvert — à moins que ce ne soit chez Eric Losfeld — l'adresse d'un avocat, célèbre, de gauche, spécialisé dans les affaires de presse. Nous voilà tous deux, Choron et moi, chez le célèbre avocat, du côté du parc Monceau, très chic. On a mis le costume et la cravate, on ne demande qu'à croire au miracle.

On apprend des choses intéressantes, que nous savions déjà : quatre ou cinq jours et autant de nuits passées à éplucher le Code, la jurisprudence et leurs banlieues, ça nous

---

★ Les mœurs ont évolué à une telle vitesse qu'il est presque impossible, en 1981, d'imaginer que, jusqu'en 1970 environ, montrer des poils pubiens ou imprimer le mot « verge » n'était toléré que dans certains magazines « cochons », interdits à l'affichage et surveillés par la police.

a instruits. On est même capables de compléter la formation de l'avocat, qui, là-dessus, en sait moins que nous et ne soupçonne pas toutes les ramifications vicieuses du piège à cons où nous sommes tombés. Mais ce n'est pas un cours magistral que nous sommes venus chercher, plutôt un programme d'action. L'avocat se masse le nez. Il connaît un moyen. Nous frémissons d'espoir. Ce moyen : le Conseil d'État.

— Oh, oui, maître, oh, oui ! Le Conseil d'État, bigre !

Et puis :

— Qu'est-ce que c'est ?

— Le Conseil d'État est le tribunal chargé de régler les différends entre les particuliers et l'Administration.

— C'est exactement ce qu'il nous faut, maître ! On fonce !

— Nous allons donc constituer un dossier solide.

— Un roc, maître ! Un blockhaus ! Nous n'avons pas vocation de pornographes, ni de débaucheurs de petits enfants ! Rien, dans ce que nous avons publié, ne peut le donner à croire. Tenez, voici toute la collection.

— Nous nous aventurons sur un terrain délicat. Un arrêté ministériel est une décision souveraine. Pour l'attaquer en Conseil d'État, nous devons présenter des arguments recevables. Il faut que l'abus de pouvoir apparaisse évident...

— Mais l'évidence est éclatante !

Sourire indulgent.

— Ce n'est pas si simple. La loi donne en fait tous pouvoirs au ministre de l'Intérieur pour décider si une publication est ou n'est pas dangereuse pour les mineurs, et donc si elle peut ou ne peut pas être exposée à leur vue...

— Mais, dans notre cas, il y a visiblement erreur, ou alors c'est une cabale politique... Des journaux vraiment licencieux s'étalent à tous les éventaires, des cuisses, des culs, des seins, des titres qui appellent au viol...

— Soyez puissants, vous serez impunis. Ce n'est pas moi qui vous apprendrai que nous vivons dans une société qui n'est pas précisément l'idéal du genre... Je vais étudier votre dossier. Je ne vous cache pas que nos chances de parvenir

234

jusqu'au Conseil d'État sont minces, mais non nulles.

— Et ça prendra combien de temps ?

— Si tout va à peu près bien, à partir du moment où la requête est déposée, comptez un minimum de... voyons... deux ans, oui, disons bien deux ans avant que votre affaire ne passe.

— Deux ans ?

— C'est un minimum.

— Et on n'est même pas sûrs de gagner ?

— ...

— Mais qu'est-ce qu'il sera devenu, notre titre, dans deux ans ou plus, en admettant qu'on gagne ? Où seront-ils, nos lecteurs ? Nos collaborateurs ? Comment gagnerons-nous notre vie, comment paierons-nous nos dettes ?

— Ah, bien sûr, c'est un problème ! Mais, là, c'est votre problème, Messieurs.

On a mis ça dans notre poche et notre mouchoir par-dessus.

*

Au ministère de l'Intérieur, impossible d'avoir qui que ce soit de vaguement responsable au bout du fil. Il aurait fallu un nom. Comme nom, nous ne connaissons que celui de cet Illisible, chef de cabinet, qui est censé avoir signé le truc. Pas moyen de l'approcher, ni quelqu'un qui le touche de près ou de loin.

C'est là qu'on sent la malédiction d'être né fils de purotins. Un enfant de bourgeois, d'artiste ou de n'importe quoi de montrable, ça connaît du monde, du moins ça ne se laisse pas impressionner, ça sait comment on force ces portes-là, comment on les tourne... Nous, bons cons, on est tout nus, snobés paralysés devant ces forteresses de l'Autorité. Un pauvre, ça reste un pauvre. Quoi que ça fasse, quoi que ça devienne. Si ça réussit dans la vie, ça ne peut devenir qu'un ancien pauvre. Pas que ça m'ait jamais gêné d'être un purotin, moralement, je veux dire, mais me voilà pour la première fois confronté à un problème où il faut se faufiler dans le monde de la politique et de l'administration, où il faut remuer des gens, et je ne sais même pas par quel bout ça se prend. Choron, avec tout son culot, est aussi emmerdé que moi*.

Dans notre mélasse, il me vient l'idée — une idée vaseuse de plus... — de m'adresser au ministère de l'Information. Après tout, la presse, ça doit être du ressort de l'Information. Logique, non ? Je trouve un numéro dans l'annuaire, je ne sais pas trop ce que je raconte à la fille, je finis par avoir au bout du fil une voix d'homme jeune et plutôt sympathique, de temps en temps ça fait du bien.

— Vous dites ? *Hara-Kiri* ? Ah, oui, je suis au courant... Non, ça n'est pas venu de chez nous. Nous ne sommes pas là pour faire crever les journaux !

Tiens, tiens... Je sens comme une amertume dans la voix. Y aurait-il conflit d'attributions entre ministères ?

— Vous êtes bien l'Information, non ?

— Effectivement. Mais, comme vous le constatez, ce genre de décisions nous passe par-dessus la tête.

L'amertume, sous l'élocution très seizième, monte d'un ou deux degrés vers la hargne.

— Dites donc, vous êtes « notre » ministre. Vous devez nous défendre !

Ricanement pas gai.

— Écoutez. Je vous donne le tuyau. Le nom qu'il vous faut, à l'Intérieur, le responsable, c'est un Monsieur Pollin, avec deux « L ». Il est à la Réglementation. Voilà. Moi, je ne vous ai rien dit.

— Rien du tout. En tout cas, moi, j'ai rien entendu. Bien le bonjour chez vous.

Eh bien, voilà enfin qu'on tient le bout du poil du bout de la queue de quelque chose, dirait-on. On va tirer dessus, doucement, doucement...

*

---

* Ça lui passera !

Il existe effectivement un service de la Réglementation au ministère de l'Intérieur, et dedans il existe effectivement un Monsieur Pollin. Dont la voix, en ce moment même, fait vibrer la plaque du machin contre mon oreille. Voix pas spécialement ogresse. Pas spécialement grand'mère à confitures, non plus. Disons sévère mais juste, dans le registre « Ça me fait plus de mal qu'à toi, mon petit, mais c'est pour ton bien. »

Monsieur Pollin veut bien nous recevoir afin de nous expliquer les raisons qui l'ont déterminé à inciter fermement son Ministre à prendre cette douloureuse décision.

Le ministère de l'Intérieur se trouve place Beauvau.

Je n'étais encore jamais entré dans un ministère. Choron non plus. Des flics partout.

— Qu'est-ce qu'il y en a ! je dis.

Choron m'explique :

— L'Intérieur, c'est le ministère des flics. Ça devrait s'appeler « ministère de la Police ». Je sais pas pourquoi ils appellent ça « Intérieur ».

— Tu crois que le ministre il a un sifflet à roulette dans sa poche ?

Un gros flic avec une fourragère rouge par le travers du poitrail nous interpelle vous désirez messieurs. Nous lui faisons part du désir des messieurs. Il nous dit par ici messieurs, nous voilà dans une petite pièce sur le côté, les murs sont tapissés de flics, de vrais flics vivants, mitraillette en pogne, tous les museaux des mitraillettes convergent sur nos nombrils. Au milieu, il y a une petite table, avec un flic assis. Le flic assis prend un petit papier sur le tas devant lui.

— Noms, prénoms et qualités. Nom de la personne que vous êtes venus voir. Vous avez une convocation ?

— Non, mais nous avons rendez-vous.

— Une seconde, s'il vous plaît, je vérifie.

Il appelle Monsieur Pollin. Apparemment, ça a l'air d'aller.

Sans les regarder, je sens tout autour les canons des mitraillettes se ramollir et baisser la truffe. Le flic assis tend la main.

— Cartes d'identité, s'il vous plaît.

Il les fourre dans un tiroir.

— Elles vous seront rendues à la sortie.

C'est là que j'ai commencé à croire à l'O. A. S. Jusqu'ici, je ne l'avais vue que dans les journaux. Ils avaient massacré des tas de gens à coups de bombe, des mômes, aussi. Ils n'avaient pas massacré beaucoup de ministres de l'Intérieur. Je commençais à comprendre pourquoi.

On nous escorta jusqu'au bureau de Monsieur Pollin. Un bureau modeste. Monsieur Pollin était un fonctionnaire modeste. Loin, bien loin du bureau du ministre. N'empêche, Monsieur Pollin concoctait des arrêtés que le chef de cabinet du ministre signait au nom du ministre. Monsieur Pollin guillotinait un journal quand il lui en prenait l'envie. Terrible Monsieur Pollin.

C'était un petit monsieur aimable sans excès, plutôt professeur que flic. Il fut paternel. Proviseur admonestant élèves cabochards. Mais inflexible. « Si tous faisaient comme vous ! Il faut bien s'arrêter quelque part... »

— Mais enfin, que nous reproche-t-on ?

Fronce sourcils. Air de faudrait pas vous payer ma tête, mon petit bonhomme.

— Ce qu'on vous reproche ? Vous le demandez vraiment ? Bien. Avant tout, votre vulgarité.

— Vulgaire, *Hara-Kiri* ?

— Enfin, messieurs, comme si vous ne le saviez pas ! Ne vous proclamez-vous pas vous-mêmes « Journal bête et méchant » ?

— Mais justement ! Mais voyons, c'est le clin d'œil ! Enfin, quoi...

Je bafouille. Les bras m'en tombent. C'est pas vrai ? Il se fout de notre gueule ? Il ne peut pas être aussi con que ça !

— Nous nous proclamons bêtes et méchants par dérision ! Par dépit de voir triompher partout la bêtise et la méchanceté qui, elles, se croient, se proclament intelligence, bon goût, dignité, amour, gentillesse... Parce que nous enrageons ! Alors, puisque les exploiteurs de l'imbécillité se veulent gentils et intelligents, nous faisons le contraire ! Nous nous faisons gloire d'être à l'opposé d'eux...

Je me sens rougir de honte d'être obligé d'expliquer ça.

Bon dieu, mais ces gens-là écoutent Vian, Brassens, Ferré, Brel, sont tout farauds de lire Céline (Il redevient à la mode, celui-là, ses imprécations ont tant de gueule, ma chère, on peut bien passer sur quelques inopportunités politiques, les artistes, n'est-ce pas...) ...Oh, merde, l'éternel procès Bovary par les éternelles mêmes chaînes de montre sur les éternels mêmes bides digérant...

— Vous n'allez tout de même pas nier que vous vous complaisez dans un vocabulaire trivial, dans des évocations volontiers lubriques, et même scatologiques ? Dans un seul de vos articles on a relevé quatre fois le mot — pardonnez-moi — « C.O.N. » (Il épelle, si, si !), deux fois les « cinq lettres » et une fois « C.U.L. » Le moins qu'on puisse dire est que vous ne cherchez pas à élever le niveau culturel de vos lecteurs !

Les conneries qu'on peut proférer, quand on est du bon côté du bureau ! Je m'énerve :

— Enfin, monsieur, vous prétendez protéger les enfants, mais, aux étalages des kiosques, que voit-on ? On voit *Ici-Paris, France-Dimanche, Lui, Radar, Détective,* rien que de la fesse, rien que du nichon, des bouches énormes qui suggèrent les caresses les plus précises, des titres qui hurlent des ragots de pissotières, les amours du Chah, le dernier gigolo d'Edith Piaf, les soupirants de la princesse d'Angleterre, l'impuissance sexuelle du roi des Belges, les divorces des vedettes, des viols compliqués, des partouzes fabuleuses, tout ça sent la pisse, monsieur, à plein nez, les gosses s'y agglutinent comme des mouches vertes, c'est insultant de bêtise et répugnant de vulgarité, ça traite le public en triste cochon et en crétin bavant, et vous nous reprochez, à nous, à nous qui les dénonçons en les parodiant, vous nous reprochez d'être vulgaires et abêtissants ? Lisez *Hara-Kiri*, il est au moins écrit en français correct, lui !

Monsieur Pollin essuie ses lunettes.

— Qu'il existe d'autres éléments nocifs dans la presse française, dit Monsieur Pollin, ce n'est malheureusement que trop vrai. Mais vous connaissez l'adage : « Balaie devant ta porte. » Vous ne pouvez pas exciper de la délinquance des autres pour excuser la vôtre.

— De l'impunité des autres, vous voulez dire ! Car ceux-là, dont vous reconnaissez vous-même qu'ils sont la honte de la presse et une provocation permanente à la bêtise et à la veulerie, ceux-là, vous ne les interdisez pas ! Ils abrutissent les bonnes femmes et ravagent les casernes, les gosses les lisent après leurs mères et leurs grandes sœurs. Ceux-là ne disent jamais « con » ni « merde », mais ils sont écrits par de répugnants coquins illettrés, et n'ont qu'un but : troubler les sens, remuer les frustrations secrètes, exciter les imaginations par des évocations sadiques ou dépravées, et ils triomphent insolemment, à tous les coins de rue, jusque devant les écoles. C'est comme ça que vous protégez l'enfance ?... D'ailleurs, nous ne leur contestons pas le droit d'exister, nous sommes pour la liberté de la presse, sa liberté totale. Mais pourquoi nous frapper, nous, spécialement nous ?

Monsieur Pollin m'écoute, poli. Il me vient une idée.

— Allons, vous n'êtes pas dupe ! Vous savez très bien que si Hara-Kiri parle de fesse, c'est pour désamorcer les exploiteurs de la fesse, les ridiculiser, montrer leurs ficelles. *Hara-Kiri* ne vise pas à troubler les sens. Avez-vous été troublé, ne serait-ce qu'une fois, en lisant *Hara-Kiri* ? Sincèrement ?

Monsieur Pollin rit.

— Ah, ça, sûrement pas ! Vous ne faites pas naître d'idées folichonnes ! Vos bonnes femmes ne portent certes pas au trouble des sens !

— Vous voyez !

— Mais vous professez un énorme mépris de la femme. Or, la femme, c'est la mère.

— Mais pas du tout ! Nous rageons contre ceux qui font de la femme un objet sexuel (mot intellectuel à la mode, je suis content de l'avoir placé) ! Nous prenons le contre-pied, personne ne s'y trompe, je peux vous montrer des lettres de lectrices...

Monsieur Pollin se laisse attendrir. Ou peut-être est-il l'heure d'aller déjeuner à la cantine du ministère ?

— Écoutez. Moi, j'agis sur rapport de la Commission. La Commission de Surveillance des Publications Dangereuses pour la Jeunesse. Ils me font des rapports sur tous les journaux, et ceux qui concernent le vôtre sont absolument catégoriques : vous êtes un danger moral excessivement pernicieux.

— Qui y a-t-il dans cette Commission ? Où la trouve-t-on ?

— Elle siège au ministère de la Justice. Elle se compose de représentants des associations familiales, des mouvements de jeunesse, de la presse, et de magistrats.

Il réfléchit un instant.

— Le rapporteur est Monsieur Paretty. Vous le trouverez au ministère de la Justice, place Vendôme. Demandez-lui un rendez-vous, plaidez votre cause. Surtout, promettez de vous amender.

Nous amender... C'est-à-dire nous mettre au niveau de la presse pour débiles mentaux et voyeurs du dimanche... Ragots de fond de cour et cul obsessionnel... Mais attention : correct. On évoque, on trouble, on ne choque pas l'oreille... En sortant, nous sommes déprimés, plutôt.

Quand même, on tient une piste. En avant pour Paretty.

✱

L'Intérieur est le ministère des flics. La Justice est le ministère des magistrats. Monsieur Paretty est un magistrat. On ne l'aborde pas sans un minimum de cérémonial, mais enfin il se laisse fléchir, nous obtenons notre rendez-vous. Ici, pas de mitraillettes frémissantes. Des huissiers feutrés. Monsieur Paretty vient à notre rencontre, nous précède dans un cabinet joujou, grand comme la moitié d'une niche à chien et mansardé en chambre de bonne. Le rapporteur de la Commission est un juvénile quadragénaire à l'élégance dans les gris perle. Juvénile, mais tout de même un peu grandet pour la mansarde sous les toits... Aurait-il progressé moins vite en carrière qu'en âge, tels ces dadais dont les bras s'allongent tandis que les manches de la veste semblent raccourcir ? Monsieur Paretty d'emblée prend la direction de l'entretien, et même la parole, et ne les lâchera plus. Il joint l'extrémité de ses doigts, doigt à doigt, signe qui ne trompe pas : il aime s'entendre parler.

— Bien sûr, messieurs, je sais que vos intentions sont louables, sans quoi je ne vous aurais pas même reçus. Maintenant que je vous vois, j'en suis encore plus persuadé. Vous n'avez rien de ces margoulins de bas étage qui exploitent la littérature licencieuse comme une pure et simple industrie. Une fructueuse industrie. Votre cas est différent, manifestement : il s'agit d'erreurs de jeunesse. Vous péchez, si je puis me permettre, par trop de fougue, de chaleur, de conviction. Vous n'avez pas appris à domestiquer vos élans, à non pas les castrer — passez-moi l'expression — mais bien à les rendre plus efficaces par la modération même de leur formulation. Car (ici, les yeux de Monsieur Paretty s'éclairent, il va nous révéler de l'essentiel) car ne croyez pas que l'outrance verbale soit le meilleur véhicule pour exprimer l'intensité des sentiments. Tout au contraire ! Le mot trop fort choque le lecteur, l'irrite, le déconcerte, lui fait en quelque sorte violence, et le lecteur, inconsciemment, se barricade, se ferme, s'isole, vous refuse son adhésion. Alors que la même idée, tout aussi choquante pour ses habitudes mentales, eût peut-être emporté sa conviction pour peu que vous l'eussiez formulée en termes mesurés. Corneille, messieurs, je ne vous apprends rien, bien sûr, était rien moins qu'un énergumène, or quoi de plus fort, quoi de plus véhément, quoi de plus échevelé, quoi de plus passionné que les imprécations de Camille ?

Rome, l'unique objet de mon ressentiment !
… Euh… Qu'elle-même, sur moi, renverse ses murailles,
Et de ses propres mains déchire… euh… ses entrailles !
Euh… nanananana y voir tomber ce foudre,
Voir ses maisons en cendres et ses lauriers en poudre,
Voir le dernier Romain à son dernier soupir,
Moi seule en être cause, et mourir de plaisir !

Monsieur Paretty marque un temps. Il nous regarde, tour à tour, Choron et moi. Un caniche qui quête un sucre. Donnons-le-lui. Je hoche la tête, je me sculpte une moue qui mime intensément « Ça, c'est tapé ! », je reste muet devant tant de beauté et de qualification professionnelle, ce

Corneille, quel plombier, Choron fige dans l'espace un geste pour frotter une allumette, sa cigarette neuve tombe du fume-cigarette — elles tombent tout le temps, c'est un fume-cigarette pour des Gitanes, il fume des Pall-Mall —, très bon, l'effet de la cigarette qui tombe, je serais cinéaste je ferais un gros plan là-dessus.

Après un intervalle décent consacré au recueillement admiratif, je prends mon élan pour dire, avec humilité et déférence : « Je suis tout à fait d'accord avec vous, monsieur Paretty, mais ce que je ne comprends pas, c'est où sont ces outrances que vous nous reprochez ? » J'arrive tout juste à énoncer : "je suis tout à fait d'accord avec vous,"

Là, il y a une virgule. Les virgules, c'est pour permettre la respiration. Le temps que je respire, temps remarquablement court, je ne suis pas asthmatique, Monsieur Paretty, vif comme la belette, me fauche la parole et se sauve avec. Cours après !

— Ce sont, disais-je, erreurs de jeunesse.

Doigts joints, il clôt un instant les paupières, modèle un sourire d'une indulgence infinie.

— *Errare humanum est.*

Il a vraiment dit *Errare humanum est,* il l'a dit !

Je regarde Choron. Choron me regarde. Ne pas pouffer, nom de dieu, ne pas pouffer !

— L'erreur est humaine.

Il traduit ! Des gens comme ça existent ! Je m'efforce de ne pas regarder Choron.

— Mais vous aviez compris, je pense.

Là, il s'adresse plus particulièrement à moi, il a senti l'intellectuel. Ah, la connivence de la culture ! J'opine hypocritement des paupières, servile avec délices.

Il ne sait plus très bien où il en était. Peu importe. Il improvise.

— Voyons... Oui... Pourquoi ne pas mettre, comme on dit vulgairement, de l'eau dans votre vin ? Non, non, proteste-t-il, mains véhémentes, je ne vous suggère pas d'édulcorer votre pensée, mais bien d'en polir la forme, de lui donner plus de pondération et, par là, plus de pénétration, comprenez-moi bien. La vulgarité rebute et vous aliène ceux-là mêmes qui seraient peut-être d'accord avec vous sur le fond.

Monsieur Paretty est content de cette phrase. Il la regarde s'élever, grosse bulle irisée, toute ronde, vers le plafond en pente. Je me faufile dans l'interstice.

— Vous dites « vulgarité », monsieur. C'est là où nous ne comprenons pas. Quelle vulgarité ? Montrez-nous des exemples de cette vulgarité, ceux en particulier qui ont déchaîné la vindicte de la Commission.

J'ai débité ça d'une traite. J'ai dit « vindicte ». Je n'en reviens pas moi-même. Je ne savais pas avoir de telles spontanéités sous la langue. « Vindicte », peste ! Ça doit être la contagion. Monsieur Paretty savoure « vindicte ». Il ronronne. Soudain, malin :

— Messieurs, messieurs, ne vous faites pas plus bêtes que vous n'êtes !

Il allonge le bras, ramène un épais dossier, l'ouvre. Dedans, tous les numéros parus de *Hara-Kiri*, chaque page entrelardée de feuilles de papier machine couvertes d'une exégèse indignée. Des paragraphes entiers sont soulignés à lourdes barres de crayon rouge bien gras. Des zébrures multicolores, des ronds, des points d'exclamation, tout un gribouillis véhément... Un champ de bataille ! Chaque membre de la Commission a passé sa sciatique là-dessus à grands coups de crayon. Nous nous sentons l'âme bien noire.

Monsieur Paretty feuillette, du gras du pouce, hochant la tête et soupirant. Il s'exclame :

— Tenez, une photo comme celle-ci, vous rendez-vous compte ?

Nous regardons. C'est, penchés sur la margelle du bassin des Tuileries, une petite fille et un petit garçon occupés à rattraper un voilier miniature fugitif. La petite, vue de dos, tendue par l'effort, exhibe sous sa jupette une culotte de coton à côtes complètement en loques. Rien que d'innocent, d'attendrissant. Je dis :

— Ça vous semble... choquant ?

Monsieur Paretty s'étonne que je m'étonne :

— Pas à vous ? Enfin, vous n'allez pas me dire que ceci ne

244

ressortit pas à la pire obscénité ? Et mettant en cause des enfants ! C'est l'incitation au vice, à la débauche !

— Boah... Nous, on a vu ça comme quelque chose de drôle, de frais... D'innocent, quoi. Il faut être bien vicieux pour y voir du vice.

— Hum... Et ceci : « Madame ! La ménopause vous guette ! Cultivez les distractions intelligentes et de bon goût : ayez vos pauvres ! » Je ne vous cache pas que cela a beaucoup déplu, beaucoup.

— ...

— Et cet article : « Projet pour un reclassement rationnel des enfants d'Algérie » ! Vous y proposez tout bonnement d'engraisser les petits Arabes pour les vendre comme viande de boucherie ! Il y a des limites à l'odieux ! Je sais bien que la prolificité des Algériens musulmans pose à la France un grave problème, mais vous y allez tout de même un peu fort !

J'ose interrompre.

— C'est signé « Tfiws ».

— Oui, j'ai vu. Ce Tfiws est un énergumène. Je n'ai pas de consignes à vous donner, seulement des conseils, mais je vous engagerais vivement à vous séparer d'un collaborateur aussi cyniquement sadique.

Me voilà bien emmerdé. Je hasarde avec précaution :

— « Tfiws », c'est « Swift » à l'envers. Il s'agit d'un pastiche de Swift, vous savez, Swift, l'écrivain anglais, il disait cela, presque mot pour mot, à propos des enfants irlandais...

— Eh, oui, Swift, naturellement... Mais Swift était Swift, n'est-ce pas, alors que là nous sommes en pleine actualité... Les sensibilités sont à vif... Il y a des choses avec lesquelles on n'a pas le droit de rire... Et ça ! sursaute Monsieur Paretty.

Nous nous penchons. C'est, au milieu d'un article consacré à la fête des Mères, un encadré somptueux :

« La mère, ce paillasson du pauvre. »

— Ignoble ! Tout simplement ignoble !

Il regarde de plus près. Il y a une signature sous la citation : « Victor Hugo ». Citation bidon, bien sûr.

L'épisode Tfiws a rendu Monsieur Paretty circonspect.

— Hm, dit-il... Je sais bien que cette phrase à première vue scandaleuse est de Victor Hugo, évidemment, là, vous êtes couverts... Mais voyez-vous (ça y est, il a trouvé le joint, le voilà reparti bien en selle, tagada), prise comme cela, isolée, hors de son contexte, elle n'a pas du tout la même résonance...

Il galope. On se regarde, Choron et moi. Bon dieu, si ce guignol s'aperçoit qu'il est en train de se barbouiller de ridicule comme un morveux de confitures, jamais il ne pourra nous pardonner ça, d'avoir été témoins de ça... Sur la même double page, d'autres maximes aux cadres fleuris proclament :

« Les larmes des mères, c'est plein de vitamines », signé « Pasteur ».

« Les bonnes mères se reconnaissent à leurs yeux rouges », signé « Jésus-Christ »...

Pourvu, pourvu qu'il ne les voie pas... Tout en pérorant, il tourne la page. Ouf !

Pas de raison qu'il s'arrête. Nous avons mal aux fesses. Résignons-nous. Il finira bien par avoir envie de pisser.

— Et ça !

« Ça », c'est la photo d'une vieille. Une belle photo. Excessivement vieille, la vieille, et plutôt déprimante. Luxueusement encadrée, elle dit : « Je vous souhaite tout de suite une bonne année, parce que je n'atteindrai pas l'hiver. »

— Vous trouvez ça drôle ?

Nous avouons que oui. Et la preuve : nous rions.

— Moi, je trouve ça cruel. Et gratuit. Se moquer des vieillards, quelle lâcheté !

— Nous ne nous moquons pas des vieillards ! Nous ricanons de rage et de désespoir devant la vieillesse, comme devant n'importe quelle injustice ! Injustice des hommes, injustice du sort, tout cela est poignant, révoltant, la vie n'est que dérision, notre seule défense est le rire. Nous serons tous vieux un jour, nous avons tous le droit de rire des vieux, c'est-à-dire de nous-mêmes...

Qu'est-ce qu'il faut pas débiter comme conneries ! Mais

ça marche, c'est le genre de langage qui fait faire la roue à Monsieur Paretty. J'aurais dû glisser Molière et Rabelais par-ci par-là. Cicéron, aussi, en latin. Si seulement je savais le latin !

Monsieur Paretty a repris la direction de l'entretien. Il ne prétend pas nous — passez-moi le mot — castrer, encore moins nous dicter notre conduite, il se permet simplement de nous faire part de ce que, lui, à notre place, il ferait. Par exemple, ce dessinateur, là, comment l'appelez-vous, oh, c'est d'un morbide ! Insupportable ! Intolérable !

On se regarde, Choron et moi, on pense « Topor ? », on suggère :

— Topor ?

— Non, celui-là, là. Fred. Voilà. Fred ! Cet individu est profondément malsain. Un malade, j'en suis sûr. Il se complaît dans le noir, dans le laid*... Il vous cause le plus grand tort, croyez-moi. Maintenant, n'est-ce pas, vous faites ce que vous voulez, moi, ce que je vous en dis... Et aussi ce Topor ! C'est déjà moins hideux, comme graphisme, mais je dois vous avouer que je n'y comprends rien. Mais alors, rien ! Ça doit être un genre de surréaliste, mais sans le talent. Or, le talent, messieurs, tout est là... Et celui qui signe Gébé ! Celui-là, on voit ce qu'il veut dire, mais c'est complètement idiot. Enfin, bon, si c'est votre conception de l'humour, cela vous regarde, moi je ne suis pas là pour jouer les critiques littéraires mais à titre de garde-fou, si vous me permettez...

Ça roule...

On finit par sortir de là, tout arrive. Hébétés. Devant deux blancs secs, on récupère, on trie un peu tout ça, on met de côté ce qui peut servir, on fout le reste par-dessus bord, et puis on fait un petit bilan. Pas de quoi pavoiser... Enfin, tout de même : si nous sommes bien sages et si nous mettons à profit les paternels conseils de Monsieur le Rapporteur de la Commission, nous avons peut-être un

---

* Fred, le joyeux Fred, l'adoré des enfants, celui du « Petit Cirque » et des « Aventures de Philémon », oui, oui, celui-là !

petit espoir, tout là-bas tout pâle, de voir un jour la fin du tunnel. Mais il nous faut faire la preuve de la solidité de nos bonnes dispositions, et pour cela continuer à paraître afin que la Commission puisse juger sur pièces... C'est-à-dire, en clair, que nous devrons imprimer des journaux qui ne seront même pas mis en vente ! Cent pour cent de bouillons garantis d'avance*... Choron a beau rugir contre les fonctionnaires de merde et les culs-bénis à familles nombreuses qui font chier le travailleur honnête, il nous faut bien nous contenter de ça.

Tout en nous promettant de trouver moyen de tourner le char.

En attendant, nous voilà beaux, avec nos vingt-cinq mille fois cinquante-deux pages sur les bras, ou plutôt sur le béton fissuré de l'imprimerie de la rue Vicq-d'Azyr. Et Guichard qui n'a plus du tout confiance...

*

Aucun distributeur n'a le droit de nous distribuer ? Nous nous distribuerons donc nous-mêmes. Boulot énorme, peut-être infaisable, mais faut essayer.

Il y a environ six mille points de vente dans Paris et sa banlieue. Josette, la sœur de Choron, et Guy, son mari, font la tournée, assistés de quelques recrues qu'il faudra bien payer un jour, on ne sait pas trop comment...

Ça se révèle très vite pire que nos pires prévisions. Les marchands de journaux sont méfiants, ils ont tous reçu notification de l'interdiction, la plupart croient qu'il s'agit d'une interdiction absolue de vente, ils n'ont pas pris le temps d'éplucher, aidés d'un homme de loi, ce texte emberlificoté à dessein, il faut leur expliquer ce qu'il en est, les convaincre, ça prend du temps. Encore, bien souvent, au bout de tant d'efforts, refusent-ils, obstinés, cette marchandise à emmerdements. Certains, d'ailleurs, se déclarent tout

---

* Bouillons : exemplaires invendus.

à fait d'accord avec les autorités et sont trop contents d'avoir l'occasion de nous cracher ce qu'ils en pensent à la figure. Pourquoi aussi ne faisons-nous pas un journal intelligent, un journal convenable ? *Paris-Match, France-Dimanche, Détective, Le Pèlerin,* le Chah et Soraya, Grace et Rainier, Edith Piaf et Théo Sarapo, le père indigne et ses trois filles, la Sainte Vierge et le Bon Dieu, voilà de saine et bonne lecture, et pas vulgaire, pas de gros mots dedans, pas de risque d'histoires avec les flics, le curé de la paroisse ne vous fait pas de réflexions...

L'increvable bonne humeur de Josette en prend un sacré coup. Elle rentre fourbue, navrée par la minceur des résultats. Les recrues, épouvantées par cette montagne à remuer, dissuadées, voire insultées par quelques dépositaires bien-pensants de choc, disparaissent l'une après l'autre.

Odile s'est chargée de la province. Elle expédie les journaux par la poste, sous enveloppe hermétique en papier kraft puisque le titre doit rester caché. Trente mille points de vente... Le prix des enveloppes, les timbres... Pour deux ou trois exemplaires, souvent un seul... Et la comptabilité à tenir de tout ça !

Au bout du mois, quand il nous faut ramasser les « bouillons » pour savoir ce qui a été vendu et se le faire payer tout en distribuant le nouveau numéro, c'est le fiasco. Les dépositaires, habitués à tout rendre en bloc aux messageries, répugnent à tenir une comptabilité spéciale pour *Hara-Kiri,* ne savent plus où ils ont fourré les invendus, contestent les chiffres, prétendent n'avoir rien reçu, n'ont pas que ça à foutre, non mais qu'est-ce que vous croyez, la clientèle attend, paieront plus tard, et si vous n'êtes pas contents, gardez-les donc vos insanités qui ne nous attirent que des emmerdes !

Dans la presse, silence de mort. J'ai rédigé une lettre que nous envoyons à tous les journaux, leur expliquant dans le détail le mécanisme du piège à cons qui s'est fait les dents sur nous. Non seulement nous n'éveillons aucun écho, même pas par solidarité confraternelle — Personne ne nous connaît. Beaucoup, d'instinct, ne nous aiment pas —, la peur du flic est la plus forte, ou peut-être simplement l'indifférence. Je parviens quand même à établir quelques contacts, et je m'aperçois alors que personne n'est au courant de cette loi qui régit les publications « dangereuses pour la jeunesse », et que personne n'a l'intention de s'en inquiéter. Explique tant que tu voudras, moi j'écoute le merle chanter !

Pourtant, ce que nous découvrons, à force d'éplucher le code et la jurisprudence, est un sacré squelette dans l'armoire ! Une machine de guerre impeccable, imparable, tout exprès créée et mise au monde pour museler tel ou tel organe de presse quand le Pouvoir le veut, comme il le veut.

— Vous croyez vraiment que le Pouvoir avait besoin de monter un traquenard aussi compliqué pour vous descendre ? Il ne sait même pas que vous existez, le Pouvoir !

— Non, ce n'est sûrement pas exprès pour nous, petits merdeux que nous sommes. Nous avons seulement servi de cobayes d'expérience, et justement parce que nous sommes des petits merdeux inconnus, sans appuis, sans défense. On rode le truc sur nous. On se le met bien en main pour le jour où il sera peut-être besoin d'en museler de plus gros, de plus gênants, politiquement.

— Un peu bien machiavélique, non ?

— Écoutez. Tout se tient, tout se recoupe, les effets se déclenchent l'un l'autre, à distance, si bien dissimulés que seule la victime les voit, et seulement quand ils se sont abattus sur elle. Le public ne sait rien, ne peut rien savoir — « Toute publicité, sous quelque forme que ce soit... », donc le moindre bout d'article, même ne prenant pas parti, pour annoncer et expliquer la chose serait assimilé à de la publicité déguisée et son auteur passible de poursuites en correctionnelle —, d'ailleurs l'explication en a été volontairement rendue embrouillée pour décourager l'amateur, et la preuve : vous ne m'écoutez pas.

— Hein ?... Heu...

— Essayons quand même. Ça peut se résumer comme ça. En mai 58, le général de Gaulle, cédant, malgré sa modestie bien connue et son goût du repos, à la douce violence de ceux qui le suppliaient d'abandonner sa studieuse retraite afin d'accourir sauver la République qu'il venait lui-même de pousser sur la peau de banane qu'il avait lui-même placée là, le général, donc, de Gaulle, se retrouva pour la seconde fois à la tête de l'État, et bien décidé à ce que cette fois soit la bonne. A peine assis à l'Elysée dans le fauteuil tout chaud du père Coty, il fit mander certains spécialistes et leur tint à peu près ce langage : « Mes petits, débrouillez-vous, il me faut un machin qui me permette de mettre sur la touche tel journal que le souci du bien de l'État m'aura désigné comme pernicieux sans que la Justice, le Parlement ou je ne sais quel machin, enfin, qui que ce soit d'autre que Moi-même, ait rien à y voir. Et mijotez-moi ça dans la discrétion, il ne faut pas qu'il y ait projet de loi, campagne, discussion publique, vote à la Chambre, toutes ces giries de pékins. Faites avec ce qui existe. Bricolez. Ne remuez surtout pas la merde. Compris ? » « Affirmatif cinq sur cinq, mon général. » « Bien. Si je suis content, vous aurez une sucette. »

Voilà nos jeunes loups fouillant partout partout, dénichant avec de petits cris de joie cette loi-baderne de 1949 qui tient en lisière les « publications destinées — « destinées », j'insiste sur le mot — à l'enfance et à la jeunesse » et qui institue une Commission de surveillance chargée de tenir à l'œil lesdites publications et de les dénoncer lorsqu'elles ne respectent pas le « Code d'Honneur (majuscules) de la presse enfantine ».

Cette loi bien anodine, cette loi pondue dans l'indifférence du Parlement pour faire plaisir à quelques douairières épouvantées de voir les bandes dessinées américaines ravager la candeur de la jeunesse de France avec leurs cow-boys à la gâchette facile, leurs héroïnes aux cuisses calquées sur celles de Marlène Dietrich et leurs « Damned ! » éructés dans les bulles jaillissant de la bouche des vils « rascals », eh bien, cette loi, on allait la bricoler un peu, dans le silence et la discrétion.

D'abord, on donnait pleins pouvoirs au ministre de l'Intérieur pour la faire appliquer. C'est-à-dire à la police. Le chef des flics décide en toute souveraineté de ce qui est ou n'est pas « dangereux pour la jeunesse ». Mais le vrai vicieux de la chose, c'est que, par un subtil tour de passe-passe, ce n'est plus des publications strictement « destinées à l'enfance et à la jeunesse » qu'il s'agit, mais bien des publications « dangereuses pour l'enfance et la jeunesse ». Un adjectif changé, et voilà que toute la presse est visée, et pas seulement la presse enfantine !

Est « dangereux pour la jeunesse », ainsi que nous l'expliqua Monsieur Paretty, tout ce qui risque de tomber sous les yeux innocents d'un enfant, même si cela ne lui est pas expressément destiné ! Comme tout objet imprimé est susceptible d'être feuilleté par un enfant, tout journal, tout livre contenant des images ou des textes non spécialement conçus pour des enfants tombe sous le coup de la loi ! A plus forte raison s'il est exposé à l'étalage d'un kiosque à journaux... C'est magnifique, c'est grandiose, c'est trop beau pour être vrai !

La presse française tout entière est donc soumise à l'obligation de ne rien publier qui puisse choquer ou troubler un bambin... Et elle ne le sait même pas !

Pour rendre le piège absolument implacable, on lui adjoignit ces conséquences accessoires à déclenchement automatique habilement semées dans le « Dalloz » en ordre dispersé : interdiction absolue faite aux messageries de distribuer le pestiféré, interdiction de toute publicité « sous quelque forme que ce soit », interdiction de faire paraître un autre journal avec la même équipe, même s'il se veut radicalement différent et expurgé de ce qui est censé avoir déchaîné les foudres du Pouvoir... « Sous quelque forme que ce soit », formule élastique, formule scélérate, permettant toutes les interprétations à qui tient le côté du manche.

Pour parfaire l'hypocrisie de la chose et lui donner la touche finale du bon artisan, on charge la « Commission de surveillance » d'éplucher ligne à ligne toute la presse et de signaler à Monsieur le Ministre sur quels voyous il doit faire tomber son gourdin. Commission-alibi, commission-croupion. Composée massivement de représentants des organisations de parents, des mouvements dits « de jeunesse », tout ça puant la sacristie et le vieux boy-scout, ajoutez deux ou trois épaves édentées du journalisme trempées dans le même bénitier et, tout de même, un magistrat, puisque cette commission est placée sous l'égide de la Justice. Oh, toutes gens de bonne foi ! Et se croyant sincèrement chargés par le Ciel de purifier la presse française et de protéger l'âme de nos chers petits ! En fait, les furieux coups de crayon rouge dont ils zèbrent les pages d'*Ici-Paris*, de *Lui*, de *France-Dimanche* et des autres puissances, les rapports indignés dont ils accablent l'Intérieur, tout ça n'aboutit à rien, on s'en serait douté. De loin en loin, pour leur entretenir le moral et les faire se sentir exister, le ministre leur donne une joie : sur leurs avis, il frappe un bouquin un peu léger sorti de chez Pauvert, de chez Losfeld ou de chez Régine Deforges★, chose navrante, moins terrible cependant que l'interdiction d'un journal puisque celle-ci, s'appliquant à tous les exemplaires parus ou à paraître, est la mort pure et simple de l'entreprise.

Et voilà. Tout ce travail, tout ce talent, cette terrible année de crevage, de fièvre, d'enthousiasme et de trouille, tout ça balayé d'un coup, jeté en pâture à des ratichons rancis par un fonctionnaire qui a besoin de les ménager ! C'est pas à chialer ? Ces pisse-vinaigre qui nous condamnent au nom du bon goût ! Ces serre-fesses, ces crasseux de l'âme, ces constipés, ces hernieux, ces boutonneux, ces cons boursouflés, ces gueules de carton, ces malfaisants, ces veaux, qui décident superbement qu'un Topor est « malsain », un Fred « morbide », un Gébé « absurde ». et tout le paquet « dangereux pour la jeunesse » !

Eh, qu'ils la surveillent donc, leur « jeunesse » ! Leur triste marmaille conçue je ne sais comment, mais à coup sûr sans frénésie, sans pâmoisons et même, si ça se trouve, sans coups de queue ! Qu'ils les surveillent donc, leurs futurs Saint-Cyriens, leurs têtards de technocrates, leurs séminaristes à branlouilles furtives, qu'ils les cloîtrent, qu'ils les châtrent, qu'ils leur boulonnent des caleçons blindés en acier au tungstène, qu'ils leur rivent des lunettes de fonte sur les œils, qu'ils leur découpent au chalumeau le lobe fornicatoire

---

★ Le lecteur de 1981 resterait confondu d'incrédulité s'il pouvait voir quels livres on interdisait alors — dans les années 60 — pour « pornographie » !

du cerveau et le jettent au chat, car quand on ne pense qu'à ça, tout vous ramène à ça, et comment ne pas penser à ça puisque nous sommes faits pour ça ? Même les saint-sulpiciennes Saintes Vierges des images de communion sont un rappel de la Femme, de la seule, de la vraie : avec du poil autour. Ô combien de gamins, combien de catéchumènes, se sont branlés, joyeux, sur toi, Mère souveraine ?...

Nous reprocher d'être vulgaires ! Les beaux experts en vulgarité que voilà ! Il n'y a qu'une vulgarité : la connerie. La triomphale, l'universelle connerie... Qu'ils les tiennent donc en laisse, leurs précieux, leurs fragiles moutards, mais qu'ils n'emmerdent pas les adultes !

Nous avions une ou deux fois prononcé le mot « censure ». « Censure ? » avait sursauté Monsieur Pollin. « Censure ? » s'était étranglé Monsieur Paretty. « Censure ? Où allez-vous chercher cela ? Il n'y a pas de censure en France, Dieu merci ! Absolument aucune ! » Nous n'avions sans doute pas l'air tellement convaincu. Il nous fut alors expliqué :

— La censure consisterait à vous empêcher de publier telle ou telle chose, ou bien à vous interdire de paraître, ou bien à vous soumettre à l'examen préalable de l'Autorité. Or, tout au contraire, nous sommes là pour vous aider. Vous imprimez ce que vous voulez, vous le mettez en vente, personne ne vous en empêche. Simplement, pour vous éviter de tomber sous l'œil des enfants, à qui, vous en conviendrez volontiers, votre publication n'est pas spécialement destinée, nous vous facilitons la tâche. L'interdiction à l'affichage est une mesure prise dans votre propre intérêt.

Ben, voyons ! Et aussi ses accessoires : interdiction de distribution, etc. ? Mieux valait fermer sa gueule. Ce que nous fîmes.

✱

Dix mois. Cela devait durer dix mois. Pendant lesquels il fallut bouffer. Entre autres.

Reprendre le carton à dessins, recommencer à grimper des escaliers, à tirer des sonnettes, à « laisser la liquette »... Je finis par dégoter par-ci par-là quelques miettes de pub, des illustrations de bouquins... Un coup de bol : une collection de romans policiers archi-miteux se lance, ils cherchent une idée de couverture pour kiosques de gares, je leur en ponds une, ils sont contents, ils en veulent quatre par mois, ça bouche toujours un trou. Oui, mais, ça dévore du temps. Et de la force de travail. Or, le temps et le travail, c'est dans *Hara-Kiri* qu'il faut les enfourner, si nous voulons qu'il reparaisse un jour. Et il reparaîtra, aucun doute là-dessus ! Enfin... aucun doute tant qu'on est ensemble. Quand j'arpente, dans la banlieue solidifiée par la nuit, mes trois bornes de route déserte, j'en suis moins sûr. C'est gros à remuer, l'Administration. Gros et flou. C'est personne. Ça te broie, et c'est personne. Va te battre contre personne !

Choron enrage et se ronge, perché sur son Himalaya de « bouillons » désormais invendables, harcelé par Guichard, par le marchand de papier, par le propriétaire... Les colporteurs se débandent. On a bricolé à leur intention une petite revue, *Baladin de Paris,* aspect systématiquement dissemblable de celui de *Hara-Kiri,* afin qu'ils aient de quoi vendre, mais eux c'est *Hara-Kiri* qu'ils veulent, ils l'aiment, ils y croient, c'est leur fétiche, ils sont persuadés qu'ils ne pourront rien vendre d'autre et, naturellement, ils ne peuvent pas.

— Et puis, merde, explose Choron, on s'en fout ! On entasse toute la bande dans des bagnoles, on les envoie vendre *Hara-Kiri* en province ! Et on verra bien ! Et merde ! Et merde, et merde, et merde !

— Ouais ! gueulent les colporteurs, électrisés.

— Vous êtes bien d'accord ? On va pas rester là à se regarder crever tout vivants, non ? On a des couilles au cul, ou merde ?

— Ouais ! gueule la bande, les filles plus fort que les mâles.

— Et puis d'abord, les flics, à la campagne, je vous parie bien qu'ils sont même pas au courant.

— Les flics, on leur pisse à la raie !

— Et si vous êtes emmerdés, je prends tout sur moi. Dites que c'est Choron qui vous a forcés à vendre, dites que Choron est un négrier, un maquereau, un gangster, un fumier et un dégueulasse, qu'il vous bat, qu'il séquestre votre vieille maman, ce que vous voudrez, je m'en fous, je prends tout sur moi, j'ai tout fait, vous cassez pas la tête !

Champagne. Le lendemain aux aurores, quatre grosses voitures pas vraiment vieilles vieilles se ruent loin des fortifs par les quatre points cardinaux, bourrées enflées de bougres et de bougresses aux yeux collés, à la voix rabotée, bourrées surtout de paquets de *Hara-Kiri* cachés sous les fripes et sous les fesses comme une cargaison d'héroïne.

Si on est pris, c'est la correctionnelle. Et l'interdiction à perpète d'éditer quoi que ce soit... Oui, mais, en attendant, les mandats arrivent. C'est pas brillant brillant, le colportage exigerait qu'on s'y donne à fond, or Choron brûle ses journées en acrobaties financières à vous couper le souffle, mais bon, ça permet de colmater le plus urgent, de faire patienter, et surtout, surtout, de continuer à sortir *Hara-Kiri,* un numéro au bout de l'autre, cahin-caha, aucune bête au monde... Tirages microscopiques : nous vendons presque uniquement aux abonnés, qui sont si peu que rien, et qui de toute façon ont déjà payé... En somme, nous assurons la continuité de la parution à l'intention exclusive de Messieurs Paretty et Pollin ainsi qu'à celle de ces Messieurs-Dames de la Commission des Genoux Cagneux... Lesquels, pas spécialement angoissés, ne mettent aucune hâte à récompenser nos méritoires efforts vers le Bien et le Beau.

Nous sommes pourtant devenus bien polis bien convenables, merde ! Nous ne manquons pas de le faire respectueusement remarquer à Monsieur Paretty, car nous avons obtenu qu'il veuille bien nous recevoir périodiquement afin de nous faire part des observations de la Commission — que la gangrène noire lui bouffe le cul —, oh, à simple titre consultatif, afin de guider nos pas chancelants mais résolus dans la voie du Bon Goût du Jusqu'Où l'On peut Aller Trop Loin, comme disait l'autre nouille*, et sans prétendre nous dicter notre conduite ni influencer notre inspiration, cela va sans dire mais cela se dit quand même, et d'abondance. Monsieur Paretty a la satisfaction de nous apprendre que nos efforts n'ont pas échappé à la Commission mais qu'elle voudrait être assurée qu'ils seront persévérants. Il nous faut donc continuer à lui soumettre — « Que me faites-vous dire ! « Soumettre » ! Il est bien entendu que vous ne me soumettez rien, ce serait outrepasser mon rôle, nous nous rencontrons à titre strictement privé et mes avis n'ont aucun caractère contraignant, pas plus qu'ils ne préjugent de la décision future de la Commission. » — à lui, donc, pas « soumettre » mais, disons, présenter nos successifs numéros jusqu'à ce que ladite Commission juge nos progrès dignes de confiance et les sanctionne de cette marque d'estime : l'avis favorable à la levée de la mesure d'interdiction. Encore ne sera-ce là qu'un « avis », la décision appartenant au ministère de l'Intérieur, qui suivra ou ne suivra pas... Il est long, le tunnel.

✱

Et, bon dieu, c'est arrivé ! Je débarquais de je ne sais où, pas trop joyeux, comme tous ces temps, à peine la porte poussée Odile me hèle, un téléphone à la main.

— Vous tombez bien ! Il y a un Monsieur Colin ou quelque chose comme ça qui veut vous parler.

— Pollin ?

— Peut-être bien.

Je me suis dit « Qu'est-ce qu'ils me veulent encore ? » A cent lieues de.

Tout sucre, Monsieur Pollin. Des pâquerettes dans la voix.

---

* Cocteau, non ? « Savoir jusqu'où l'on peut aller trop loin »... Prototype parfait du « mot » agréablement balancé, qui « va loin » et fait se pâmer les esthètes ainsi que les professeurs de français. Piteuse pirouette de pitre de luxe. Je hais.

— Monsieur Cavanna, j'ai une bonne nouvelle pour vous.

— Allons donc ?

N'osant même envisager que.

— Mais si, mais si ! *Hara-Kiri* n'est plus en pénitence. Le décret paraîtra demain à l'*Officiel*.

— Vous êtes sûr ?

J'ai crié ça sur l'air de « Youppie ! ». J'aurais été un coq, j'aurais poussé le chant du coq.

— Sûr ? Vous pensez bien ! Je l'ai donné moi-même à la signature !

Hé, mais, il en était tout réjoui, Monsieur Pollin ! Ce flic aurait-il un cœur ? Question à examiner à tête reposée. Pour le moment, j'étais dans un état d'âme à trouver du cœur à un SS-Tête de Mort.

J'ai, je crois l'avoir déjà dit, la réaction émotive à retardement. L'événement me trouve froid comme du veau froid, m'étonnant moi-même par mon absence de sursaut. Oui, mais, attends seulement ! Quand, un peu plus tard, alors que le calme est revenu dans les espaces extérieurs, l'effet du choc, à contretemps mais irrésistible, soudain démarre dans mes intimités, avec d'abord une majestueuse lenteur, et puis implacablement grandit, grandit... Quand la grosse vague frontale du raz de marée d'adrénaline me submerge la tuyauterie, me refoule le sang à rebrousse-poil, me bouscule le tempérament cul par-dessus tête... Quand je me mets à rougir écrevisse, à blêmir verdâtre, à briller des yeux, à chauffer brûler de partout, le cœur qui pistonne tam-tam d'éléphants, le sang qui bourre se bouscule gros bouillons au portillon des artères, la poitrine à s'éclater péter de trop de vie d'un seul coup, quel tumulte, quel ravage, quelle émeute, non, Sire, c'est une révolution, Odile, ça y est ! Qu'est-ce qui y est ? Ah, ça y est ? C'est ça ? Oui ? C'est pas vrai ! Choron ! Hé, Choron, ça y est ! Où qu'est Choron, merde, où qu'il est, Choron ? Choron, tout juste, s'amène. Voit nos gueules, fendues hilares de Montreuil à Nanterre. C'est pas vrai ? Tu parles que c'est vrai ! Champagne.

Pour l'anecdote, le jour même où le décret nous

dédouanant paraissait à l'*Officiel,* un commissaire de police de la ville de Lyon s'avisait que les jeunes colporteurs, que ses hommes venaient d'appréhender alors qu'ils accrochaient sec les bons bourgeois de la ville à sa vigilance confiée, exposaient et clamaient une marchandise répréhensible qui n'aurait même pas dû être visible et qu'il était censé, lui tout particulièrement, traquer aux étalages des marchands de journaux. L'affaire devenait sérieuse. Tout le monde au bloc ! Quand Choron eut le zélé commissaire au bout du fil — il finissait toujours par les avoir au bout du fil —, il conseilla impérativement à ce fonctionnaire de prendre connaissance du numéro du *Journal officiel de la République française* paru le matin même ainsi qu'il aurait déjà dû l'avoir fait, il se serait épargné une bévue. Le commissaire prit connaissance, le commissaire présenta ses excuses, les innocents eurent aussitôt justice rendue. Un jour plus tôt, ils étaient bons ! Et nous aussi. Il y a des fois où on croirait au Bon Dieu !

1963
Interlude

*

Il arrive que des gens écrivent. Pour dire des choses comme ça :

« Dans l'ensemble, *Hara-Kiri,* j'aime bien. Mais il y a des trucs qui ne passent pas. »

Des fois, c'est un coiffeur qui rit à se fêler les côtes à chaque page du journal, sauf une où l'on a un peu traîné dans le caca l'honorable corporation des coiffeurs. Ou bien ce sera un cousin germain, pourtant porté sur la rigolade, vous n'avez qu'à demander à ceux qui me connaissent, meilleur public que moi vous pouvez toujours chercher, mais là, le type qui a le rôle de l'andouille, là, il est le cousin germain d'un autre, alors, non, vous permettez, je ne vois pas où est le message, il y a des limites, c'est du racisme, les cousins germains sont des hommes comme les autres ! Ou bien c'est une bégueule qui écrit : « Je ne suis pas bégueule, mais... »

Inutile de le nier, il y a là un problème. Les problèmes, nous n'avons pas pour habitude de les laisser pourrir. Nous posons le problème sur la table, nous l'examinons avec attention et compétence, nous nous consultons, nous parvenons à une décision. Cette décision est telle :

Le lecteur doit être satisfait à cent pour cent. C'est un devoir sacré. S'il ne l'est pas du premier coup, nous devons faire en sorte qu'il le devienne. Nous allons donc créer un service après-vente.

Nous sommes très contents de nous. Très fiers, aussi : « Service après-vente », ça fait grosse boîte sérieuse et tout.

Nous publions donc dans le numéro suivant cet encadré : « S'il y a, dans votre exemplaire de *Hara-Kiri,* certaines pages dont l'humour vous échappe ou qui, pour quelque raison que ce soit, ne vous conviennent pas, n'hésitez pas à nous téléphoner, notre service après-vente se fera un plaisir de se rendre sur place dans les plus brefs délais afin de vous en effectuer gratuitement l'échange standard. »

Il va sans dire qu'en même temps nous mettons sur pied l'équipe technique adéquate.

Les appels ne se font guère attendre.

Une petite dame, d'après la voix, petite et frisée, tout à fait sérieuse, coup de coude à la copine collée à l'autre écouteur :

— Voilà. J'ai acheté *Hara-Kiri.* La page de Topor, là, vous voyez, j'ai pas aimé. C'est vulgaire, moi je trouve. Et puis, j'ai pas bien compris la blague.

— Je vous passe le service après-vente, madame, ne quittez pas.

Odile passe le combiné à Choron. Choron tire sur son fume-cigarette :

— Ici, *Hara-Kiri,* service après-vente. J'écoute.

La petite dame est un peu démontée. Elle glousse :

— Oh, dites, eh, c'est une blague !

Choron, olympien :

— Une blague, madame ?

— Vous... vous êtes vraiment le service après-vente ?

— Madame, je vous en prie, veuillez me faire part de votre problème. Nous avons beaucoup d'appels, le standard est encombré.

— Euh... Eh bien, c'est la page de Topor, là, j'ai pas aimé.

— Précisez bien votre cas, madame, Vous n'avez pas compris le genre d'humour de cette page, ou bien, l'ayant compris, vous ne l'avez pas aimé ?

— Ça fait une différence ?

— Énorme, madame, énorme. Suivant qu'il s'agit d'un cas ou de l'autre, nous envoyons un technicien différemment spécialisé.

A l'autre bout, la petite dame pouffe. Ça pouffe deux fois : la copine pouffe.

— Eh bien, c'est les deux. D'abord, je n'ai pas bien

compris, et de toute façon, même si j'avais compris j'aurais pas aimé.

— Bien, madame. Je note. « Pas compris, pas aimé »... Là. C'est donc un cas mixte. Maintenant, quelle solution envisagez-vous ?

— Pardon ?

Choron, avec une infinie patience :

— Je veux dire, préférez-vous que nous nous rendions à domicile afin de vous expliquer l'humour de cette page dans toutes ses nuances, ses allusions et ses prolongements culturels, ou bien préférez-vous que nous procédions purement et simplement à l'échange standard ?

Léger désarroi à l'autre bout. Chuchotements. Lard ou cochon ? Choron :

— Prenez le temps d'y réfléchir, madame, vous nous rappellerez quand vous serez parvenue à une décision.

— L'échange standard !

— Très bien. Je prends note. Veuillez me communiquer votre adresse précise, ainsi que votre numéro de téléphone. Nous vous rappellerons dans dix secondes pour vérification.

La petite dame énonce tout ça, au garde-à-vous. Snobée à mort.

Odile la rappelle, très hôtesse de clinique pour chiens.

— C'est pour la vérification. Je vous remercie. Notre technicien sera chez vous dans un petit quart d'heure.

— Et pour la facture ?

— Notre service après-vente est absolument gratuit, madame. Au revoir, madame.

Heureusement, la petite dame habite Paris. Vingt minutes plus tard, elle voit, de sa fenêtre, arriver un jeune gars décidé, voltigeant sur une mobylette frappée aux armes de *Hara-Kiri*, vêtu d'une combinaison verte avec, sur le cœur, le petit Japonais hilare qui s'ouvre le ventre, et réglementairement casquetté d'un couvre-chef d'officier de la Wehrmacht dont les insignes désormais séditieux ont été remplacés par les nôtres. Dans le dos du spécialiste, en lettres jaune vif :

HARA-KIRI, SERVICE APRES-VENTE

Le spécialiste sonne, salue de deux doigts à la visière, annonce :

— C'est pour l'échange standard. Vous avez l'objet ?

La petite dame dit voui, par-ici, je vous prie. Finalement, elle n'est pas frisée, c'est la copine qui l'est. Le spécialiste pose sur la table la caisse à outils de plombier-zingueur, de plombier-zingueur costaud, qui lui pend à l'épaule. Il en tire les différents instruments que réclame son délicat travail : un pied-de-biche de terrassier pour désagrafer, une masse de forgeron pour réagrafer, une lame de rasoir punaisée sur un bâton d'esquimau pour couper ce qui dépasse, un pot de peinture blanche et un pinceau pour couvrir les mots non désirés, un choix de tampons pour imprimer à la place les mots préférés, et puis tout un lot d'outils astucieusement modifiés pour répondre aux exigences de cette profession nouvellement créée, outils principalement voués, à l'origine, aux activités multiformes des installateurs de chauffage central et des ramoneurs de cheminée, dont nous avions trouvé un lot un peu rouillé dans un coin de la cave. Il tire aussi d'une vaste valise une collection de pages de rechange.

— Bon. C'est quelle page que je vous change ?

Ce travailleur est compétent mais assez fruste. Les dames, décidant de jouer le jeu, disent « Celle-là ».

Le technicien évalue l'effort à accomplir, empoigne l'outil adéquat et dégrafe proprement la page. Il la pose sur la table, comme on pose une roue qu'on vient de déboulonner. Il a un sourire heureux, il s'y est très bien pris, juste comme on lui a montré, il est content de lui.

— Laquelle c'est que vous voulez que je vous mette à la place ?

Il étale en éventail son paquet imprimé.

— Voilà. Je peux vous mettre une page du *Figaro,* ou une de *Paris-Match,* ou une de *Marius rit et fait rire tous les vendredis,* ou une de *Maigrir sans se priver,* ou une du *Chasseur Français,* ou une de l'Annuaire des Téléphones... Au choix.

Les deux dames dont une frisée se tâtent. Il suggère.

— L'Annuaire des Téléphones, c'est toujours ce que je conseille. C'est juste la bonne grandeur, ça fait que j'ai pas à couper ce qui dépasse, c'est quand même plus agréable, si c'est pour lire.

Songeur :

— Seulement, ça ne s'agrafe pas. Faut que j'y aille à la colle. Des fois, ça bave, forcément.

Elles n'ont plus envie de rire. Elles regardent le bonhomme, guettent le clin d'œil. Mais non. Imperturbable. Si c'est un canular, elles ne sont plus dans le coup. Lui regarde sa montre.

— Faut vous décider. J'ai pas que vous à dépanner, moi. Vous êtes pas très fixées, hein ? Tenez, je vais vous faire plaisir. Je vais vous mettre celle-là, elle est vachement belle, je me la gardais pour moi cette nuit, mais je vous la donne parce que vous êtes sympa.

Il leur exhibe une page de *Lui,* une fille somptueusement à poil, tous trésors offerts, la met en place, replie les agrafes à petits coups de masse fignolés, rogne ce qui dépasse.

— Voilà l'affaire. Signez là, s'il vous plaît.

Les petites dames reprennent pied. Elles ont compris : c'est de la publicité. Ils ont de ces trucs !

— Vous devez avoir soif, à travailler comme ça ! Vous prendrez bien un petit quelque chose ?

C'est qu'il est pas mal du tout, vu sous un certain angle, ce taurillon frais débarqué de la gare d'Austerlitz. Et cette nuque ! Tu as vu cette nuque ?

— Ah, non, madame. Merci bien, merci beaucoup, madame, mais faut que je file. J'ai ma tournée à faire, et après je rentre faire mes rapports.

— Vos rapports ?

— Ben, oui. Tous les dépannages, faut que je les explique par écrit, le nom, l'adresse, l'heure, qu'est-ce qui leur a pas plu, qu'est-ce que je leur ai mis à la place, tout ça qu'on écrit dans les rapports, quoi.

Comme elles le regardent d'un drôle d'air, il explique :

— Vous comprenez, c'est pour les statistiques.

Ça marche quelque temps comme ça. Notre technicien est très content. Il ne pensait pas trouver si vite du travail à Paris. Il est payé — c'est une époque où on est payés — il se fait des pourboires, il apprend un bon métier et les gens qu'il dépanne sont toujours de bonne humeur. Il y a quand même des choses qu'il comprend mal :

— Pourquoi qu'ils clignent de l'œil et qu'ils me donnent des coups de coude dans l'estomac en me disant « Allez, mon gars, ça va comme ça, laisse un peu tomber ! » « Elle est bien bonne, qu'ils disent, on croyait pas que vous iriez jusqu'au bout, chapeau, d'accord, t'es un chef, mais maintenant on est entre nous, laisse tomber ton faux nez. » Pourquoi qu'ils causent comme ça ? Ils sont pas très intelligents, les clients, comme niveau.

Il réfléchit un coup.

— C'est parce que vous y mettez dessus « Journal bête et méchant ». Ça peut vous faire venir que du monde pas normal, forcé.

Maintenant qu'il nous a quittés pour d'autres voies vers la promotion sociale, je peux l'affirmer, bien que personne ne veuille le croire : ce garçon était absolument sincère. Nous aussi, en un sens.

1945-1956
Expériences

*

Peu de temps après mon retour en France, vers l'automne quarante-cinq, je crois, j'avais rencontré un gars que j'avais connu autrefois à l'U.S.M., la société de natation des bords de Marne. Nous étions loin d'être intimes, aussi j'avais été étonné de l'intérêt qu'il avait montré lorsqu'il avait appris ma longue cohabitation avec des déportés soviétiques. Il voulait savoir comment ils étaient, « idéologiquement », et si, dans leur misère, ils « maintenaient la flamme », c'est comme ça qu'il parlait.

Ce garçon, d'une dizaine d'années plus âgé que moi, m'avait toujours impressionné. Il nageait comme un dieu marin, sans doute pour compenser cette jambe plus courte que l'autre, broyée dans je ne sais quel accident. Il avait dû s'acharner dents serrées sur le seul sport qui lui restait permis, il y avait acquis un torse de gorille, des bras de maréchal-ferrant, une mâchoire crispée sur une volonté de samouraï et des yeux où flambait l'impitoyable feu des apostolats.

Quand il me proposa « Tu devrais venir voir les copains », je répondis par un très vague « Ouais, ouais... », n'ayant aucune idée de ce que pouvaient être ces « copains » mais ne voulant pas avoir l'air d'un con puisque son ton semblait impliquer une vieille connivence. Et comme après tout je n'en avais rien à secouer, j'arborai donc cette expression tout à fait au courant dont je vêts mon visage dans ces cas-là, toujours ce putain de besoin de ne pas être désagréable à l'interlocuteur, eh, oui, et aussi parce que j'avais envie de me tirer vite fait, chaque fois que je vois ce Robert je pense à sa quille, horrible bâton tordu boursouflé de cicatrices, je ne pense qu'à ça, il peut me dire ce qu'il veut, être beau d'en haut comme Apollon, être passionnant à écouter, je ne pense qu'à sa jambe, je la vois là devant moi, nette et répugnante, en surimpression devant sa figure mais bien plus nette que la figure, horreur horreur horreur, une onde d'horreur toutes les cinq secondes, qui part du plus profond de moi et vient se cogner à la périphérie, ça me fait mal au bout des doigts, un mal de chien, et aussi au bout de la queue, elle se rencoquille, se fait toute petite toute dure toute dure et veut rentrer se cacher s'enfoncer dans mon ventre, et aussi au trou du cul, là j'ai vraiment très mal, une douleur violente, en coup de couteau, et mon oignon lui aussi se crispe se fripe serré serré sur ses plis et s'enfonce au profond de moi, merde, je ne sais pas si ça fait ça à tout le monde, je ne crois pas, j'ai essayé une ou deux fois de raconter je me suis fait foutre de ma gueule, enfin, moi, les infirmes, ça me fait ça, et aussi quand j'ai le vertige au-dessus du vide. Pourtant, des blessés, des macchabées, des membres arrachés et des tripes répandues dans les gravats avec les mouches en pleine orgie, j'en ai vu mon soûl, j'en ai manipulé, j'arrivais même plus vite que les autres à m'y faire, mais bon, voilà, les infirmes, les aveugles aux yeux blancs, je céderais à ma panique je les tuerais sur place. A la hache. Va comprendre.

Mais un dimanche matin je tombe sur ce Robert, bonjour, cordialités, je vais pour filer, seulement lui m'a déjà harponné par le bras. « T'as bien deux secondes ? Viens dire bonjour aux copains. » Le temps de dire « Beuh... », me voilà devant chez Kastelbach, c'est un petit bistrot, dans la Grande-Rue, en face du Central, je connaissais mais j'étais jamais entré, et que serais-je allé y foutre, et là-dedans il y avait des gars, debout au zinc, habillés en dimanche, des jeunes des vieux, des gars que j'avais été à l'école avec mais depuis le temps, hein, dans le tas un ou deux vieux Ritals, la casquette plantée bien droit jusqu'aux oreilles rabattues d'équerre, les grosses pattes rouges crevassées pendant au bout des manches trop courtes du complet-veston de leur mariage. Tous ce même regard d'affection intense, ces yeux de chien qui donnent l'amour, qui quêtent l'amour, qui ne sont qu'amour. Tous ces yeux... Le petit bistrot tristouille bourré d'yeux et de sourires. Là, j'ai palpé, à pleines mains, ce qu'on appelle « chaleur humaine ». Ils sont entre eux, le monde fumier est de l'autre côté, dans la rue, ils s'accueillent l'un l'autre comme si la survenue du copain, qu'ils ont quitté la veille, était le plus beau moment de leur vie, ce ne sont qu'embrassades et exclamations joyeuses, au point que je me disais « C'est pas vrai ! Ils en remettent ! » Des copains, j'en ai eu, j'en ai, et des très chers, même, Roger, par exemple, mais nous, on serait plutôt portés sur la pudeur, question sentiments.

Je me sentais assez largué, malgré les sourires et les démonstrations affectueuses dont je recevais ma part : puisque j'étais là, j'étais de la famille. J'ai quand même fini par prendre conscience qu'ils n'étaient pas simplement des copains descendus boire un pot en attendant l'heure de la bouffe. J'ai compris que ce Maurice dont le nom revenait si souvent était Maurice Thorez, que Jeannette était Jeannette Vermeersch, que Jacques était Jacques Duclos, et que le parti était le Parti. C'est cela qui leur donnait cette connivence, ce sourire de chrétiens livrés aux lions. Ils avaient conscience d'être le fer de lance de la révolution, et aussi d'être la génération sacrifiée. Les lendemains ne chanteraient pas pour eux. Les aujourd'hui ne devaient déjà pas leur être trop confortables : s'afficher communiste à Nogent-sur-Marne, ce n'était certes pas la meilleure recommandation pour trouver du travail.

Eh bien, voilà, c'étaient des communistes. L'infime noyau de communistes cramponné à la vie dans Nogent, ville archi-bien-pensante. Robert était en train de me racoler, et puisque Robert m'avait pris sous son aile, j'étais admis, c'était comme si j'avais déjà ma carte en poche. La chaude ambiance agissait, je me sentais des dettes envers eux, ils étaient si gentils, se donnaient avec tant de candeur, je n'allais pas décevoir ces braves gens... J'étais fait, quoi. On m'a toujours au sentiment.

✳

J'étais fort peu porté sur la politique, encore moins sur l'action militante. J'avais été initié aux discussions partisanes dans ces palabres de chambrée qui aidaient à oublier la faim. J'en avait surtout retenu que tous les boy-scoutismes se ressemblent et se valent : quelle que soit la cause sublime, ce qui compte c'est, premièrement, l'illusion d'avoir trouvé une fois pour toutes la clef magique, et ensuite se serrer les coudes avec les copains. Nous savons où est la lumière, allons-y tous ensemble, et youppie ! Ça donne ce qu'on appelle un sens à la vie. Ça aide à supporter. Oui, mais, comme la foi en Dieu, comme n'importe quelle foi : à condition de ne pas savoir que ce n'est que ça. Une pilule.

Ces empoignades autour d'une table sans rien à bouffer dessus, j'y participais à titre de figurant muet. Con comme la lune, j'étais. Bon plouc de maçon rital. Je ne savais rien de rien. Je faisais mes classes. J'écoutais. Ma baraque était une baraque qui se voulait moins arriérée que les autres. Qui l'était. La fine fleur. Il y avait là des gars vachement dans le coup. « Politiquement éduqués », on dit. Ils vous expli-quaient Hitler, Staline et tout ça, vous y mettaient en évidence les symptômes de la mort imminente du capita-lisme dont le nazisme n'était qu'un sursaut d'agonie, et aussi celle du pseudo-communisme dévoyé terroriste flic et au fond carrément nazi n'ayons pas peur des mots du petit père Staline. Là, ça divergeait. Le gars qui avait mené cette analyse, un Auberges de Jeunesse, c'est-à-dire un commu-niste de la variété trotskiste ou bien un anar à tous crins, les deux écoles étaient représentées, se faisait sèchement moucher par le stalinien de service, il y en avait toujours un en état de marche malgré la précarité des temps, la minceur des parois des baraques et la tentation d'envoyer un pote à la Guestape pour un rab de soupe. Il y traînait aussi quelques S.F.I.O. nostalgiques du Front Popu, mais c'étaient des vieux birbes et on se foutait de leur gueule. Il y avait bien encore les curetons, mais ceux-là ne se pointaient pas chez nous. Nous ignorions donc superbement que tout ce qui n'était pas notre baraque, c'est-à-dire la quasi-totalité du camp, était pétainiste-on-a-bien-cherché-ce-qui-nous-tombe-sur-la-gueule-alors-prions-mes-frères-etremercions-le-Seigneur ou, et c'était l'immense majorité, ferme-ta-gueule-et-attend-que-ça-se-tasse.

Dans la journée, tout en piochant ces tas de gravats qui avaient été l'une des plus grandes villes du monde afin d'en exhumer ce qui avait été des spécimens de la race la plus orgueilleuse du monde, je remuais tout ça dans ma tête, et ça me paraissait bien pauvre, bien puéril. Beaucoup de passion, un essentiel besoin de passion, au service de ce qui n'était rien de plus que le vieil absurde bestial instinct tribal : défendre le clan. Son clan, son camp, on se l'était choisi, vite vite, une fois pour toutes, et on n'en changerait jamais. On croyait se l'être choisi. En fait, le hasard l'avait choisi pour vous. Hasard de la naissance, des chromosomes hérités, de la famille, des premiers maîtres, des premières lectures, des premiers amis, des premières amours, des coups de pied dans la gueule reçus de la vie... Hasards. Et en avant les logiques branlantes échafaudées sur des prémisses invérifiables, les convictions purement sentimentales assenées et martelées obstinément, la résignation à l'incapacité de convaincre, le refus farouche d'envisager de pouvoir être convaincu, l'imperméabilité au raisonnement objectif, la solide ignorance des contingences historiques, biologiques, psychologiques... Oh, misère !

La lecture des journaux, depuis mon retour, m'avait confirmé dans ma méfiance à l'égard de la chose politique. La Libération avait déchaîné un climat passionnel, chauvin au-delà du ridicule, dont les thèmes principaux étaient l'exaltation de l'héroïsme et la punition des traîtres. Le parti communiste plongeait tête baissée dans l'hystérie cocardière, se drapait dans ses martyrs, se proclamait « le parti des fusillés »...

J'avais essayé de me mettre au courant. Sartre alors régnait sur la pensée. Tout était dans Sartre, et tout y était clair. Très bien. J'ai donc acheté Sartre. Un tout petit livre, pour commencer : *L'existentialisme est un humanisme*. Il y avait déjà un mot que je comprenais : humanisme. Bon début. J'ai attaqué par la face Nord, en sifflotant. J'ai lâché à la dixième page. Même en cherchant chaque mot dans le dico, vraiment pas pour moi. J'ai inscrit dans le petit calepin du dedans de ma tête, souligné en rouge, de bien me souvenir qu'il existe un langage philosophique, qu'il faut avoir été initié et que si t'as pas fait de philo au lycée c'est pas la peine d'essayer...

Mais pourtant, Voltaire, Diderot... ? Ce ne sont pas de vrais philosophes, on les appelle comme ça, mot à la mode du temps, mais essaie donc de lire Kant, Hegel, Schopenhauer... Eh, oui, quoi. Mais alors, je vais aller voter sans avoir été foutu de comprendre Sartre, qui est la clef de tout ? Je vais oser ? Je me sentais comme doit se sentir le dernier de la classe. J'étais persuadé que tout le monde avait lu Sartre, et avait tout compris. Sauf moi, sauf papa, sauf maman. Eux, ça, j'en étais sûr, ils ne l'avaient pas lu... Hm... Sûr ? Je me mis à les regarder d'un autre œil. Je crois que je tournais parano. Ou peut-être que je l'avais toujours été, c'est possible aussi.

J'avais lu le *Manifeste communiste,* de Marx et Engels. C'était plus à ma portée. Ecrit en français usuel, au moins. J'avais lu *Dix jours qui ont ébranlé le monde,* et Gorki, et London, et Barbusse, et Remarque... Je savais ce qu'ont vu à Moscou Gide, Romains, d'autres, qui en sont revenus anticommunistes enragés... Je voulais moi aussi une société qui tienne debout, pas cet enchevêtrement hirsute d'appétits féroces où les forts, les malins, les séducteurs, les cyniques, se taillent des empires. J'avais par-dessus tout horreur de la violence, de toutes les violences, pour en avoir vu de trop près les effets. Je croyais au progrès, ou plutôt en la possibilité du progrès. Je ne croyais pas qu'on y arriverait à coups de cadavre... Je n'avais en tout cas aucune foi, je ne mettais mon espoir dans aucune formule clef, dans aucun groupe humain prédestiné.

Le « peuple » n'est pas plus infaillible qu'aucune autre classe sociale, et le fait qu'il soit exploité, trompé, opprimé ne lui donne pas le droit d'exploiter, de tromper et d'opprimer à son tour, pas plus que ça ne lui donne l'intelligence, le savoir ni la sérénité. Je ne mets pas plus ma confiance dans le peuple que je ne la mets dans l'aristocratie ou dans la bourgeoisie, pour autant que ces vocables collectifs recouvrent autre chose que des abstractions, des catégories commodes pour la classification mais n'ayant aucune existence autre que de mots...

Je n'avais donc pas d'excuse, sinon celle de ne pas savoir dire « Non » trois fois de suite, infirmité fort gênante dans la vie, en vérité.

Tout de même, il y avait ceci : pour moi, communisme et Russie étaient liés, indissolublement. Comme pour tout un chacun. Oui, mais, moi, j'avais acquis dans mon système nerveux central cette connexion privilégiée, ce sacré réflexe conditionné qui, au seul mot de « Russes », chantait dans ma tête à trois mille voix pâmées et tirait des feux d'artifice. D'où l'enchaînement irrésistible : communisme-Russie-feu d'artifice. J'avais beau me répéter que les huiles de l'appareil soviétique n'ont certainement pas les bonnes bouilles des babas et des moujiks avec qui j'avais partagé le pain de paille, j'avais beau j'avais beau, tout ce qui est russe, Staline compris, me fait saliver comme un chien de Pavlov, c'est-à-dire me met dans un état de réceptive bienveillance absolument partiale, j'en conviens bien volontiers, mais, que voulez-vous, c'est physique.

Et puis, et puis... Il y avait Maria. Je ne voyais pas très bien comment, mais il me semblait que s'il y avait l'ombre d'une chance de pouvoir la toucher et aller là-bas, c'est par le Parti que passait cette chance... En fait, je n'ai jamais osé en parler, je suis extrêmement emmerdé quand il s'agit de demander un service...

*

J'ai pris ma carte.

Parce que je n'avais pas dit « Non » assez longtemps, d'accord... Mais aussi parce que je voulais voir. Après tout, les communistes se réclament des idéaux de tout homme qui n'est pas un imbécile, un privilégié ou un pêcheur en eaux troubles : égalité, justice, raison, athéisme, société harmonieuse, scientifiquement organisée pour le mieux-être de tous et de chacun, se modifiant et s'adaptant à mesure que les conditions changent... Je me disais qu'une doctrine qui suscitait tant d'élans et de sacrifices méritait au moins l'approche impartiale, et même sympathique. Je me disais aussi que tous ceux qui avaient écrit contre elle avaient basculé dans l'adulation du nazisme avec un empressement qui mettait à nu leurs mobiles profonds, et ces mobiles ne pouvaient être que la haine du populo, le maintien des vieilles castes, le goût du sublime, de l'irrationnel, des valeurs pseudo-chevaleresques, en un mot le chatouillis romantique au service du droit du plus fort...

Ce fut le plongeon dans le bain d'amour. Amour donné, amour reçu. Bras grands ouverts, yeux humides, aide brûlant de s'employer, sollicitude sans cesse à l'affût, prête à remuer ciel et terre pour le camarade dans les ennuis. Rien que cette façon de prononcer « camarade »... Toute la tendresse, toute la virilité du monde.

J'ai vendu *L'Huma* le dimanche matin, comme les copains. Mon paquet de journaux sous le bras, j'arpentais les rues vides qui sentaient le café au lait, les dignes rues à pavillons de meulière et à marquises où mon cri modulé « Demandez, lisez *L'Humanité,* le journal des travailleurs ! » déclenchait les abois forcenés de clébards neurasthéniques. La combine était de se tirer du lit avant cinq heures pour vite cavaler jusqu'au Château de Vincennes se planter devant l'entrée du terminus du métro et faucher les clients à ces feignasses de camarades de Vincennes englués dans les délices du plumard. Là, oui, ça rendait ! Le bonhomme forcé de s'arracher pour aller au turbin un dimanche aux aurores, les yeux collés, tout frileux dans les banlieues mortes, le bien que ça lui fait de voir qu'un autre pauvre con s'est déhotté encore plus tôt que lui, et se gèle les bonbons, et pour pas un rond ! Alors il lui achète son canard, à tous les coups, et il lui laisse la monnaie pour qu'il aille boire un vin chaud, et on se sentait tout complices, le petit matin aigre était à nous, à nous tout seuls, rien que des potes, rien que des pue-la-sueur, ça te faisait chaud au cœur.

Vers midi, à deux ou trois, on allait gueuler *L'Huma* à la sortie de la grand'messe, pas dans l'espoir de vendre mais pour faire chier les fils à papa qui, le cheveu en brosse et l'œil farouche, proposaient *Aspects de la France* et d'autres machins à nostalgies fascisantes aux familles endimanchées. Nous avions une section de Jeunesses communistes, parmi lesquels les Vaillants, des mômes dans les huit à douze ans, vendaient l'*Avant-Garde* et *Vaillant,* « le journal le plus captivant ». Les plus petits portaient des foulards rouges noués à la manière des scouts, certains étaient très pauvrement vêtus, à la limite du loqueteux. Souvent ils revenaient à la permanence, dépeignés, le nez pissant le sang, pleurant à chaudes larmes :

— Les cathos nous ont cassé la gueule et pis i zont balancé tous nos journaux dans l'égout, ces fumiers-là ! Des grands cons, au moins vingt berges, i zétaient six, et avec des gourdins, même !

On organisait une expédition punitive, mais les fiers paladins ne nous avaient pas attendus. Nous dûmes mobiliser deux camarades pour suivre discrètement, de loin, les petits Vaillants et veiller au grain.

✳

Un jour, papa me dit, soucieux :

— M'ont dit que tou vas vec i commounistes. Sara pas vrai ?

— Mais, papa, c'est des braves gens. Il y a un tel, de Bettola, et un tel, de Ferriere, tu les connais, ils sont gentils, et bons travailleurs, et honnêtes...

Papa secoue la tête.

— Sta commounistes, i sont des bandits. I veut pas travailler. I te prende toute qu'est-ce qué t'as, et si t'es pas content i te tuvent, ecco. Valà qu'est-ce qui fa, sta zens-là.

— C'est ceux qui sont contre eux qui disent ça. Enfin, papa, qu'est-ce que t'as, toi ? Rien. Rien du tout. T'as soixante-six ans, t'as travaillé toute ta vie, et maman aussi, et maintenant si tu peux plus continuer à travailler tu meurs de faim. Tu trouves ça juste, toi ?

— Les pauvres, i sont touzours été, et les rices aussi i sont touzours été, et i saront touzours, pourquoi il est le monde qu'il est fatt' coumme ça, ecco.

— Et pourquoi ça changerait pas ? On peut essayer, non ? Les communistes, ils veulent la justice et la liberté. Et puis, ils sont contre toutes les religions, et ça, moi, je trouve que c'est très important.

— Le bon dieu, mva ze le crvas pas al bon dieu. La glige, ze le vais pas. Ma i courés, i zont zamais fait le mal à personne. I font dou bien boucoup.

— Enfin, papa, sans les communistes, sans les Russes, que c'est un pays où c'est les communistes qui commandent, on aurait perdu la guerre, et les Allemands auraient fait de nous ce qu'ils auraient voulu.

— Ze le sais qué i Geallemands i sont miçantes, sourtout sta messieur Tler qu'il était core plous miçante qué toutes i zautes, ma sta commounistes-là, c'est pire qué toute.

Plus tard, j'y avais amené Liliane. Elle s'y était trouvée tout de suite chez elle. Elle se foutait de l'idéologie. C'étaient des communistes, bon. Ç'aurait pu être autre chose. Pourvu qu'ils soient pauvres, et mal piffés, et simples de cœur... Elle trouvait son bonheur à s'occuper des autres, à s'intéresser, à donner le coup de main. Elle s'offrait aux corvées, elle allait au-devant, prodiguait son heureuse humeur... La politique lui passait au-dessus de la tête. Elle était athée parce que je l'étais mais je ne jurerais pas qu'elle n'allait pas brûler des cierges en cachette et je crois bien l'avoir entendu invoquer tout bas la vierge noire de Cestochowa. Les copains l'aimèrent beaucoup.

Les réunions de cellule se faisaient dans l'arrière-salle du bistrot Kastelbach. Chacun à son tour devait remplir les fonctions de secrétaire, de trésorier, de responsable à la propagande... On y commentait la politique à la lumière de *L'Huma,* on y étudiait la façon d'appliquer les mots d'ordre du Parti, on s'y répartissait les tâches. Je ne pus bientôt plus me cacher que je m'y emmerdais insupportablement.

Je m'y emmerdais comme, enfant, je m'emmerdais à la messe, malgré toute ma ferveur. Je ne supporte pas le rituel et le rabâchage. Les interminables exposés du responsable politique, enfilades de formules stéréotypées pour expliquer une notion très simple qu'on a comprise aux premiers mots, me donnaient l'impression d'être un gosse à la maternelle, un gosse pas très doué à qui il faut répéter et répéter les choses, lentement, jusqu'à ce qu'elles imprègnent sa petite cervelle. Enfin, bon, je m'emmerdais, quoi. La chaleur humaine, ça ne suffit pas, ni les expéditions-goudron pour aller peindre « Libérez Henri Martin » en lettres géantes sur les murs des banlieues.

Décidément, rien de ce qui est collectif ne me convient. Il faudra bien que j'apprenne à m'en souvenir, ça m'évitera des mécomptes. Je suis une bête solitaire, c'est comme ça. Une sale bête qui fuit la horde. Je n'ai jamais aimé la liesse, les fêtes populaires, quand la foule est dense et qu'elle perd un peu les pédales. Le 14 juillet me fout le cafard, l'approche de Noël, les vitrines ornées, les illuminations dans les rues, font monter en moi un malaise étrange, une détresse, une envie de chialer, de fuir loin de tout ça, de retrouver des jours bien lisses, des jours de tous les jours, et ma chère solitude... Quand je suis dans le pétrin, il ne me viendrait pas à l'idée d'appeler à l'aide. Quand j'aperçois quelqu'un de connaissance, même quelqu'un que j'aime bien, mon premier mouvement est de me cacher, d'enfiler la première rue latérale, tant m'ennuie d'avance l'idée des exclamations « Tiens donc ! Quel bon vent ! Qu'est-ce que tu deviens ? » et qu'il faudra s'intéresser à sa famille, aller vider un pot, tout ça... Je suis un sale con, bon, et alors ? Faut faire avec. Me secouer, me forcer ? Rester comme ça serait morbide ? Mais quand je le fais, que je me secoue, le résultat est déplorable. Parler pour ne rien dire que des cordialités machinales me rend malade, non à l'idée du temps perdu, mais malade, pour de vrai : mal au crâne, fatigue intense, gorge qui me brûle, et ennui, ennui, ennui... L'ennui m'est une souffrance aussi violente qu'une rage de dents. Et je suis long à m'en remettre.

J'avais pratiquement décroché avant l'époque où nous avions emménagé rue Saint-Fargeau. Et puis les camarades du vingtième arrondissement étaient venus me relancer, si gentiment que je m'étais laissé faire. Ah, la gentillesse ! Ah, ma faiblesse...

La cellule du quartier se réunissait dans une vieille petite baraque croulante, une ancienne échoppe de cordonnier, peut-être bien, coincée au confluent de la rue Haxo et de la rue Saint-Fargeau, sur la petite place où il y a le métro. J'y suis allé quelque temps, parfois accompagné de Liliane, et puis j'ai laissé tomber, définitivement. On ne peut pas se faire éternellement violence, et décidément je m'emmerdais trop.

J'ai beau savoir de quelle importance est le jeu politique pour la vie de tous, et donc pour la mienne, je n'arrive pas à y prendre intérêt. La politique se situe à un niveau tellement niais de raisonnement, elle cherche tellement plus à émouvoir qu'à convaincre... L'importance de la politique est énorme, certes, mais purement négative : on est obligé de s'en inquiéter à cause de l'immense danger qu'elle représente aux mains des tribuns, de quelque bord soient-ils. Elle barbote au ras des marécages de la pensée pré-logique, les ressorts qu'elle utilise sont de nature religieuse, incantatoire, magique.

Avais-je déjà pris conscience de cela, ou le sentais-je obscurément ? Le communisme, et tous les marxismes, et tous les socialismes, m'apparaissaient de plus en plus clairement comme des continuations du christianisme. Je veux dire que si le christianisme, avec ses mots d'ordre d'amour du prochain et d'exaltation des humbles et des brimés, n'avait pas, pendant deux mille ans de domination quasi universelle, préparé les esprits, « fait le trou », il n'y aurait pas eu de doctrines socialistes.

Le matérialisme que le marxisme se donne pour fondement est contredit par son souci préalable du bonheur d'autrui, de tous les autruis. Le marxisme n'est pas matérialiste, n'est pas scientifique, puisqu'il pose d'emblée un a priori, dogme absolu et « qui va de soi », n'a pas à être démontré ni justifié, et cet a priori est : l'homme est sacré. Ceci était inconnu avant les chrétiens. Ça part d'un bon sentiment, d'accord, mais ça ne fait que sacraliser et situer hors de toute discussion ce simple mécanisme instinctif qui unit les individus d'une espèce grégaire : si l'homme n'est pas sacré, alors je ne le suis pas non plus, et je suis en danger. Le plus redoutable ennemi de l'homme étant l'homme, c'est contre lui qu'il importe de se prémunir avant tout. Or l'homme est un animal pourvu d'un psychisme hypertrophié, c'est donc par des moyens psychiques que je puis agir sur lui. En bref, il s'agit de le convaincre que me nuire, c'est se nuire à lui-même, que m'aider c'est s'aider lui-même, et aussi que l'individu n'est rien, la somme des individus est tout. Ce dernier point violant carrément la logique, c'est lui qu'on va ériger en paradoxe exaltant. Car l'homme, être compliqué mais tout à fait prévisible dans ses complications, aime les paradoxes et s'y exalte.

Le marxisme est un christianisme sans Christ, une religion sans dieu. Je constatais avec surprise qu'il n'y a pas besoin de dieu pour qu'il y ait religion. La foi suffit. Le marxisme se veut, se croit sincèrement fondé sur l'objectivité scientifique. Or, même s'il l'était, son impact sur les masses est celui d'une mystique. Comme une religion, il pose qu'il existe une façon, « quelque part », pour que la société fonctionne harmonieusement, ce que j'appelle la « clef magique », et que si ça va mal c'est que nous ne l'utilisons pas, ou mal. Comme une religion, il projette un espoir dans le futur. Ce futur n'est pas l'éternité individuelle, mais l'avenir terrestre de la collectivité. La clef, nous l'avons trouvée, il suffit que nous nous emparions des postes de commande et le monde sera régénéré, nos enfants auront une vie lumineuse et juste.

Les fondements « scientifiques » du marxisme, comme de tous les systèmes socialisants, ne relèvent que des sciences économiques et politiques, les fondateurs ayant été des spécialistes dans ces disciplines, lesquelles sont encore loin d'être maîtrisées scientifiquement de nos jours et balbutiaient il y a un siècle. Elles ne risquent guère de sortir du bricolage et de la phraséologie, tout au moins dans leurs variétés marxistes, le dogme ayant une fois pour toutes figé leurs tâtonnements autour du credo. La biologie, la psychologie (considérée d'un point de vue biologique, c'est-à-dire physico-chimique) des individus isolés, puis en groupe, en foule, en masse... tout ça les barbe, ils n'en veulent rien savoir, le proclament billevesées idéalistes, rêveries petites-bourgeoises ou sournoiseries réactionnaires, ce qu'ils veulent c'est des problèmes simples : ceux de la politique, art de mener les hommes et technique de la prise du pouvoir. Et de l'action. L'action, même mal préparée, même absurde, même suicidaire, soulage. Poser proprement les problèmes est chiant et, obscurément, on sent que la réponse pourrait être décevante, ne pas confirmer ce que, impulsivement, l'on désire. L'action tranche, envoie au diable les problèmes et éponge les sécrétions des glandes.

« L'homme nouveau et la justice sont au bout du fusil. Prenons le pouvoir et tout ira bien. » Une fois le pouvoir pris : « Il reste des ennemis, ne relâchons pas la vigilance ! » Je crois bien qu'il n'y a dans l'histoire aucun exemple de révolution qui ait dépassé le stade de la terreur policière, ou alors c'est qu'elle a pourri sur elle-même et s'est doucement laissée glisser vers le retour au régime qu'elle venait d'abolir ou vers son frère jumeau. Donc, tu vois bien qu'on a raison de ne pas se relâcher ! Eh, oui. Tout se passe comme si — dans le Parti, on dit « Objectivement... » — tout se passe comme si on ne faisait que changer de flics et de profiteurs. C'est le dilemme révolutionnaire : ou crever, ou être encore plus terribles que les fumiers qu'on a virés.

Oui, mais, c'est parce que la Révolution n'a pas partout vaincu. Quand la planète entière sera rouge, que le dernier ennemi aura disparu, que le dernier germe du virus individualiste petit-bourgeois aura été extirpé du cerveau du dernier camarade, alors plus besoin de flics, plus besoin d'armes, de camps, de contrôles, de restrictions... Les lendemains chanteront, j'entends déjà les harpes.

Qui contrôle un pouvoir révolutionnaire ? Personne, puisqu'il est le suprême pouvoir. Et qu'a-t-il besoin de contrôle, puisqu'il œuvre pour le bien de tous ? Poser la question, c'est être suspect. Etre suspect, c'est déjà trop. Au trou.

Rien n'est simple. Ou plutôt, si, tout l'est, mais le mécanisme n'est pas là où l'on croit le voir. Il réside dans l'homme, espèce animale assez bien connue, biologiquement, et dont les réactions à une situation donnée sont limitées en nombre et prévisibles, grosso modo individuellement, avec beaucoup de précision statistiquement. Les facteurs économiques créent les conditions des grandes perturbations collectives, certes. Mais ces grands courants seront utilisés, modulés, dirigés par les pulsions puissantes de certains individus (chefs, hommes d'affaires, tribuns, prophètes...) dont le tableau caractérologique présente un faisceau de tendances exagérées (avidité, activité, goût du risque, besoin de commander, de charmer, de vaincre, d'humilier...) mises au service d'une intelligence non médiocre mais pas non plus supérieure (ce genre de brides caractérielles ne peut que tendre à réduire l'épanouissement optimal des facultés proprement intellectuelles).

Le tableau caractériel de chacun, comme tout le reste de sa personne, est le résultat d'un formidable méli-mélo de hasards. Hasards initiaux de la rencontre de deux ensembles de gènes (cela fait déjà des centaines de milliers de gènes, donc des milliards de possibilités). Hasards, ensuite, de la vie, de ses plaisirs, de ses traumatismes : apprentissages...

Oui. Je suis bien persuadé de ceci : la vie n'a pas de sens. Elle n'est pas faite pour ceci ou cela, pour mon bonheur ou pour mon malheur. La nature est indifférente. Je suis ici par hasard, je ne suis pas le centre du monde, pour le monde. Pour moi, si. Je suis fait comme ça, et tous les autres aussi. Nous sommes tous des centres du monde, d'autant de mondes que nous sommes. L'humanité est une jungle. Une jungle n'est pas hostile. Pas amicale non plus. Neutre. Si tu ne fais pas attention, tu te piques. Si tu oublies d'être vigilant, tu meurs. Les autres hommes sont les plantes, les bêtes et les cailloux de cette jungle. Ils ne me veulent pas de mal, et même parfois croient me vouloir du bien. Ils ont beaucoup plus de chances de me nuire que de m'aider, surtout quand ils me veulent du bien, surtout quand ils me veulent collectivement du bien.

Je suis une bête solitaire. Je n'ai nulle envie de dominer, par le fric ou par l'autorité, mes besoins sont rustiques, mon seul luxe est la lecture. J'aime passer inaperçu, je sors plutôt la nuit. On dit : « Paris, mais c'est l'horreur ! Personne ne s'y connaît, on peut y vivre vingt ans sans avoir jamais vu son voisin de palier ! » Eh, oui, justement. Voilà ce qui me plaît. Voilà pourquoi j'aime Paris. On y est anonyme, transparent. C'est-à-dire libre. Rien ne me fait plus chier que bonjour-bonsoir et l'idée que le voisin puisse venir m'emprunter le sel. Je préférerais acheter une énorme boîte à sel et l'accrocher à ma porte, à l'extérieur.

*

Ce devait être en 1956, je venais de signer le « bon à tirer » d'un numéro de *Zéro*. Novi me dit :

— Je veux vous présenter des amis à moi.

Me voilà attablé avec deux quadragénaires sympathiques qui ne me laissent pas un souvenir impérissable. Je n'y pense plus. Quelque temps après, Novi me confie :

— Mes amis vous ont trouvé très bien.

Ah ? Où veut-il en venir ? Je réponds à tout hasard :

— Oui ? Moi aussi. Ils étaient charmants.

Tout à trac, Novi me dit :

— J'aimerais vous faire connaître des gens vraiment intéressants. Je suis sûr que ça vous plairait.

Je fais « Huhm », je hausse les sourcils et j'attends la suite. Novi toussote, me regarde droit dans les yeux :

— Que pensez-vous de la franc-maçonnerie ?

C'est donc ça ! Je prends le temps de la réflexion. Il me croit interloqué, ou que j'en ai plein la vue. Je suis surtout bien embarrassé. Son sourire s'impatiente. Je sens me monter une envie de rigoler. Ces choses-là existent encore ? Et il y a des gens pour les prendre au sérieux ? Ça renifle l'arnaque au trésor portugais... Mais Novi n'est pas le genre de cave à se faire avoir au baratin. S'il marche, c'est que ça vaut le coup. Je finis par dire :

— J'en sais ce que tout le monde en sait. Ce qu'en raconte périodiquement *Historia* pour les affamés de mystère et d'histoire « différente »... J'ai lu Alexandre Dumas, j'ai lu le numéro spécial du *Crapouillot* d'avant-guerre... Je croyais tout ça bien dépassé. Tenez, franchement, je vois ça comme des petits vieux qui font joujou entre eux, loin de leurs bonnes femmes.

Novi ne se vexe pas. Il dit :

— Il y a de ça, mais il n'y a pas que ça. La

franc-maçonnerie a été une institution de réelle importance, vous savez, et elle peut le redevenir. Il faudrait lui injecter un sang neuf. Voulez-vous y entrer ? Je serais votre parrain.

Non, je n'avais pas spécialement envie d'y entrer, ni là-dedans ni ailleurs. La vie me paraissait suffisamment passionnante et bien remplie. L'« ésotérisme » ne me tentait pas, la science positive suffit à combler mon besoin de merveilleux et d'harmonie, et puis je savais par expérience que je ne trouverais qu'ennui et contrainte aux choses collectives, j'imaginais des réunions, des horaires, des discours, des rituels... Ça ne me disait rien, mais alors, rien du tout.

Et, naturellement, je me suis retrouvé un soir rue Cadet, au siège du Grand Orient, devant une tête de mort et une bougie allumée, au fond d'un minuscule cabinet tendu de velours noir, me demandant ce que je foutais là et maudissant cette saloperie de malléabilité qui fait que je fais toujours ce qu'on veut me faire faire et jamais ce que j'ai envie de faire, moi.

L'enquête m'avait révélé honorable, on avait jugé mon adhésion souhaitable, et voilà, j'attendais, dans la « chambre de réflexion », qu'on vînt me chercher pour subir les « épreuves » de l'initiation.

Je m'étais préparé à beaucoup de puérilité, beaucoup de grands et nobles sentiments, à beaucoup d'activité, surtout oratoire, en faveur du progrès, de la justice, du savoir, à beaucoup de salamalecs, à une très forte concentration de chaleur humaine et d'amitié... Je ne fus pas déçu.

Le capital de curiosité que j'apportais en entrant se trouva bientôt épuisé. La sympathie que me portaient ces braves gens et celle que m'inspiraient certains d'entre eux ne purent longtemps masquer le fait qui, bientôt, pour moi, domina tout : je m'emmerdais. Eh, oui.

Le rituel avait vite perdu son maigre pittoresque pour n'être plus qu'un fatras de symboles aussi barbants que la messe. Les longs exposés sur le « symbolisme » dont se délectaient les adeptes m'épouvantaient par leur niaiserie, par l'anodin de leur galimatias. J'avais beau me dire que ces hommes me valaient bien pour l'intelligence, qu'un bon nombre d'entre eux me dépassaient de loin, leurs diplômes, leurs œuvres, leurs fonctions dans le monde le prouvaient, j'avais beau me répéter ça, et m'exhorter à la prudence, à la patience, j'étais bien obligé de constater qu'ils passaient leur temps à discuter gravement de sujets dont tout ce qu'on pouvait en dire l'avait été dans le journal.

Sans doute suis-je passé à côté de quelque chose. N'importe qui d'un peu plus futé aurait entrevu, j'en suis sûr, derrière le rideau de cucuteries pompeuses et de phraséologie bien-pensante-de-gauche, le grand dessein et l'élévation de la pensée, sans doute, dans ce cas tant pis pour moi, moi je n'ai rien vu. S'il me faut décrypter, lire entre les lignes et comprendre à demi-mot, alors il n'y a plus personne, j'ai besoin de clarté, de petit *a* petit *b,* c'est comme ça qu'on m'a formé à l'école, à l'école laïque, ce fleuron, paraît-il, de la franc-maçonnerie militante.

La vie m'a appris que les hommes ne sont jamais aussi sérieux que lorsqu'ils ont l'air de perdre leur temps. Sérieux, ça veut dire fric, ou carrière. Il se trouvait là beaucoup de commerçants, d'artisans, de chefs d'entreprise, et je ne pouvais m'empêcher de penser, dans ma mesquinerie méfiante, que la solidarité entre « frères » devait forcément jouer, c'était chose toute naturelle. Un autre groupe nombreux était celui des fonctionnaires, et, bien sûr, là aussi, il eût été absurde que des liens préférentiels ne se tissassent point par-dessus les échelons de la hiérarchie...

Je suis vraiment une sale bête, je l'ai déjà dit. Je pense que par-delà les petits plaisirs du rituel, par-delà l'excitation mentale de faire partie d'une élite et d'une société « secrète », à tout le moins mystérieuse, par-delà les travaux en commun, il y a, véritable et puissant moteur, le formidable besoin d'amitié, de sympathie, de chaleur humaine. Comme au Parti, eh, oui, pareil. Là aussi, ce ne sont que sourires radieux, bras grands ouverts, yeux brillants du plaisir de se retrouver. Il ne saurait y avoir de différends entre frères, pas plus qu'entre camarades. En franchissant le seuil, on laisse ses soucis au-dehors. « Le vieil homme meurt, un homme nouveau naît. » Comme il est fort, cet instinct du clan ! Comme elle nous tient, cette nostalgie du lieu préservé, de

la caverne maternelle où rien ne saurait nous menacer !
Pourquoi donc cela ne me comble-t-il pas, moi, et même
me pèse insupportablement ?

Je ne supporte pas de m'ennuyer, ce m'est douleur
extrême, or, seul, je ne m'ennuie jamais, ma petite tête peut
vagabonder à sa guise. Que quelqu'autre soit présent, me
voilà obligé de m'intéresser à ce qu'il dit, on ne peut pas
fermer les oreilles comme on ferme les yeux, et ce qu'il dit
m'est rarement intéressant, et je m'emmerde, je m'emmerde, et toute mon attention est tendue dans l'effort de ne
pas le laisser voir. D'où gros mal de tête et rêves de fuite au
désert.

Tout rite est magique. Au moins à l'origine. On veut lier
les forces cachées qui dominent la nature par des gestes, des
paroles, des figures bien précis. Si tu te trompes, ça ne
fonctionne pas. La magie disparue, il reste le symbolisme :
les rites ne prétendent plus avoir une action sur les
événements, ils ne font qu'évoquer des actes importants
autrefois commis, ou rendre hommage, ou rendre tangibles
des abstractions. La messe est restée pur rituel magique : elle
affirme transmuer vraiment l'hostie et le vin en chair et en
sang du dieu. Le rituel franc-maçon n'est qu'allégorique, et
pourtant, avec quelle ferveur ils s'y cramponnent ! La messe
s'est débarrassée de la quasi-totalité de son bric-à-brac rituel,
ne conservant que l'acte magique essentiel : la transsubstan-
tiation. La franc-maçonnerie, qui n'attache à son rituel
aucune autre valeur que symbolique, n'en abandonne
pourtant rien, et même passe d'innombrables heures à en
commenter tel ou tel point.

Puissance des rites et des oripeaux. Même s'ils ne
recouvrent aucune magie (mais n'en recouvrent-ils pas
toujours quelqu'une, obscure, inavouée à soi-même ?),
même si ces rites se veulent anti-rites ! Pour proclamer son
dédain de la religion, on s'affuble d'ornements calqués sur
ceux des prêtres, de même que pour proclamer son dégoût
des slogans on fignole un slogan anti-slogan et que pour
matérialiser sa haine de tout drapeau on brandit un drapeau
noir...

Les francs-maçons s'entraident, c'est vrai, mais c'est

comme tout, il faut savoir s'en servir. Demander. Ça, rien à faire. C'est plus fort que moi, je ne sais pas, je ne veux pas. Je n'ai jamais utilisé mon « italianité » pour aller frapper à la porte d'un fils d'immigrants qui a fait son chemin, et quand je suis allé présenter des dessins à *Vaillant,* je ne leur ai pas dit que j'étais au Parti. Je ne demande rien, je n'ai rien à donner, passez votre chemin. Le plus beau cadeau qu'on puisse me faire, c'est m'ignorer. Charmante nature ! Qu'y puis-je ?

J'arrivais toujours en retard aux réunions. J'avais de bonnes raisons, j'ai toujours de bonnes raisons. Et je suis toujours, partout, en retard. Une maladie, je pense, un complexe, enfin, quelque chose dans ce moi profond qui, je crois bien, m'en veut personnellement. Rue Cadet, arriver en retard entraînait tout un cérémonial symbolique assez humiliant, et comme c'était toujours à moi que ça arrivait, je pensais que ça les ferait rire. Mais non. Ça m'a aidé à décrocher. Quand je voyais que décidément j'étais encore bon pour le petit rituel punitif de la porte, au lieu de courir ventre à terre je faisais demi-tour.

C'est comme ça que j'ai laissé tomber.

1951-...
Tita

*

C'était rue de la Convention, au fin fond du Quinzième, au-dessus d'un petit restaurant à plat du jour tenu par une dame russe de l'émigration qui cuisinait des ragougnasses nostalgiques et pas chères pour des princes et des grands-ducs devenus chauffeurs de taxi aussitôt le dernier diamant de famille mis au clou.

Tita habitait là. La dame russe — elle s'appelait Blagonovski, ça me revient, Blagonovskaïa si on est pointilleux sur l'exotisme —, cette madame, donc, Blagonovski lui sous-louait une chambre minuscule, encombrée de pendulettes, de statuettes, de brûle-parfum, de petits cadres dorés avec des petites photos pâlies, aux murs enfouis sous une prodigieuse luxuriance de châles, d'icônes, de cartes postales et de tapis qui étaient peut-être bien d'Orient. Une de ces chambres russes, quoi. Une pénombre ennoblissait de mystère l'antre chaleureux et barbare. Peut-être les volets étaient-ils clos, ou peut-être quelque somptueux brocart aux ors fanés masquait-il la fenêtre de ses plis lourds, je ne saurais le dire, en tout cas l'ombre y était, et cette ombre était magique. Peut-être aussi quelque lumignon y reflétait-il sa flamme tremblante sur la patine d'une icône. Peut-être encore ma mémoire influençable me dresse-t-elle un décor de cinéma autour du souvenir d'un instant que l'avenir devait révéler décisif. Peut-être...

Et dans cette pénombre ardente flottait un visage, à hauteur de visage. Et ce visage était lumineux, d'une lumière très pâle et très douce, bleutée, et ce visage était étroit comme le croissant de lune à son plus étroit, et y flambaient deux yeux, immenses, tellement qu'il semblait que l'étroit visage ne pût les contenir, et l'enserraient deux lourdes colonnes de cheveux fauves qui tombaient tout droit et ruisselaient sur les épaules comme une eau silencieuse. Une épaisse frange de bronze casquait le front, au ras des yeux.

Tita débarquait en droite ligne de Suisse, fuyant un mariage confortable et insipide, pas du tout sur un coup de tête, ou alors un coup de tête à la mode suisse : après dix ans de patience et trois petites filles. Les petites filles étaient là, leurs yeux luisaient dans l'ombre, par rang de taille.

Je ne savais pas encore qu'on l'appelait Tita, je l'appelais Béatrix, c'était son prénom, avec un « x ». L'« x », elle le tenait d'une mère fantasque mais au goût sûr, ou à la prescience étonnante, qui avait su voir que cette enfant appelait ce prénom, ou que, ce prénom lui étant donné, cette enfant saurait le porter. D'une princesse mérovingienne Béatrix avait la cambrure, l'impulsivité, la force de caractère et l'intransigeante rectitude. Elle considérait le mal et la tromperie comme des anomalies rarissimes et, toujours, faisait d'abord confiance. Elle était romanesque à l'excès, n'en était pas dupe, mais avait désormais appris que lutter contre sa nature peut se révéler plus désastreux encore que s'y laisser aller. Elle avait donc décidé d'être enfin elle-même.

Elle savait qu'une vie est réussie si l'on veut qu'elle le soit. Elle portait la nostalgie d'études saccagées par une famille en décomposition alors que sa jeune intelligence, son dévorant appétit d'apprendre venaient tout juste de découvrir les prairies enchantées du savoir. Elle était décidée à reconquérir cela, qui lui avait été volé.

Elle portait un amour démesuré, inemployé, qui cherchait par le monde celui qui en serait digne. Elle crut que ce serait moi.

Elle était belle, souverainement. Greta Garbo dans *Anna Karénine*.

✱

Paris n'est pas Zurich. En ces premières années cinquante, la crise du logement s'était faite encore plus terrible. Les démobilisés d'Indochine affluaient, aggravant un chômage déjà sévère. Béatrix — appelons-la Tita, maintenant que les présentations sont faites — Tita avait bravement quitté le confort et la sécurité zürichois, ses trois petites sous le bras, décidée à affronter les tourments, les fatigues et les privations d'un redémarrage à zéro. Elle s'était attendue à ce que ce soit dur. Elle ne savait pas que ce serait atroce.

Elle était journaliste, elle était aussi une excellente secrétaire, et elle était bilingue. Mais elle ne connaissait personne. Et personne n'avait besoin d'elle. Le « dépannage » Blagonovski dévora en quelques semaines son pécule. J'étais alors dans une situation fort précaire, je commençais tout juste à placer quelques dessins, mes relations sociales se réduisaient à celles d'un petit prolo échappé de l'usine. Je ne lui étais pas d'une aide bien efficace.

Elle croyait que tout s'arrange quant on le veut vraiment. Et, effectivement... Elle avait à Paris un jeune frère, aussi démuni qu'elle, qui avait une petite amie, laquelle habitait une chambre de bonne, sous les toits, place Blanche... Josette, la petite amie, découvrit que la chambre contiguë à la sienne était vide... Tita et ses filles se perchèrent là-haut, trois mètres sur trois sévèrement mansardés, mais pour un loyer dérisoire. Peu après, elle trouvait un emploi d'aide-laborantine dans une petite boîte d'analyses.

✱

Je me croyais plus solide que je n'étais. En fait, je pataugeais en pleine déroute.

On ne trimbale pas impunément un cimetière avec soi. Je me rends compte aujourd'hui que j'étais alors plus qu'à moitié fou, sans le savoir, sans que ça se voie. J'étais avec Tita, tout à coup je m'en allais, je me sauvais, incapable de dire pourquoi, simplement je n'en pouvais plus, il fallait que je m'arrache. Je revenais des jours après, tremblant qu'on ne m'ait pris au mot. Je pense que j'étais déjà lié bien plus fort que je n'en avais conscience, bien trop fort pour la chose au fond de moi, tout au fond, la chose qui savait, elle, exactement, qui savait et n'acceptait pas. La chose, la gardienne tous crocs dehors de ce qui appartenait aux deux mortes.

Car Maria était morte le jour où Liliane était morte. Je dis cela mal, je ne prétends pas expliquer, j'essaie de dire. Ce jour-là j'avais cessé de sentir Maria vivante quelque part, m'attendant, me cherchant. Le vide s'était fait absolu.

Je ne crois en rien, et surtout pas aux morts. Pourquoi alors était-ce comme si je trahissais ? La chose du troisième dessous mêle morts et vivants... En tout cas, la peur, ou appelez ça comme vous voulez, la peur était en moi. J'étais fermé sur ma peur comme le poing d'un enfant sur une pièce volée. Et, enfant terrorisé, je courais à Tita. Tita était l'exaltation et l'oubli, Tita était l'apaisement. Or, passés les premiers merveilleux instants, je redevenais sombre, hargneux... La chose relevait le nez et montrait les crocs. Je saccageais nos meilleurs moments. Comme si j'en avais voulu à Tita de mes propres tourments. Le vrai sale con, parfaitement odieux, à fuir comme la peste, à foutre par la fenêtre.

Tita comprenait tout, admettait tout, attendait.

*

Quand je n'étais pas à dessiner ou à courir les antichambres, je faisais la navette entre la place Blanche et la rue Saint-Fargeau, projeté de l'une à l'autre par mes impulsions contradictoires.

Tita avait improvisé un nid dans ses neuf mètres carrés. Un châlit à étages accueillait les trois fillettes, l'aînée au ras du plafond en pente, les deux plus petites ensemble, tête-bêche, sur le rayon du bas. Cela les faisait rire. Pour la mère, un étroit matelas par terre, dans le coin, là où le biais du toit rejoignait le sol. Il restait tout juste de quoi se faufiler de la porte à la fenêtre.

Par-dessus tout au monde, Tita chérissait ses filles. Le seul véritable mal qu'on eût pu lui faire eût été de les lui ôter. Les petites étaient vives, jolies, éveillées, promptes à rire, toutes trois fort menues. Aussi dissemblables qu'il se peut et pourtant chacune, à sa façon, était le reflet de sa mère.

Anne était l'aînée, Catherine la cadette, Sylvie la dernière. Elles s'étageaient de trois en trois ans, Sylvie avait trois ans et demi, Anne par conséquent neuf et demi.

Tita voulait divorcer au plus vite, afin que nous puissions nous marier. Je n'avais rien contre le mariage, rien non plus pour. Mon besoin de norme n'avait pas résisté aux croche-pieds de la vie. Je ne voyais pas ce que le mariage changerait entre nous, mais bon, si elle y tenait, pourquoi pas ?

C'était, eût dit maman, marier la poêle avec le chaudron, ou la misère avec la famine, mais ce n'était pas pour m'effrayer, j'avais toujours vécu à la limite de l'indigence, je pensais naïvement que c'était l'état habituel de la quasi-totalité des gens, pourquoi s'en faire, mes besoins étaient réduits au strict nécessaire, j'étais fort frugal, usais mes vêtements jusqu'à la peau, redressais les clous rouillés, et mon seul luxe consistait en bouquins défraîchis que j'achetais au poids du vieux papier, sur les quais ou bien aux Puces*. Insouciance nourrie de la certitude que mes bras ou ma tête trouveraient toujours moyen de m'assurer mon léger nécessaire.

Les enfants ne me faisaient pas problème. A vrai dire, je n'avais jamais auparavant pensé à la chose. Fils unique, je n'avais aucune expérience de la présence d'un bébé à la maison. Les enfants existaient, certes, mais comme existent les nuages dans le ciel : leur route ne croisait pas la mienne. Non que je les aie détestés. Je n'avais simplement pas d'opinion, n'ayant jamais été confronté au phénomène « enfants ». Mes rares contacts avec des gosses me laissaient une impression d'ennui et d'embarras, je ne savais quoi leur dire, ce qu'ils me disaient ne m'intéressait pas, leurs stridences m'irritaient, les barbouillages d'enfants que les mères épinglent amoureusement aux murs me paraissaient

---

* Eh, oui. Il n'y a pas si longtemps, un livre d'occasion se vendait le dixième de son prix neuf. Les Puces étaient vraiment les Puces.

tous sinistrement semblables dans la laideur. J'étais bien content de ne plus être un enfant.

Mais enfin, je n'étais pas un anti-enfants enragé, je me disais on verra bien, tous les bonshommes sont d'abord comme ça, et puis la paternité leur vient... Et puisque Tita, c'était Tita plus les petites, vogue la galère...

*

La chambre donnait sur la place Blanche, il y avait même un petit balcon, au rez-de-chaussée c'était le Prisunic, droit en face la rue Lepic escaladait la Butte, encadrée par le « Cyrano » et par le « Moulin Rouge ». Quartier de lève-tard, de chorus-girls de revues descendant à midi acheter les croissants du petit déjeuner, grandes bringues blêmes aux yeux battus, en robe de chambre, les cheveux dans une serviette, aux pieds des mules à pompons roses. Le dimanche, nous faisions les courses aux voitures des quatre-saisons, Tita mettait des nouilles à cuire sur un réchaud à alcool, le balcon se voyait ravalé au rang de cuisine, c'était le seul coin possible. Josette, la voisine, chantait dès son réveil, à tue-tête, les airs de *La flûte enchantée,* elle s'était toquée de cet opéra, la cloison était mince, Tita s'y mettait à son tour, et aussi les petites, de leur lit, c'était le seul endroit où elles pouvaient se tenir, et finalement Josette poussait la porte et venait chanter dans la chambre, c'était quand même mieux sans une cloison entre. Je me sentais nettement de trop dans ce joyeux univers de culture musicale. Du moins ai-je appris que *La flûte enchantée* est de Mozart, ce sont des choses qui peuvent servir dans le monde.

De Clichy à Pigalle, le boulevard de Clichy était une fête dont Blanche était le centre. La nuit, bien sûr, les ailes du Moulin tournaient, flamboyantes, les fêtards fêtaient... Plusieurs mois par an, une autre fête s'installait sur le terre-plein, celle des forains. Droit sous la fenêtre, une piste d'autos tamponneuses beuglait de tous ses mégaphones. Quarante mille Line Renaud mugissaient « Ma cabane au

Canada » avec des pâmoisons tonitruées, puis, après quelques graillonnements d'apocalypse, une Edith Piaf colosse ululait « Les trois cloches », soutenue par quelques millions de Compagnons de la Chanson qui faisaient « Binngue-Banngue » comme des grands cons en culottes courtes, et de nouveau « Ma cabane au Canada », le type ne devait avoir que ces deux disques-là. Inutile d'essayer de dormir.

Et puis il y eut le placement des petites dans un internat, modeste, charmant, très bon marché, mais catholique. Tita, mécréante convaincue, n'avait pas fait baptiser ses filles. Il fallut y procéder, à la joie des religieuses, ravies d'arracher ces jeunes âmes au démon. Nous allions les chercher en fin de semaine, la pension se trouvait rue Jean-Dolent, à l'angle de la rue de la Santé, exactement en face du formidable mur de la prison. Des marronniers ombrageaient la cour, tout roses au printemps.

Et puis il y eut la petite annonce dans *France-Soir,* et enfin, enfin, un logement, un vrai. Deux petites pièces, à Vincennes, dans un galetas de plâtras, au fond d'une étroite cour aux pavés moussus, une cuisine minuscule, l'eau et les chiottes dans la cour. Je n'étais pas dépaysé, je retrouvais une rue Sainte-Anne. Pour Tita, c'était la plongée aux abîmes. Mais elle put reprendre ses filles avec elle, elles eurent une chambre pour elles trois toutes seules, l'opulence !

✻

Et puis Jérôme vint au monde, et, deux ans après, Laurent. Sept personnes dont cinq enfants sur vingt-quatre mètres carrés, ça ne pouvait constituer qu'une solution provisoire. La crise cependant ne semblait pas devoir finir... Tita entendit parler, par des collègues de bureau, du « plan Courant », solution de fortune destinée par l'État à aider les gens à se bricoler eux-mêmes de quoi se loger, puisque lui en était incapable. Oui, mais, le terrain ? L'apport initial ? Et, là, le coup de pot inouï : une petite annonce, du terrain à vendre au Plessis-Trévise, un bled au-delà de Villiers-sur-Marne, en pleins champs, trois cent cinquante francs le mètre carré ! Francs anciens : ça se passait en cinquante-trois. Pour trois cent cinquante mille balles, tu avais un terrain de mille mètres carrés ! Mille mètres ! Un parc ! Un domaine ! Une province ! Une île déserte ! C'était toujours fou. Ce n'était plus irréalisable.

S'ensuivirent quatre années épouvantables et exaltantes, où mon vieux pote Roger tient le rôle du bon ange, et enfin, bon, au bout de tout ça, il y eut la maison. Six pièces, tout le monde avait sa chambre ou presque, nous nous entourâmes aussitôt de chiens, de chats, de pintades sauvages, de canards cannibales, et d'arbres, d'arbres, d'arbres...

J'allais dans les bois des alentours, dans les parcs en friche, déraciner de jeunes sujets que je replantais autour de la maison, j'en rapportais des brassées, je les aurais tous pris, je n'en revenais pas qu'il suffise de faire un trou en terre et de les y mettre, et voilà, ces êtres vivants daignaient vivre avec moi, et même se plaisaient là, dans cette grasse terre de Brie imbibée de siècles de bouses, et croissaient vertigineuse-ment, en cinq ans la maison disparaissait au fond d'une forêt de Belle au Bois Dormant, les acacias, les houx, les buis, les bouleaux, les frênes, les pins noirs, les sorbiers, les ifs, et des arbres très curieux dont j'ignorais le nom, tous ces amis, en rangs serrés ! Et des pommiers qui donnaient des pommes, des cerisiers des cerises ! L'herbe, entre les arbres, montait à hauteur de genou, je n'arrivais pas à la faucher assez souvent, je fauchais à la faux, horreur de la pelouse-moquette, et l'arrogante petite tête bleu ciel casquée de rouge d'une pintade égarée soudain surgissait au-dessus des herbes, et elle poussait son braiement d'âne affolé, et lui répondaient les braiements conjugués de toute la horde, je riais de haut plaisir. Rien n'est gracieux comme une pintade en liberté. Garnotel, le beau-frère de Choron, m'avait aussi fait cadeau d'un couple de canards de Barbarie, race prodigieuse, noire aux reflets mordorés, forte comme des molosses, qui ne coincoine pas mais siffle de fureur, décolle à la verticale et plane en larges cercles, comme des rapaces. Ces énormes oiseaux à la large queue en éventail se perchaient sur les pignons et sur les cheminées, les pintades dormaient au plus haut des arbres, chacune sa branche, hiérarchiquement, tout ça pondait et couvait dans tous les coins, naturellement pas question de les manger, le voisinage nous tenait pour de doux dingues. La nuit, je devais faire trois kilomères à pied depuis l'arrêt du bus de Cœuilly, le long de la route les rossignols se relayaient, un tous les cent mètres, la vieille chatte multicolore entendait de loin mon pas et venait à ma rencontre en trottinant pointe des orteils sur les grès qui bordaient le trottoir... Je crois bien qu'il nous est arrivé d'être heureux.

1967
Le coup de grâce (?)

∗

Et voilà. Ça devait arriver. De nouveau nous avons eu les honneurs de l'*Officiel*. Juillet 66, *Hara-Kiri* interdit pour la deuxième fois. Stupeur. Nous n'y croyions plus. Ou plutôt, dans l'abondance de nos ennuis, nous avions oublié ce danger-là.

Nous étions, financièrement, à l'extrême bord de la catastrophe. Nous réalisions cet amer paradoxe d'éditer un mensuel qui se vend pas mal du tout et qui n'arrive cependant pas à boucler son budget. Paradoxe seulement en apparence. (Comme tous les paradoxes. Il n'y a pas de paradoxes.) En fait, nous sommes obligés de vendre trop bon marché. C'est le cas de toute la presse. Seulement, la presse « normale », elle s'en fout. Le prix de vente d'un journal ne représente qu'une faible partie de ses rentrées, l'essentiel étant, comme je crois l'avoir déjà dit, apporté par la publicité. Un journal est avant tout un prospectus, un support publicitaire. Il peut se permettre de se vendre à bas prix, afin de rafler le plus de lecteurs possible, car les tarifs publicitaires sont fonction du tirage. Les prix des journaux sont donc bidon, artificiellement bas, mais le lecteur y est habitué, si nous prétendions lui vendre notre *Hara-Kiri* en tenant compte du prix de revient et en gardant une marge de sécurité, comme l'exigerait une saine gestion, il crierait au voleur et se sauverait en courant. Or le prix du papier a fait coup sur coup plusieurs bonds fantastiques, réduisant à zéro notre marge de manœuvre, nous mettant à la merci des moindres fluctuations de la vente au numéro. Cinq pour cent de ventes en moins, on ne boucle plus. La vente d'un mensuel varie couramment de quinze à vingt pour cent. Et il y a les perturbations saisonnières dues aux départs en vacances : en juillet et en août, le lecteur n'achète plus à son marchand habituel et, en admettant qu'il pense à le demander là où il est parti se bronzer, le dépositaire local n'accepte pas de prendre le risque d'augmenter sa prise en charge. Le vacanceux se résigne, il se paie à la place une glace framboise-pistache, et tant pis pour nous. D'autre part, les petits libraires de bords de mer, bousculés par l'afflux de la clientèle estivale, n'ont pas le temps de trier leurs invendus, ils les entassent dans la cave, se réservant de renvoyer tout ça aux Messageries après le départ des Parisiens. Résultat : de terribles surprises quand arrive le flot d'invendus, en septembre, et jusqu'en octobre. Ces coups de boutoir peuvent être mortels pour un journal qui n'a que sa vente pour vivre. Et la récente multiplication des départs lors des petites vacances éparpillées tout le long de l'an (Noël, Pâques...) se traduit à chaque fois par une plongée des ventes à Paris et dans les grandes villes qui n'est nullement compensée par une remontée sur les lieux de villégiature...

J'enrage quand je pense que nos lecteurs, pourtant plutôt moins cons que le tas, poussent des cris d'écorchés quand, le couteau sur la gorge, nous nous résignons à augmenter le prix de quelques centimes. Je me dis que ces cochons-là déboursent sans discuter deux ou trois fois plus cher pour un mauvais cahier de brouillon, le même nombre de pages en papier infect, et nous on leur donne « en plus » du travail d'imprimerie, de photogravure, de composition, de mise en pages... Je ne compte même pas le travail de dessin et d'écriture, ni, bien sûr, le talent et les idées, qui sont pourtant la marchandise qu'ils achètent vraiment. Il leur faut du talent, il leur faut du génie, et de la photo, et de la couleur, et ils veulent avoir tout ça pour même pas le prix du papier ! Et, encore une fois, ce sont de bons petits gars, des copains, pas le tout-venant ! Mais voilà, on n'échappe pas à la grosse machine à décerveler.

Choron, là, donne sa mesure. C'est l'homme des situations désespérées. Il court tout Paris pour trouver à escompter des traites, baratine des banquiers, force la porte des huiles des Messageries, réactive la vente au colportage qui, dans l'euphorie de la réussite, avait été un peu négligée... Quelle est la situation exacte, impossible de le lui faire dire. L'affaire est à lui, il l'a voulu ainsi, il assume. Ne se plaint pas, n'accuse pas. Sauve la face. Mais il ne peut pas faire qu'il y ait de l'argent quand il n'y en a pas. La rage au ventre, sourire aux dents, il nous prend à part l'un après l'autre, demande à chacun en confidence s'il peut attendre un peu, deux trois jours, il est plutôt serré en ce moment, une saloperie d'échéance, ou bien les Messageries qui ont prélevé inopinément une « provision sur invendus » qui fout ses calculs par terre... Bien sûr, qu'on attendra. On sait bien que s'il avait du fric il serait trop content de nous en couvrir, de nous en faire des colliers, il est comme ça, il aime semer à pleines mains, panache au vent. Les enfants de la misère, si un jour ça s'en sort, ou bien ça devient pingre avare horrible, ou bien l'argent leur brûle les doigts. Sa plus grande humiliation, à Choron, c'est d'être acculé à reconnaître qu'il ne peut pas payer. On en est tout emmerdés, on est gênés pour lui de ses tortillements. On l'arrête aux premiers mots, mais voyons bien sûr, quand tu pourras, ça presse pas...

Il est probable qu'il a été imprudent. Comme tous les battants, il n'attend pas d'avoir assuré ses arrières pour foncer. C'est d'ailleurs comme ça, en prenant des risques, qu'on réussit. Ou qu'on se casse la gueule. Si tu réussis, on appellera tes imprudences « sublimes traits d'audace », « merveilleuse prescience de l'occasion », tout ça. Si tu te casses la gueule, on dira que tu l'as bien cherché. Choron est un dompteur. Il veut les événements à sa botte. A défaut de grande victoire, il en remporte chaque jour de petites, des combats d'arrière-garde époustouflants dont il revient fourbu, sans voix, et vainqueur.

Victoires qui ne font que retarder la chute, en l'aggravant. Pestiféré dans les banques, il va chercher du fric chez les usuriers, à des taux cannibales. Et il trouve moyen de les rouler. Le neuvième arrondissement, tout autour de la rue Choron, s'est couvert ces derniers temps de bistrots pieds-noirs reflués d'Algérie dont les arrière-salles abritent des tables où flambe le poker. La table se loue à l'heure, très cher, il faut arroser la mondaine, les jeux, la poulaille du quartier... Beaucoup d'oseille change de poche en ces lieux. Ce fric noir, on le fait travailler au noir : l'usure. En quelques semaines, Choron est promis au rasoir justicier par à peu près tous les tenanciers du coin et par leurs loufiats, non moins âpres à tondre le pauvre monde que les patrons. Il ne songe même pas à éviter de s'y montrer. Il s'en tire au charme, au bluff, à la fausse colère, à la vraie, à l'ivrognerie ravageuse, de moins en moins feinte, de plus en plus ravageuse.

Tout ça pour boucher des trous en catastrophe, jeter un os aux plus indispensables : l'imprimeur, le marchand de papier, tous gens pris à la gorge par leurs propres échéances. Le seul point un peu élastique, c'est nous, les rédactionnels. Choron, aux abois, finit par ne plus nous donner que des bribes, un billet de mille* par-ci par-là, arraché entre deux portes, qui ne représente rien, ne figurera sur aucune comptabilité. Une aumône. A la maison, c'est de nouveau la mouise.

Choron ne perd rien de sa superbe, et même il en remet, joue du fume-cigarette arrogant. Mais il devient irritable, il n'est plus le grand vainqueur, le Choron de granit, et ça, il supporte mal. Le climat se fait lourd. Je sens l'équipe partir doucement en couille. Topor arrive un jour, tout de suite va à Choron, lui demande le fric qu'il lui doit. Il avait dû répéter son numéro de fermeté dans l'escalier, se marteler que quoi que l'autre lui objecte il refuserait d'écouter, pas se laisser embobiner, mon fric et c'est marre, tes emmerdes j'en ai rien à secouer, je t'ai donné mon boulot, alors paie, ce genre de cinéma. On était en réunion, Choron justement parlait, je ne sais plus de quoi, Topor lui marche droit dessus et lui dit :

— Donne-moi ce que tu me dois.

Choron interloqué, une demi-seconde. Voit de quoi il retourne, se braque, ignore. Continue à parler comme si de rien, Topor dans son dos. Par la suite, il m'a dit « Qu'est-ce

* Anciens francs !

300

que c'est que ces façons, ni bonjour ni bonsoir, j'ai jamais refusé de payer personne, mais je suis pas un chien, il attendra. » En fait, il était à sec. D'habitude, il s'en sortait mieux. De ce jour date la grande brouille Topor-*Hara-Kiri*.

Fred, vieil habitué de la vache enragée, la supportait fort mal depuis qu'il était chargé de famille. Il devenait sombre, taciturne, m'évitait. Avait des éclats où il menaçait de laisser tomber. Il avait été tellement mené en bateau, au début de sa carrière, par de mauvais payeurs, qu'il était devenu extrêmement méfiant. Il ne pouvait pas croire que Choron ne se remplissait pas les poches sur notre dos, et, comme je répétais que nous devions nous cramponner à *Hara-Kiri*, que c'était notre création à nous, notre fierté, notre pain de demain, qu'on avait fait le trou, qu'on serait imités et plagiés partout et qu'on serait bien cons de lâcher la rampe juste maintenant, comme je leur répétais ça parce que je sentais le moral foutre le camp par tous les trous, Fred, tout naturellement, en vint à penser que j'étais aussi crapule que Choron, qu'on se partageait le gâteau ou qu'au moins j'en ramassais les miettes. Si seulement il m'en avait parlé ! Mais je n'ai su que plus tard, trop tard.

C'est en plein dans cette débâcle qu'est tombée l'interdiction, comme une enclume sur la tête d'un type qui se noie. Cette fois, la Commission de surveillance n'était même pas au courant, n'avait émis depuis longtemps aucun jugement défavorable contre nous. La décision d'interdire émanait directement du ministère de l'Intérieur, cédant à la pression discrète d'une « personne très haut placée »*. Le numéro de juillet, tout frais tiré, n'était pas encore distribué. Le désastre était si parfait, si grandiose, que nous le posâmes sur le billard et nous assîmes en rond pour le contempler.

L'aspect géographique et social d'une débâcle est l'exode des populations. Honteusement chassés de la rue Choron à cause de je ne sais combien de termes impayés, nous trouvâmes asile dans les Halles, rue de la Grande-

---

* En fait, avons-nous pu savoir (pour autant qu'on puisse jamais savoir ces choses), la pression aurait émané de la générale de Gaulle ou d'une personne de son entourage.

Truanderie, où Louis Dalmas nous cédait un petit coin dans les bureaux de son agence de presse. Nous y avons traîné nos biens : deux ou trois brouettées de papier sale et une pile de *Figaro-Salon* dont la moitié des pages avaient été découpées, et aussi notre armoire, une monumentale cochonnerie vitrée à colonnettes que Choron a dû se faire refiler par un usurier à l'occasion de je ne sais quel ténébreux micmac. Le billard a disparu, emporté par quelque huissier.

Voilà huit mois que ça dure. Il serait temps qu'on en sorte. L'équipe s'est éparpillée, les uns à *Pilote* qui les guignait depuis longtemps, les autres je ne sais où. Nos réunions rédactionnelles manquent d'animation. En tout et pour tout : Choron, Wolinski et moi. D'autant que nous n'avons pas de journal à rédiger. Nous faisons le point de nos démarches, en projetons d'autres, écrivons lettre sur lettre afin d'essayer de secouer l'inertie des bureaux... Les confrères ne se bousculent pas pour prendre notre défense. Pourtant, c'est plus fort que nous : nous ne pouvons pas parler de nos malheurs plus de cinq minutes sans que ça tourne à la rigolade. Nous sommes des ricanants, nous fuyons dans le déconnage comme d'autres dans la picole ou dans la défonce. Et ça fonctionne. On arrive tout pénétrés de la situation affreuse, tout angoissés par la misère et les gosses qu'on bourre de nouilles avec rien dessus, on repart hilares.

N'empêche, ça commence à bien faire. Je n'ai plus, comme la première fois, des petits boulots de dépannage, depuis six ans que je pédale, tête baissée, dans ce cirque, sans rien voir, comme un écureuil sur sa petite roue, j'ai perdu mes contacts. Mais surtout, surtout, j'ai dans la main un jeu formidable, comme je n'en ai pas vu passer depuis six ans. D'abord un manuscrit qu'un type m'a envoyé juste avant le coup de hache, un gros cahier avec, sur la couverture, *Les Mémoires de Delfeil de Ton, par Delfeil de Ton*. J'ai eu ce choc de bonheur qu'on n'a que quelques fois dans une vie. Ensuite, un dessinateur, un Belge, Peellaert, qui fout en l'air tout ce qui a pu se faire avant lui en matière de bande dessinée. Là, oui, j'ai envie de publier de la bande, et en couleurs. Troisièmement, un Hollandais, qui publie tout seul un petit journal en Hollande, un chef-d'œuvre de naïveté roublarde et un très très beau dessin. Il signe Willem. Et il y a encore Fournier, ce barbu sinistre qui, depuis deux ans, essaie obstinément de faire dans le dessin rigolo, n'y parvient pas mais semble enfin avoir trouvé ses rails : une vitupération écrite-dessinée, tout mélangé, contre la connerie collective en général et le saccage de la nature en particulier. Il oublie d'essayer d'être drôle, il fulmine premier degré comme un prophète de malheur bouffeur de sauterelles, mais documenté faut voir, et quel style, nom de dieu, quel souffle !

Il va être terrible, le numéro de la résurrection ! Choron m'assure qu'il a trouvé le fric. Qu'on ait seulement l'autorisation de reparaître, et tout démarre. Je préfère ne pas savoir à quel prix il l'a trouvé...

On fignole la maquette. Comme on a des loisirs, on rêve. Choron ressort cette vieille idée d'un hebdomadaire qu'on se faisait miroiter aux jours d'euphorie de la rue Choron, cette idée archi-dingue qui nous excite et qui nous fait peur. Un hebdo ! Là, oui, on serait en prise directe sur la vie. Mais quel bagne ! Quelle organisation, quelle cadence implacable ! Et se renouveler de fond en comble chaque semaine, chaque semaine, dis donc ! Et naturellement nous ferions ça entre nous, l'éternelle increvable demi-douzaine... Si seulement ils reviennent, les vaches...

Cet ouvrage a été composé par EUROCOMposition S.A.
et réalisé sur SYSTÈME CAMERON
par Firmin-Didot S.A.
pour le compte des Éditions Belfond
le 26 juin 1981

Numéro d'édition : 387-2 — Numéro d'impression : 8460
Dépôt légal : 2ᵉ trimestre 1981